あるくみるきく双書

田村善次郎・宮本千晴【監修】

宮本常一とあるいた昭和の日本

8

近畿②

農文協

はじめに

――そこはぼくらの「発見」の場であった――

「私にとって旅は発見であった。私自身の発見であり、日本の発見であった。書物の中で得られないものを得た。歩いてみると、その印象は実にひろく深いものであり、体験はまた多くのことを反省させてくれる。」これは『私の日本地図』の第一巻「天竜川にそって」の付録に書かれた宮本常一の「旅に学ぶ」という文章の一節である。これは宮本先生の持論でもあった。近畿日本ツーリスト・日本観光文化研究所に集まる若者の誰もが幾度となく聞かされ、旅ゆくことを奨められた。そして「どうじゃー、面白かったろうが」というのが旅から帰った者への先生の第一声であった。一生を旅に過ごしたといっても過言ではないほど、旅を続けた宮本先生にとって、旅は面白いものに決まっていた。それは発見があるからであった。発見は人を昂奮させ、魅了する。

この双書に収録された文章の多くは宮本常一に魅せられ、けしかけられて旅に出、旅に学ぶ楽しみと、発見の喜びを知った若者達の旅の記録である。一編一編は限られた村や町の紀行文であるが、こうして地域ごとに集めてみると、期せずして「昭和の風土記日本」と言ってもよいものになっている。

日本観光文化研究所は、宮本常一の私的な大学院みたいなものだといった人がいるが、この大学院は学歴も職歴も年齢も一切を問わない、皆平等で来るものを拒まないところであった。それだけに旺盛な好奇心と情熱をもった多様な性向の若者が出入りしていた。『あるく みる きく』は、この研究所の機関誌的な性格を持った月刊誌であり、所員、同人が写真を撮り、原稿を書き、レイアウトも編集もすることを原則としていた。編集者もデザイナーも筆者もカメラマンも、当時は皆まだ若かったし、素人であった。公刊が前提の原稿を書くのは初めてという人も少なくなかった。発見の喜び、感激を素直に表現し、紙面に定着させるのは容易なことではない。何回も写真を選び直し、原稿を書き改め、練り直す。徹夜は日常であった。素人の手作りからの出発であったが、この初心、発見の喜びと感激を素直に表現しようという姿勢、は最後まで貫かれていた。

月刊誌であるから毎月の刊行は義務である。多少のずれは許されても、欠号は許されない。特集の幾つかに宮本先生の古くからのお仲間や友人の執筆があるし、宮本先生も特集の何本かを執筆されているが、これらは欠号を出さず月刊を維持する苦心を物語るものである。

『あるく みる きく』の各号には、いま改めて読み返してみて、瑞々しい情熱と問題意識を感ずるものが多い。それは、私の贔屓目だけではなく、最後まで持ち続けられた初心、の故であるに違いない。

田村善次郎　宮本千晴

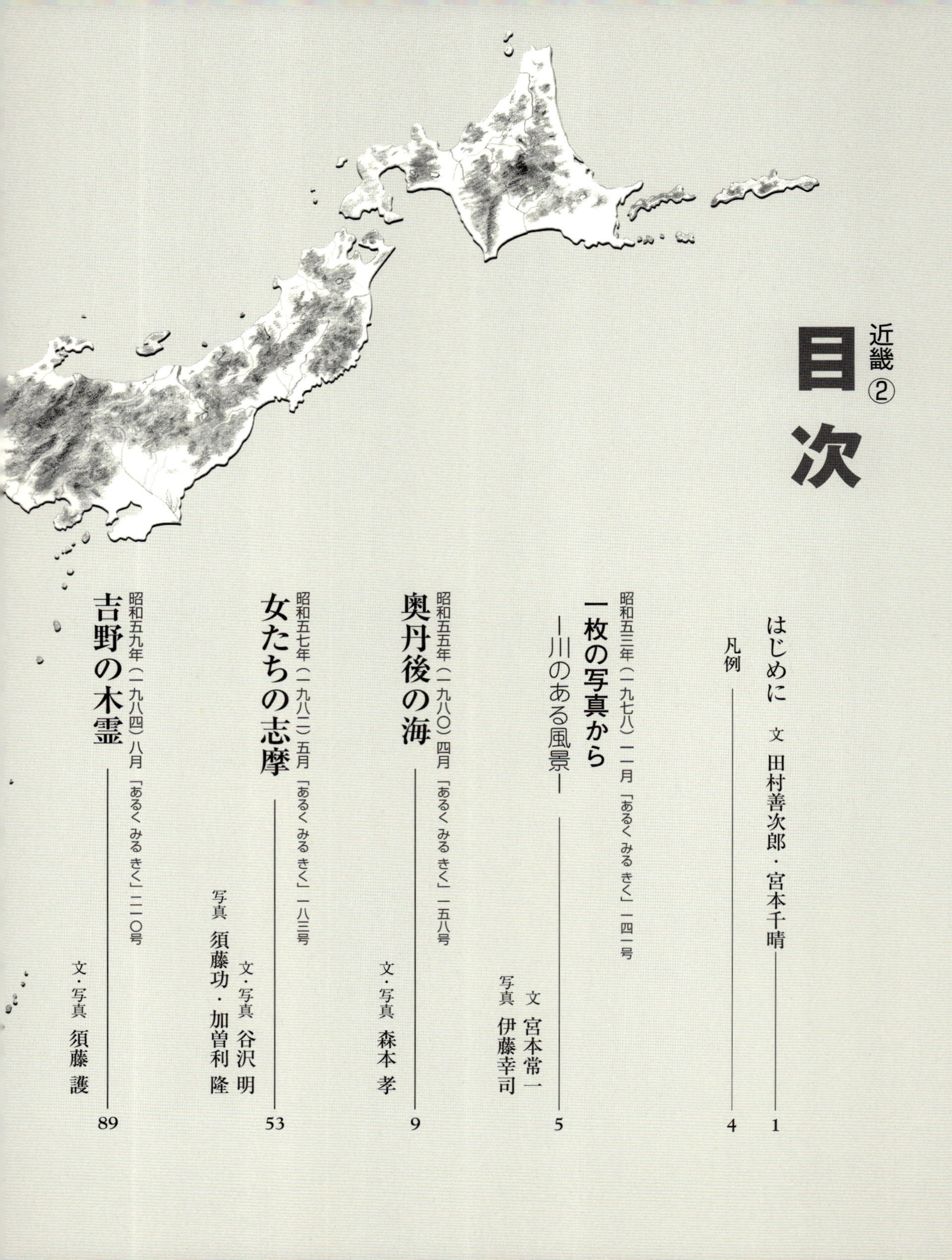

近畿②

目次

はじめに　文　田村善次郎・宮本千晴 ― 1

凡例 ― 4

昭和五三年（一九七八）一一月「あるく みる きく」一四一号
一枚の写真から ―川のある風景―　文　宮本常一　写真　伊藤幸司 ― 5

昭和五五年（一九八〇）四月「あるく みる きく」一五八号
奥丹後の海　文・写真　森本　孝 ― 9

昭和五七年（一九八二）五月「あるく みる きく」一八三号
女たちの志摩　文・写真　谷沢　明　写真　須藤功・加曽利　隆 ― 53

昭和五九年（一九八四）八月「あるく みる きく」二一〇号
吉野の木霊　文・写真　須藤　護 ― 89

p9 京都府
p177 兵庫県
p133 兵庫県
p89 奈良県
p53 三重県

昭和六一年（一九八六）六月「あるく みる きく」二三二号
糸の匠
―淡路島のだんじり屋　文・写真 近藤雅樹　写真 神戸佳文　133

蒲団屋台覚書　文 近藤雅樹　172

昭和六二年（一九八七）一二月「あるく みる きく」二五〇号
灘五郷の桶と樽　文・写真 須藤 護　177

昭和三六年（一九六一）八月
宮本常一が撮った
写真は語る 京都市　文 須藤 護　217

著者あとがき　221

著者・写真撮影者略歴　222

凡例

＊この双書は『あるくみるきく』全二六三号のうち、日本国内の旅、地方の歴史・文化、祭礼行事などを特集したものを選出し、それを原本として地域および題目ごとに編集し合冊したものである。
＊原本の『あるくみるきく』は、近畿日本ツーリストが開設した「日本観光文化研究所」の所長、民俗学者の宮本常一監修のもとに編集し昭和四二年（一九六七）三月創刊、昭和六三年（一九八八）一二月に終刊した月刊誌である。
＊原本の『あるくみるきく』は一号ごとに特集の形を取り、表紙にその特集名を記した。合冊の中扉はその特集名を表題にした。
＊編集にあたり、それぞれの執筆者に原本の原稿に加筆および訂正を入れてもらった。ただし文体は個性を尊重し、使用漢字、数字、送仮名などの統一はしていない。
＊印字の都合により原本の旧字体を新字体におきかえたものもある。
＊写真は原本の『あるくみるきく』に掲載のものもあれば、あらたに組み替えたものもある。また、原本の写真を複写して使用したものもある。
＊また撮影者を特定できないまま掲載した写真もある。
＊図版、表は原本を複写して使用した。また収録に際し省いたもの、新たに作成したものもある。
＊掲載写真の多くは原本の発行時の少し前に撮られているので、撮影年月は特に記載していない。
＊市町村名は原本の発行時のままで、合併によって市町村名の変わったものもある。
＊収録にあたって原本の小見出しを整理し、削除または改変したものもある。
＊この巻は森本孝が編集した。

一枚の写真から

宮本常一

―川のある風景―

土佐堀川にて　昭和48年（1973）9月　撮影・伊藤幸司

川のある町はよいものである。

町の中を川が流れている。流れにそうて歩道があり並木がある。川を船が上下する。それだけでも一幅の絵になる。そしてそういう町が記憶の中にいくつかある。古い大阪もそうした町の一つであった。大阪の町の中は淀川が流れている。しかしたびたび洪水があるので、毛馬というところからまっすぐに海まで新しい水路を作り、この水路を新淀川とよび、毛馬には閘門をもうけて旧来の淀川におちる水を制限した。旧淀川は毛馬から南へ流れて天満で寝屋川の水をあわせて西に向きを変え、天神橋のところで二つに分れる。右へ流れるのが堂島川、左へ流れるのが土佐堀川で真中は中之島。中之島の西のはずれで堂島川、土佐堀川は合流してそこでまた二つに分れる。西にむかうのが安治川、南へむかうのが木津川。その木津川は松島で木津川と尻無川となり、一方安治川も西九条で正蓮寺川が分れる。

これらの川のほかに東横堀、西横堀、道頓堀、長堀、江戸堀などの堀があった。堀も川も海に通じ、昔はそれらの堀や川へ海からやって来た船が川岸に横着けになって荷の揚げ降ろしをしたり、また客を乗せたりした。

そしてそのころは川の水もきれいに澄んでいた。私が大阪で生活するようになったのは大正十二年であったが、その頃は毛馬の下の方は一面に川藻が茂っていて、時には黄色な藻の花の咲いているのを見ることがあった。川には橋が沢山かかっていたが、橋だけでは対岸に渡るのに不便で、ところどころに渡しもあり、上流の方にあった源八の渡しはたびたび渡った。堤から渡し場までの道にはキョウチクトウが植えてあって、夏になるとその花が咲く。そこから少し下った桜宮（さくらのみや）の造幣局には桜の並木があった。桜宮というのは昔は桜の名所だったが、私がその近くに住んでいたころは大きな銀杏の木が高くそびえ立っていた。桜宮の堤からは田圃をへだてて遠く生駒山が見えた。寝屋川の合流点のあたりには柳が多かった。その柳の並木の中を京阪電車が走っていた。

川の両岸は今見るようなコンクリートの岸壁にはなっていなかった。水面すれすれのところにコンクリートの岸があり、そこは人が一人歩けるほどの幅があり、犬走りといい、川をのぼる船を男たちが綱で曳いて、この犬走りを這うようにのぼっていった。川をのぼってゆく船はいろいろあった。河内（かわち）平野の村々から野菜を積んで来る船、薪炭を積んで天満の市場へ持って来る船が淀川を帰っていくのである。そのほかに河内平野から町家の下肥（しもごえ）をとりに来た船が川をのぼっていくのである。それは何艘も何艘も続いて土佐堀川、堂島川から寝屋川へ入って寝屋川をさかのぼるのである。

寝屋川が淀川に落合ったところが天満で、川の北岸には天満の市場があり、南岸は八軒家といった。八軒家は京都と大阪の間を川船がしきりに上下していた頃の船着場であった。

この八軒家に大きな石工の店があった。その石工は淀川の中から石をひろいあげては仕事をして財産を作ったという。豊臣秀吉が大阪城を築くとき、小豆島や讃岐（さぬき）からたくさんの石を船で運んだが、大きい石は大てい船の底に吊りさげて持ってきた。ところが、その石が邪魔になって川が遡れなくなることがある。すると石を吊りさげた綱を切って川底におとす。そしてそこから川岸へ引きあげる方法をとったのだが、引きあげることのできなかった石も多い。その石を気ながに一つ一つ引きあげて加工して金をもうけたというのである。

また八軒家の船着場のすぐ下のところに、川中に四角に布を張って、布の中の水を汲みあげる人たちがいた。水屋である。水屋はその水を水車に積んで、大阪の市中を水を売りあるいた。大阪の町は水が悪かったので、淀川の水を汲みあげたものを飲料水にしていたのである。明治の終頃まではまだそういう風景が見られたようである。しかし大正時代に入ると、川の水は急に汚れていくようになる。

中之島の一番上流の部分は公園になっていた。小さな公園だが貸ボート屋があって、川であそぶ人が多かった。その公園の西に中央公会堂があった。赤煉瓦の建物で、大阪での大きな集会はほとんどここでおこなわれていた。その背後に府立図書館と、豊臣秀吉をまつった豊国（ほうこく）

神社があった。その西が市役所、市役所は西向きで、市役所に向いあって日本銀行大阪支店がある。

この写真は土佐堀川畔から大阪市役所と日本銀行支店を見たところである。塔の上端が高架橋にかくれているのが市役所、その左にドームが見えるのが日本銀行支店である。いまは川の護岸が高くなって、人びとにとっては川は別の世界になってしまっている。そして建物は人の住むところ、事務をとるところ、道は人や車の通るところ、川は水の流れるところとそれぞれ目的通りに利用されて、風景はいかにも論理的になってしまっている。そして、そのような論理と論理との間を埋めていた情緒はほとんど消されている。

しかしこの界隈は、もともとは大阪の中でも人間がそぞろ歩きのできた地帯であった。市役所の裏までは公園らしさがあり、それから西も川端には柳の並木もあった。市役所の前、土佐堀川には淀屋橋がかかっている。淀屋橋は大阪の豪商淀屋辰五郎がこの橋の南詰に家を構えていたのでこの名があるという。その橋から少し東へいったところに緒方洪庵（おがたこうあん）の適塾（てきじゅく）のあとがある。これはそのまま残っている。見た眼には古い仕舞屋（しもたや）である。しかし幕末の頃この塾から大村益次郎、福沢諭吉、橋本左内、佐野常民、大鳥圭介、長與味専斎らが育った。

ただ、大阪という町は道幅がきわめて狭かった。淀屋橋からずっと南に通ずる道を淀屋橋筋といって、ゆきかう人の肩がすれあう程の道を思いきり広げて難波（なんば）まで通し、歩道、人車道、高速車道にわけ、その境には銀杏を並木として植えた。これは大正十五年から昭和十五年までかかった。これが御堂筋（みどうすじ）で、その頃までは大阪市民も町の中に風景を作ることにかけていたのである。一つには火事のための対策でもあったのだが、それだけでなく町の美観のために心を配ることが大きかった。

しかし川の方は台風などによって海水が川へ逆流することによる被害をおそれて、岸を高くしていった。昭和九年の室戸（むろと）台風以後のことである。都市の生活に合理性は何よりも大切であるが、そのことによって町はうるおいのないものになってしまった。江戸堀、京町堀、阿波座堀、堀江はつぶされて道路となり、つぶされない堀の上には高速道路が架けられた。そして町は商業を営み事務をとるだけの場所になり、そこに働く人びとは郊外に塒（ねぐら）を求めるようになっていくのであろう。

冬、早朝の薄明の海をブリ網起こしの船がゆく

奥丹後の海

文・写真　森本孝

丹後半島の村へ

丹後からチリメンをのぞくと、天の橋立しか残らない、という言葉が丹後にはある。では逆に、丹後から天の橋立をのぞくと、チリメンしか残らないのだろうか。

天の橋立は、いうまでもなく日本三景のひとつだ。宮津市文珠(もんじゅ)地区〔国鉄―現在は北近畿タンゴ鉄道―宮津線橋立駅付近〕から阿蘇(あそ)海と宮津湾をわけて、対岸の府中に向けて伸びた白砂青松の砂嘴(さし)の長さは約二・四キロ。府中の傘松公園からの「股のぞき」の絶景、知恵の仏を祀った智恩寺文殊堂の信仰、西国三三ヵ所のひとつ成相(なりあい)寺、あるいは夏の海水浴等に年間二〇〇万人を超す人々が訪れる橋立付近は、丹後観光の中心地である。

また、チリメンは丹後だけで、全国総生産量の約七割を占めているという。『女工哀史』で有名になった加悦(かや)谷(だに)や峰山がその中心地だ。丹後を生かすも殺すもチリメン次第といわれるごとく、丹後のどの村を歩いても、カタカタと機(はた)の音を聞くことができる。

たしかに、天の橋立や丹後チリメンは、丹後の代表的な風物である。では、その橋立やチリメンぬきで丹後を歩いてみたら、いったい何が見えてくるのだろう。

かつて橋立付近は、丹後の国の国府の置かれた地であった。府中という地名、またそこにある丹後一の宮や、

丹後半島東岸の浦々には締粕作りや搾油のためにイワシを煮た釜の煙突が点々とみられた

国分寺跡がそれを物語る。華やかではないまでも地の利を得て、そこは丹後の政治や経済の中心地であったのだろう。が、その丹後の中心地以外に、人の暮しがなく、文化がなかったのか、といえばそうではない。丹後の半島の部分、いわゆる奥丹後と呼ばれる岬の村々にも、人々の暮しが営まれていた。

丹後の地を橋立、チリメンという鳥瞰図的見方ではなく、いわば虫の目で歩いてみて、目の前に展開する風景、あるいは出会った人々との語らいの中から見えるものは何であろうか。そう思い立って、昭和五四年、冬の初めの奥丹後へ旅立った。

けぶるような雨が灰色の海に吸い込まれていく

空が低く重い。今にも雨の降りだしそうな鉛色の空だ。橋立の駅前は閑散としていた。駅前には、灰色にくすんだ土産物屋や食堂が並んでいる。中に人影は見当らない。今しがた一緒に下車した観光客の一団は、いつの間にか灰色の町並みの中に消えていた。橋立の砂洲に向かったのであろうか。

その消えた方角からバスがすべりこんでくる。「経ヶ岬」と方向板に書かれている。経ヶ岬は、半島の突端部にある岬である。半島を一周する定期バスはない。

不便なようだがそうでもない。観光客こそ半島をわざわざ一周して網野に抜けるのだが、地元の人は半島の根元を突っ切る宮津線が、利用できるからだ。

バスはガラガラに空いていた。橋立の町並みを抜けると右手に灰色の海がひろがった。松林が海をよぎって対岸に伸びている。橋立の砂洲である。バスはやがて阿蘇海沿いに右に大きく曲がり、半島一周の海岸道路に入る。砂洲の府中側の付け根、一の宮を過ぎる頃から、冷たい雨がバスの窓を打ちはじめた。けぶるような雨がたちまちあたりの風景を消し、灰色の海に吸い込まれてゆく。

日置という村を過ぎると、山がやや遠くなり両側に水田が広がる。丹後与謝郡は米の産地である。「日置たんぼ」といって、このあたりにしてはたいそう米のとれたところである。

道は再び山が海に迫ってきた。海岸沿いに出て、里波見、養老、岩ヶ鼻、大島等の小さな村々を過ぎてゆく。いずれも砂浜を控えた地に、家が建てられている。砂浜には点々と質素な舟小屋が建っている。二俣の木を柱に、梁をわたし、トタンを屋根に張りつけただけのものだ。漁船の数は少ない。漁には力がはいっていないのだろう。

岩ヶ鼻や大島では、家並みの中にレンガ作りの煙突が林立していた。これらの村の浜には、かつてイワシの大群が押し寄せた。それを地曳き網で曳きとって、締粕や魚油をしぼったり、チリメンジャコやミリン干しに加工した。レンガ作りの煙突は、その盛んなりし頃の建物なのである。

大島を過ぎて一〇分も走ると、バスはやがて左右に家並みの並ぶ、細く長い町に入っていった。そこが伊根だった。

京都市内の街並みの雰囲気を漂わせた伊根の通りと街並み

伊根（いね）

舟屋（ふなや）は、いってみれば各家の玄関口でした

伊根は丹後半島東岸のほぼ突端にある、戸数四〇〇ほどの漁師町だ。周囲約一キロの伊根湾に沿った一筋町である。湾のすぐ際まで山が迫っている。そこで家々は湾と山のわずかな隙間に、きゅうくつそうに並んでいる。戦後まもなくまでは、五島列島の三井楽（みいらく）、富山県の氷見（ひみ）と並んで、日本三大鰤（ぶり）漁場のひとつに数えられていた。しかし、町全体は静かに落着いていて、漁村らしい喧噪さがない。ここがかつて、一網何万本もの鰤の大漁に湧いた漁師町だとは信じがたくなる。

宿は平田にとった。夕食後、外に出てみた。すでにうす暗く、人通りは少ない。時折、水しぶきをあげて車が通る。道は湾に沿って、ちょうど家と家との間を抜けている。道の山側は平入りの主屋が並び、海側は妻入りの舟小屋が並んでいる。山側の主屋の前の舟小屋は、ほぼその主屋と同一の所有だそうだ。主屋は木造二階建てで、古びた印象をうけた。格子のはまった家が多い。その格子からもれる灯が、雨にぬれたアスファルト道にかすかに光る。ふと、京都の路地を歩いている気になった。

冬の半島を旅する者は少ない。民宿の客は私ひとりであった。夕食のあと主人から、伊根の町並みについて話を聞く。主人は伊根町の観光会長とかで話好きの人であった。

舟屋とその前の海に係留している漁船。動力化し、大きくなった近代漁船は舟屋の中に納まらなくなった

「舟屋（舟小屋）はいまのように二階には人は泊まれませんでしたよ。昭和のそれも戦争が終ってからです。二階に畳を入れ、居室に使えるようにしたのは。かつては二階は壁もなく、漁具、薪などの保管場所に使ってました。また、雨の日の漁具の修理場にも使いました」

舟小屋は、何も伊根だけのものではない。太平洋側では、青森県の一部を除いて舟小屋は見かけないが、日本海側には普通に見られる。冬、日本海側は雪や雨が多い。漁もできず、舟や漁具の保管に舟小屋は必ず必要だった。

しかし、伊根の舟屋（舟小屋）の景観は独得である。海の上に張り出して建てられている。その階下が舟置場で、海から帰ってくると、そのまま濡れずに舟を着けられる。湾内から眺めると、東南アジアで見られる高床式ハウスのような家屋が、ずらりと並んでいる景観だ。階上は居室である。現在の伊根では若夫婦の部屋、あるいは老夫婦の隠居屋風に用いているし、また最近は、民宿の泊まり客用にも用いている。伊根の売り物のひとつで、わざわざ泊まりに来る客も多い。

宿の主人の話によると、主屋と舟屋の間の道は、以前はなかったのだという。かつてそこは、各家の作業用の庭であった。宿の主人の九〇歳を越えた母が嫁に来た頃には、隣家との間には傘をさしてすれ違えぬほどの、細い道がついていただけだという。つまり、海から山際に向けて、細長い地割がなされていたわけだ。いいかえると、海から山際にかけての短冊型の一区画が、一戸の家の敷地だった。舟屋は、各家の玄関口だったともいえるのである。

伊根湾は丸い。対岸を訪ねるには、現在の陸の道を湾を回って行けば遠いが、舟で直線に行くなら、目と鼻の先の距離になる。以前の伊根では、舟が交通の手段に利用されていたのだろう。

また、主人はかつての舟屋は壁がなく、ワラ縄をスダレ状に垂らしただけであったとも教えてくれた。これは伊根だけのものではない。昔、漁網や釣糸には麻縄や綿糸が多く利用された。麻縄は一度使うと干さねばすぐに腐ってしまう。そこで雨の日には舟屋を利用して干した。つまり風とおしの良さが舟屋には要求されていたのである。

伊根の主要な漁は鰤（ぶり）である。今は大敷網（おおしきあみ）で共同で作業するが、かつては麻の刺網で各戸別に漁をしていた。しかも、それは冬の作業である。ところが、丹後は晩秋から翌春にかけて雨や雪が多い。弁当忘れても傘忘れるな、といわれるほどで、一年の降雨量の約三分の一がこの季節に降る。舟屋はそのためにも必要であったわけだ。

鰤から海鼠（なまこ）、鯨（くじら）までさまざまな魚の名が見える

伊根湾は冬でも驚くほど穏やかである。湾は南向きの内湾になっていて、かつ、湾口は狭く、青島という小島が防波堤のように横たわっている。外海が時化ていても、湾内はさざ波しか立たない。

青島に水産資料館があるという。かつての漁のにぎにぎしさの片鱗を見たいものだと、ボートを借りて渡ってみた。思ったほどの漁具はなかった。が、しかし伊根は、

舟屋の内部。手漕ぎのボートが入っていた

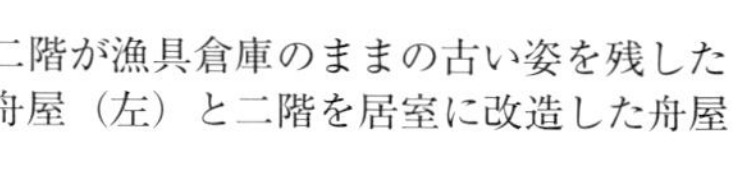

二階が漁具倉庫のままの古い姿を残した舟屋（左）と二階を居室に改造した舟屋

紛れもなく日本有数の漁村のひとつだった。明治、大正、昭和と、全京都府の水揚量の三分の一を伊根一村で揚げていたのである。

大正四年の『伊根村誌』には次のようにある。

「本村は農工商共に幼稚にして、到底これにより生計を立つるに至らず。ただ副業として営むにすぎず。これ、土地の状況上止むを得ざるなり。然れども前面の海洋は本村民の生活を営む資源にして、殆どこれによりて生活すると言うも過言にあらず」

江戸時代から伊根が漁一本にしぼって暮してきたことが知れる。また、当時の伊根には漁家三三二戸、漁船六〇一隻とあり、各家におよそ二隻の舟があったようだ。

漁法では、鰤大敷網、栄燈網から始まって、鯖、鰤子、小鯛、飛魚、鱶、海老、海鼠、鯨、海豚その他を対象とした各種の定置網や刺網、手繰網、囲網、延縄、釣など十数種の漁法の名が見える。

漁船の数や漁法の多さから見ると、単に田畑が少ないから漁を行なったというのではなく、その前面の海に頼りになるだけの資源があったのだと思わせる。

鯨漁の話を誰かに聞きたいと思って、前漁協長だった八木治雄さんを訪ねた。

「いや、実は私も鯨漁の話は年寄りから聞いているだけで、実際の漁の話は知らんのですよ。でも、鯨はまだ昭和になっても湾に入ってきたそうです」

穏やかな顔付きで八木さんは語ってくれた。

鯨が湾内に入ってくると、青島より両岸に網を張って逃げ道を断ち、そして網の上に舟を並べ、老人や子供が乗って、水面を打ったり、鉦や太鼓を鳴らして外に出るのを防ぎ、別の小舟から銛を打って仕留めたという。青島は獲った鯨の解体場で、鯨墓も残っている。『鯨永代帳』を見ると、毎年二、三頭の鯨を獲っていたようだ。

「鯨を獲るのは案外と簡単だったそうですよ、特に母子連れの鯨は。子鯨を仕留めると、母鯨は寄りそって逃げなかったそうですから。鯨墓も、そうした母子鯨の不憫をなぐさめるために祀ったそうです」

鰤が一匹さっと廻った。さあそれからが大変でした

それから話は自然、鰤漁のことに移っていった。

「獲れましたとも。私が鰤網おこしの船の船頭をやっていた時です。

風通しが良い縄を壁板代わりに垂らした古い姿を残した舟屋

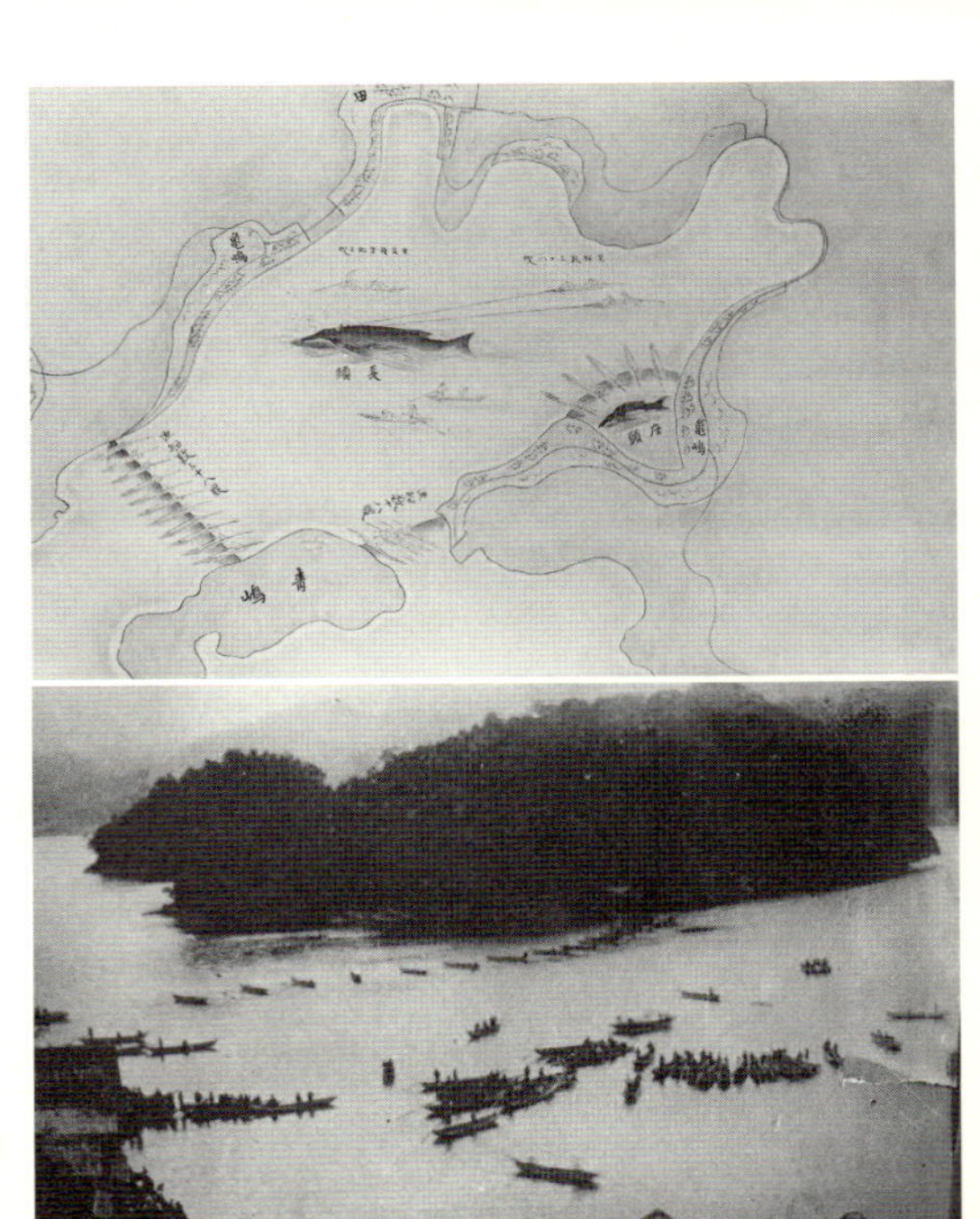

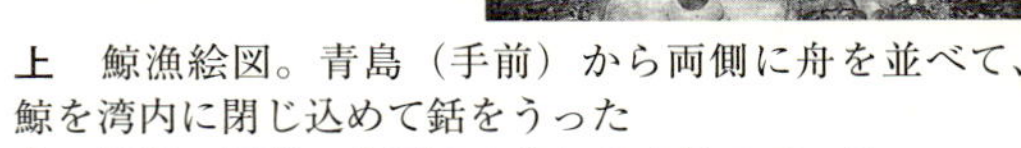
上　鯨漁絵図。青島（手前）から両側に舟を並べて、鯨を湾内に閉じ込めて銛をうった
中　鯨漁の写真。上図のように舟を並べている
下　鯨漁用の浮き桶（左）、母子鯨を弔った鯨墓（右）

昭和二三年の一月の正月明けでした。朝は時化て網おこしに行けず、昼に行ったのです。最初は何の兆しもありません。で、網をしぼってくると、鰤が一匹さっと廻ったんです。これは相当入っているな、とピンと来たのですが。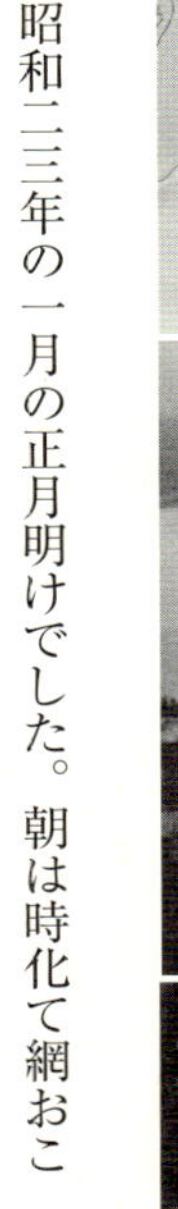いや、なんと二万四〇〇〇本もの鰤が入っていたんです。五〇〇本積みの伝馬船に三五、六杯分です。網から鰤をとりだすだけで、夜中までかかりました。その処理には更に二日間かかりました。当時の価格で約二〇〇〇万円。今の価格にすると、二億円近い水揚げです。私の現役時代では最高でしたね」

伊根浦は、その二日間は湧きかえったことだろう。そういう大漁は大正六、七年にもあったという。だが、それほど獲れた鰤も、昭和の三〇年代に入ると極端に水揚げが減ってきた。昭和三〇年代に入ると沖でサバやイワシを一網打尽に獲り尽くす巻網船団が、丹後沖はおろか日本中で大規模な漁を行なうようになったからだ。鰤はイワシやサバの子を食って育つ。餌が少なくなったのである。それに公害により回遊魚が沿岸に寄りつかなくなったこともある。丹後の大島や岩ヶ鼻の地曳網が消えていったのも、それと無縁ではない。

八木さんに話を聞いた翌日の朝、鰤網おこしに連れていっていただいたが、わずか二、三本のハマチが入っていただけだった。この頃は、大漁といっても一〇〇〜二〇〇本入れば良い方らしい。近年は伊根の鰤大敷網も名だけのものになってしまったという。

ところで伊根の鰤漁はいつ頃始まったのだろうか。『京都府漁業誌』によると、近世初期にはすでにはじまっていたようだ。伊根浦で鰤を獲る権利、漁株が成立しているからである。そして江戸時代にはすでに「丹後鰤」や「伊根鰤」の名で諸国に知られていた。

そして伊根鰤は江戸時代には宮津藩の重要な財源になっていた。毎年一三〇〇本の鰤を藩に運上していたという。鰤一本の値段は江戸時代も今も常に米一、二斗というから、運上鰤だけで約二〇〇石近い税を藩に納めていたことになる。その見返りとして伊根は藩内の鰤漁を独占している。他の村では鰤を獲れなかったのである。封建領主と結びつくことで、村の利益を確保していたわけだ。

伊根鰤は桶（ハンギリ）に塩づめにされて、宮津の魚納屋に送られた。そこから更に京や大阪へ出荷された。

京都や大阪では伊根鰤は正月肴として尊ばれていた。伊根の鰤の漁期がちょうど正月前後に当たっていたことが、また、伊根鰤の名を高めたのである。

実際に伊根鰤は他の鰤に比べてみると美味だったらしい。それは鰤の回遊に関係がある。鰤は約一五度の水温を追って南北に移動している。日本海側では一〇月頃に新潟の佐渡付近で鰤漁がはじまる。一ヵ月後には越前で獲れ、その一週間後に若狭湾沿岸で獲れはじめる。そして一月下旬になると九州の五島方面で漁がはじまり、伊根の鰤漁期は終る。九州に回遊した鰤は二、三月に四国や宮崎に廻る。これは彼岸頃に獲れるから彼岸鰤と呼ばれる。三、四月には三重や紀州で獲れ、五、六月には夏鰤といって、神奈川から三陸で獲れる。伊根沖での漁期はつまり一一～一月下旬までである。鰤は二、三月に放卵する。放卵後の鰤は脂も少なくたいして美味ではない。伊根沖で獲れる頃は放卵を控え、ちょうど脂がのりはじめた時期で味も良かったのであろう。

伊根に一網何万本もの鰤をもたらしたものは何であろうか。『京都府漁業誌』を見ると、江戸時代には一漁期、つまり一年で多くて一万五〇〇〇本どまりである。一網何万本もの漁とは桁がちがっている。

大漁を伊根にもたらしたのは、日高式大敷網であった。日高式大敷網は明治二六年に宮崎県日向の日高亀一親子の考案した大敷網である。伊根はそれを明治三八年に導入している。それ以前は伊根では鰤は個人持ちの麻の刺網で獲っていた。貝原益軒の『日本山海名産図絵』に描かれた鰤網で、その様子は知れる。

日高式大敷網の導入の契機を作ったのは、京都府水産講習所長である。京都府の漁村に大敷網を導入すべく、明治三六年に二人の伊根漁師を、当時すでに日高式大敷網を導入しては成績をあげていた土佐の上ノ加江（かみのかえ）や宮崎に見学に行かせた。そして、上ノ加江漁協長の協力を得て、上ノ加江漁協との共同経営の形で操業をはじめたのである。

大敷網の導入については、伊根の漁師の間でも大議論が巻きおこったという。共同経営からはじめたのもその表われで、それには新しい漁法に対する不安や既得権を守ろうとする保守性が微妙にからんでいたのであろう。

ともかく、鰤大敷網の導入は見事に実り、翌年は自営で更に一ヶ統の網を設置し、大正四年を最後に綿々と続いた鰤刺網は姿を消す。そのことが、伊根の舟屋の二階が、畳入りの居室に変化していったことにもかかわっていたのである。また、漁村にしては多い伊根の土蔵も、大敷網の導入によるところが大きいと思える。

「伊根の羽織漁師」を支えていたのは漁株制でした

八木治雄さんに聞いた話の中でも最も興味深かったのは、漁株のことだった。鰤やイカ、鰯（いわし）、鯨といった伊根の主要な漁は漁株持ちでないとできなかったという。漁株はまた百姓株ともいった。株に一定の田畑が付いていたからである。伊根では株持ちを百姓と呼び、無株者を水呑みといって区別した。

漁株は近世初期には一二四株あったという。一二四株というのは、多分株成立時の伊根の総戸数と思

定置網を起こす伊根漁協の漁師たち。冬、雪が舞い、雷が鳴る頃になるとブリが回遊してきて網に入ったという

われる。それが、享保年間には有株者数一六八戸、無株者数一四七戸になっている。分家や他村からの流入者もあって広範な水呑み層の増加があったのであろうし、また、それほどの人を受け入れられる生産力を伊根が秘めていたことになる。

漁株には鰤の場合一株に一場の鰤漁場が与えられている。株はまた分有されていて、八木さんの場合は半株を所有していたという。半株の下には四分の一株も六分の一株もあった。そのような人たちは集合して一株とし、漁場の権利を得た。逆に一人で一二株も所有している者もいた。漁株が田畑の権利と共に財産権として売買されていたのであろう。もし、何らかの理由で一度株を手離すと、買いもどすのは事実上不可能だった。主要な漁を株持層に専有されていたからである。

では、無株層はどのように暮していたか、というと、有株者の雇われ漁師や田畑の下働きで生活をした。その身分差別は厳しいものだった。「伊根の羽織漁師」とよくいわれたというが、それは伊根の繁栄を物語ると同時に、有株層と無株層の身分差を暗示している。無株層の漁業小作があればこそ、有株層は羽織姿でいられたのである。

この漁株制度は昭和一六年まで維持されていた。だから、明治三八年の鰤大敷網の導入もまた利益の配分も有株者層のみにもたらされたものだったわけだ。その頃は既に現在の漁業組合の前身もでき、海面の使用権も漁業組合優先であったが、有株者層は既得権を主張し、有株者だけで鰤大敷網の操業をはじめたのである。水呑み層にはその莫大な利益の中から、わずかな額が配分されたにすぎない。不合理と思いつつもそれに対抗するには無株者は資力もなく立場も弱かった。

が、大敷網による豊漁を目の前にして、無株者も黙っておれず、互いの対立が激化する。そして株の解消をめぐって法廷闘争や血なまぐさい争いもおこった。闘争の度に水呑み層は徐々に有株層の既得権を突き崩してゆくが、その解消は昭和一六年まで待たねばならなかったわけだ。株の解消は有株者の株を漁業組合が一二万円で買い取る形で決着したという。しかしその負担は無株層が負った。その頃は水呑み層の資力も多少は蓄積されていたのかもしれない。大敷網の導入は単に漁法の変化にとどまらず、伊根の漁村構造をゆるがす契機にもなったということができる。

このような話を聞いていると、伊根が非常に生産力に恵まれていたのが理解できる。下北半島の漁村では、本戸数を限定し分家を出さぬことで村の暮しを支えた村もあるからである。伊根では無株層といえど、一応の生活ができたし、他村からの流入者でも暮していけたからだ。

それにしても、無株層が鰤大敷網の権利を得るまでには三〇年以上も年月がかかったのは何故なのだろう。変化を拒み、既存の権利や慣行を守ろうとする保守的な力が有株層の

中で働いていたのだろう。しかし、有株層の中にも無株層の主張に耳を傾ける人々も多くいたはずである。それでも鰤株が無株層に開放されなかったのは、伊根が少数の反対者の意見や意志をも尊重する「村の民主主義」の村だったからかも知れない。歴史ある古い村では、重要な決議は全員が納得するまで決議されなかった。つまり共同体としての意志を決めるにあたっては、全村一致を原則としていたのであろう。多数決で事を進める西欧流の民主主義からみるといかにも封建的にみえる。

しかし、伊根はそんな封建的な村ではなかったようだ。むしろ進歩的な村だったと言えるかもしれない。でなければ、有株層だけが独占したとはいえ、村民が共同で大敷網を経営することにはならなかっただろう。また無株層も加わった戦後の伊根漁協は、全国でもっとも平等で民主的な漁協のひとつと称されている。その根は実は封建的と見えた伊根の「村の民主主義」の中に内包されていたのであろう。伊根の町を歩くと、海側に船小屋、山際に主屋という短冊形の地割が訪れた者には物珍しかった。その地割や配列が今日でもなお残り、維持されているのも、伊根の村の民主主義の賜物かもしれないと思えた。

海にすべりおちていくように棚田が連なっていた

伊根にいる間は連日雨が続いた。珍しく晴れた何日目かに、伊根の後方の谷を登って大原に向かった。

大原は戸数約六〇戸ばかりの、峠上のやや広いところにある集落だった。その大原から半島を一周するバス道とわかれて、海岸線に向かう。峠を越えると、急に目前に海がひらけた。冬とはいえ、よく晴れた日の日本海の海は青く素晴しい。その海に、冠島が思いの他近くに横たわっていた。オオミズナギドリの繁殖地として有名な島だ。

峠のやや下方から山が急な斜面となって海に落ちこんでいる。そこに見事な棚田が拓かれている。土地の人が新井(にい)の千枚田と呼ぶ棚田である。昔、ある人が九九九枚まで数えたが、最後の一枚は蓑の下に隠れていて数え切れなかった…、そんな話が残っている。

その棚田の拓かれた斜面の中ほどをよぎって道が、はるか下方の岬上の、新井の集落まで続いている。道から下は水田で、上は畑である。湧水が道の付近から出ているので、その上には水田が拓けなかったのだ。丹後半島の北岸は、半島の山々が海に落ちこんだ地帯だ。海岸線は屈曲し、急な断崖が続く。そこで、どこの水田も千枚田の様子を見せている。谷があれば水がある。谷という谷は例外なく拓かれている。

新井の畑にはカンラン（キャベツ）が植わっていた。カンランは野菜用でなく採種用だった。京都の採苗業者と契約して、カブや大根等の採種も行なっている。新井から間人(たいざ)にいたる畑は殆ど採種用に転換されている。

大原で見かけた農作業

新井の千枚田。丹後半島にはいたるところに棚田が見られる

上　丹後半島北岸の海岸段丘上に拓かれた津母集落。傾斜面を田や畑に拓いている
下右　斜面の集落の中を走る細い道
下左　津母の集会場では嫁たちの息抜きの場でもあるカカラ講が催されていた

新井からはそのまま海沿いに泊に向かった。泊までの海岸線も棚田や畑が見事だった。段畑の畔の野水仙の群落が美しかった。

蒲入（かまにゅう）

京のどどまりの一閑村に二組もの巻網船団があった

蒲入は丹後半島の村の中では、印象深い村のひとつだった。山を背に、両脇を小さな岬にはさまれた、ちょうどスリバチの底にあるような村だ。伊根方面からは、低い峠を越えて入ってくる。その峠から村に続く道の両側に大きく育った桜並木がある。春にはその桜が見事な花のトンネルを作り、村を訪れる人や村人の心をなごませるのではないかと思われた。

七〇戸ほどの集落は、山の斜面に階段状にへばりつくように積み重なっている。そして山際には共同の井戸があった。井戸といっても、山の斜面から湧きだす水を、コンクリートで仕切って貯めたものだ。このような井戸は、伊根、袖志（そでし）、中浜といった段丘下や山の迫った海辺の集落に、共通に見られる。水の出ることが人を住まわしめ、集落を作る条件のひとつだったのだろう。

中浜で見た井戸には、屋根の梁に打ちつけた木札に、数名の名前が書かれていた。その井戸を利用する家の名だった。共同で井戸を守っているのであろう。

蒲入の港に、幾隻かの大きな巻網船が係留されていた。巻網船は九州の五島列島では珍しくはない。が、丹後の一閑村には不釣合いに思えて気にかかり、漁業会の元会長、泉徳兵衛という人を訪ねてみた。訪ねてゆくと、寝ておられたのかドテラのまま起き上がって迎えてくれた。奥さんの出してくれた茶をいただきつつ、コタツで巻網船の話を聞く。

「ええ、この村の船団ですよ。あの船団を作ったのは、昭和一一年です。中央金庫の金を借りて作ったんです。蒲入の漁業会の印鑑と、七人分の実印を持って行って判を押しました。そうです。私が会長をしていた時ですから。いや、その時は、日本一の借金王になったような気がしました。四〇屯のを四双、二双一組で二組の船団を作りました」

昭和の初め頃で何万円かの借金であったという。いま、同じ規模の船団を作ろうとしたら億の金がかかる。わずか七〇戸ほどの村のことだから、驚かざるを得ない。それが蒲入の漁業会の組合事業のはじめであったという。

この話を聞いて蒲入は実に村民同士の結束の固い村ではないかと思った。村の入口に植えられた桜並木もおそらくその表われなのだろう。たとえ、桜の木一本といえども、村民の合意がなければ植えられないはずだからだ。そのことを聞いてみると、泉さんは深くうなずいた。

「蒲入は京のどどまり（行きづまり）の村ですわ。特に一周道路が開通するまでは。そういう村では、人は助け合わなければ生きていけなかったのです。一軒だけで高くなってはいけない。貧乏するのも富むのもみな一緒でないと具合が悪い。だから、村人の結束は固いですよ。

わずか70戸の戸数で二組の巻網船団をもっていた蒲入は村民の結束力の強い村だった。
海岸縁に建つスレート屋根は村民の共同の船置き場

村の入口に西陣織の工場があったでしょう。あれも共同で、一軒で二台の機を持つように建てているんです。

昔の例ですと、明治三七〜四二年頃まで、ここでも鰤大敷網漁をやっています。しかし、失敗に終りました。外海でもあり、また、その当時は藁縄の網だったので、潮や波にようもたんかったんですわ。借金は部落で金を集め、共有林を売って返しました。これが蒲入のいいところです。起きれば一緒に起き、転べば共に転げる…」

魚の日干し

蒲入は、かつて共産村といわれたという。協同組合的生き方を、協同組合法ができる以前からやっていたからである。同じような例が、下北半島の東海岸にもある。尻屋（しりや）や尻労（しっかり）といった村が同じように共産村だといわれた。やはり同じような環境の村である。厳しい環境がそのような生き方をさせたのであろう。

泉さん自身、蒲入に生まれ共同の中で育てあげられた人である。水産講習所に村費で学んでいるのである。そして、九州の五島に実習に行き、南シナ海で漁の経験を積んだ。若い頃で、当時水産講習所を出た者は、各地から教師にと請われたが、泉さんは「フンドシの紐を締めなおす」つもりで蒲入に帰って来たという。

泉さんは九〇歳にもなるのに、いいなぎの日にはまだ海に出るという。漁に出られない日には山の植林に行く。

「海を眺めて、昼弁当を食べ、歌でも歌えばその方が楽しい」

という。こういう人がいるからこそ、蒲入の村の結束が保たれているのではないかと思えた。

一本釣りを教えた旅人の恩を今も皆に聞かせています

泉さんから、かつて蒲入には「豊後屋講」という講があったという話を聞いた。豊後とは大分県である。私はそこで生まれた。はるか遠い国の名をもつ講が、なぜ京都のどどまりの村に残ったのだろう。

豊後屋は、本名を加藤藤吉という大分県佐賀関（さがのせき）の一本釣漁師であった。

「加藤藤吉が来たのは明治三年頃だそうです。蒲入では三代前の浜中和右衛門氏の家に居候したそうです。そして村人に一本釣の方法を教えてくれました…」

当時、丹後の村々には一本釣はなかったという。そのため、豊後屋藤吉は請われてほぼ京都中の海辺の村々を歩いて一本釣漁を広めたものらしい。豊後屋の伝えた漁法は安全でもあり、豊漁をもたらしたので、蒲入ではその恩を記念すべく講を開いた。海が荒れて漁の行なえぬ日に、夷子（えびす）、大黒の掛軸をかけ、酒を酌みかわし、豊後屋の恩を後世に伝えんとする講であったという。

「講は今はありません。でも、毎年二月四日の村の集まりの時に、私がその豊後屋の話をするようにしているんです。だから村の人は誰もが豊後屋のことを知っています」

泉さんの話は私には興味深かった。村に新しい漁法を

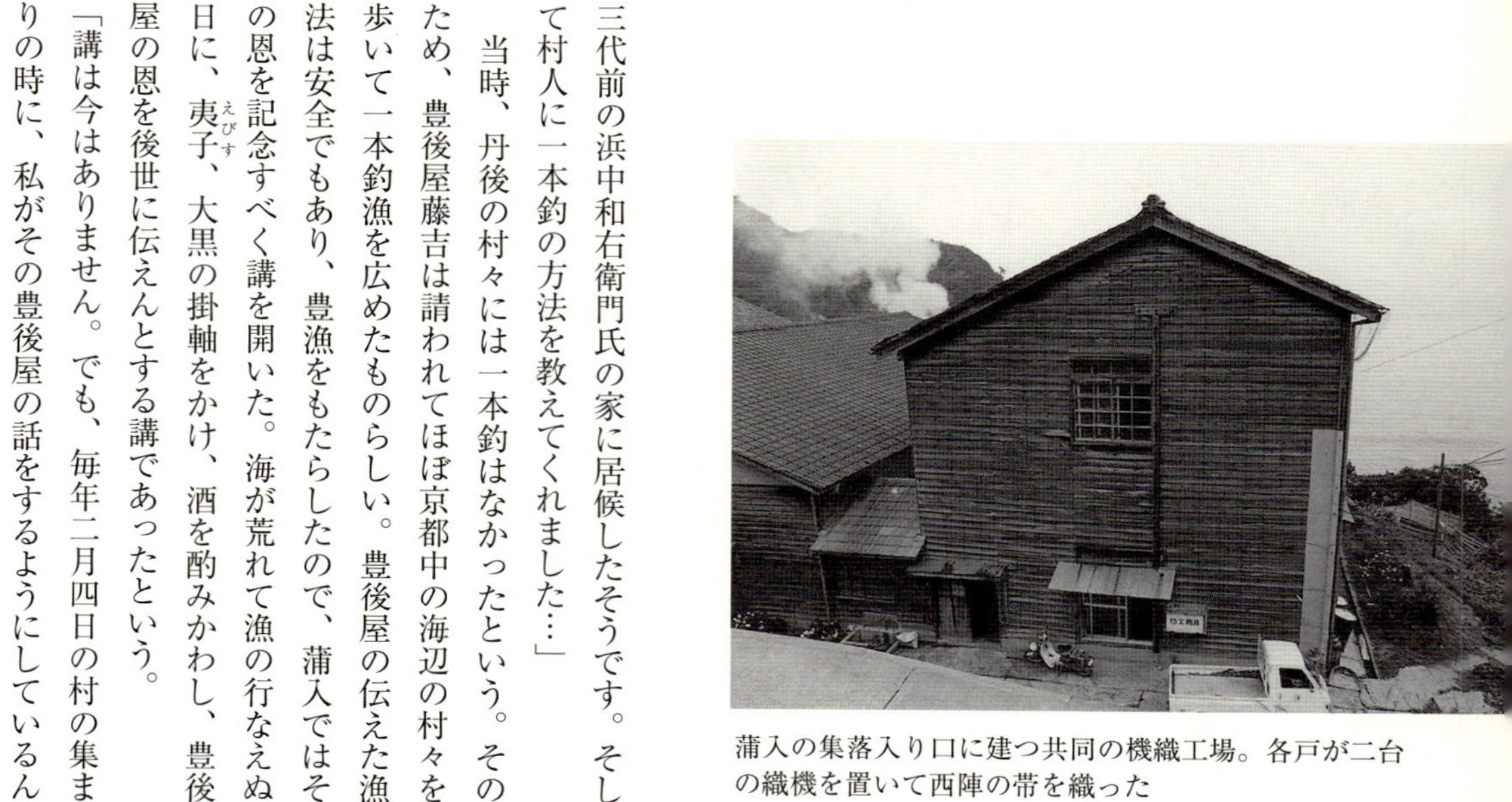

蒲入の集落入り口に建つ共同の機織工場。各戸が二台の織機を置いて西陣の帯を織った

蒲屋海岸。海面から100～200mの斜面に道路がつけられている。突端は経ヶ岬

もたらした人を忘れぬよう、皆に話を伝える泉さんに共感も覚えた。そして、そのような口伝が、半島の村々の歴史を伝えてきたのだと思った。

豊後屋は唯一人でぶらりと丹後にやってきたという。いわば一介の旅人によって新しい漁法が丹後にもたらされ定着した。このような事例は、日本の漁村ではきっと数多くあったに違いない。

蒲入から袖志（そでし）に続く道は、丹後半島ではもっとも景色のよい所だ。蒲屋（かまや）海岸と呼ばれ、一〇〇メートルから二〇〇メートルの断崖の中途を道が通っている。冬でも晴れていれば、眼下の岩に白波がくだけ散る光景が美しい。

しかし、景色が良いことは、自然の厳しさを意味する。その蒲屋海岸のやや傾斜のゆるい地には水田の跡があった。泉さんから「猿ヶ尾の水田」と聞いたものだ。以前は、蒲入から舟で耕作にでかけたのだという。江戸時代には恐らく隠田ではなかったのだろうか。

蒲屋海岸は経ヶ岬で終る。経ヶ岬という名は、海上から眺めると岬の岩々が経本のように見えるとか、航行の難所で難破する船が多く、慰霊のために僧が経をあげたところだからだとか伝えられている。事実、経ヶ岬付近は半島部では潮の流れがもっとも速く、暗礁も多く危険な海だった。江戸時代、宮津に向かう廻船が、経ヶ岬で潮を被ったというと、何の咎めも受けなかったらしい。そこで潮を被ったと偽って積荷を伊根浦につけ、横流しをする船が多かったと伊根で聞いた。

袖志（そでし）

袖志の海女（あま）舟は但馬（たじま）から越前まで走りまわった

経ヶ岬を西に越えた村が袖志であった。

袖志は一〇〇戸ほどの村である。集落は海岸沿いにあり、後方の段丘には水田と畑がある。海岸べりに家を建て、条件の良い段丘上を耕作地に用いている。袖志は興味深い村である。袖志にはかつて海女がいたという。『丹後町誌』には、元禄の頃（一六八八～一七〇四）に嘉兵衛なる者が主唱者となり婦女七、八名、男子五、六名で一団を組織し沿岸に出漁して海藻を採らしめた、との記述がある。

以前訪ねた時、海女に興味をいだき、海岸にいた老婦人に聞いたことがある。だが、老婦人は海女なんて見たことも聞いたこともないといった。これは後にわかったことだが、袖志の人は海女について語るのを恥と思っていたのである。それには理由があった。昭和三四年に『日本残酷物語』という本が出た時、その中に袖志の海女の話がとりあげられていた。その内容は残酷な話ではない。むしろ、貧しき庶民たちが、幾多の試練に遭遇しながらも、懸命に努力し、生き続けて来た歴史が語られており、胸につまされる話が多い。だが、『残酷物語』という本の題名が、素朴な袖志の人たちの心をひどく痛め、口を閉ざさせたのである。

そのことは、民宿山岡荘の御主人山岡賢治さんに聞くことができた。冬のしかも一人旅の男を泊めてくれるところもなく、ようやく山岡荘が引き受けてくれたのだ。それがまた、好運につながった。五〇歳すぎの山岡さんは袖志の中でも秀れて進歩的な人で、海女稼ぎを恥だとも何とも思っていなかったのである。

「海女はいましたとも、私の母も海女でしたから。私も子供心に覚えています。艫太舟（ともぶと）に海女が四人と船頭二人が乗って、但馬や小浜といった他国の海へ出稼ぎに行っていました」

山岡さんの話では、袖志の海女は主にテングサを採っていたという。しかし、戦後の昭和二〇年から二二年にかけて、テングサの値段が暴落した。採っても割にあわなくなったのである。二三年には一時もちなおしたが、二七年には再び暴落し、それ以後海女稼ぎは絶えたという。

テングサはトコロテンや寒天の材料である。トコロテンは室町時代頃に既に京や奈良の町

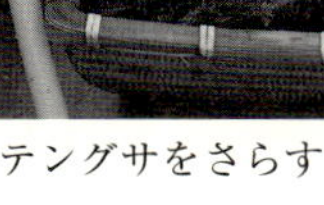

テングサをさらす

テングサ海女や宇川杜氏が活躍した袖志の集落。段丘上に水田を拓き、民家は海べりに建てられている

で売られていた。寒天はトコロテンを寒夜を利用して凍てつかせ、その水分を抜いてつくる。そしてそれが菓子の原料にもなった。寒天の産地は、冬よく冷えこむ大阪の能勢（のせ）や京都の亀岡にあった。袖志のテングサもそれらの地に出荷されたのであろう。

　袖志にはどれほどの海女がいたのであろう。民俗学者瀬川清子によれば昭和九年には約七〇名の海女がいたとある。現在の袖志は一〇〇戸ほどの集落である。山岡さんの家は戦後の分家だという。すると、昭和九年頃の戸数はその海女の数と同じ程度かもしれない。いずれにしろ、袖志では一戸に一人は海女がいたようだ。

　ではいったい海女の実際の仕事はどのようなものだったのか。しかし、彼女らはそれも語りたがらない。そこで山岡さんに、船頭として海女についていった稲本与吉さんと中村宗吉さんの二名を紹介してもらった。稲本さんは明治三一年生まれ、中村さんは明治四〇年の生まれで、お二人とも海女舟の船頭としては最後の経験者である。

　二人の話を総合すると、海女稼ぎには二つのタイプがあったようだ。地海つまり袖志周辺の海で漁を行なうものと、他国の海にでかけてゆくものである。地海は東は伊根の鷲崎から西は網野の浅茂川までをいった。そして日帰りで漁をした。他国に行くのは「他所行き（よそゆき）」といった。行く先の地名で「但馬行き」とか「小浜行き」などともいった。地海の場合は一隻の舟で男二人が船頭として乗り、それに七、八名の海女が乗り組んでいる。他所行きは海女四人に男二人が組んだという。

他所行きは潜りの上手な海女が行った。上手な海女であっても乳飲み児をもった海女は地海稼ぎにまわった。上手な海女は船頭の方から頼んで乗ってもらったという。漁期の始まりや終りには、下駄や腰巻など女の気をひきそうな品物を渡して乗船を頼む。上手な海女と組むと、船頭の収入もそれだけ増えるからである。利益の分配法は地海と他所行きでは異なっていた。地海の場合は海女のひとかづき（ひと潜り）分が船頭の収入となり、他所行きでは総収入を全員で平等にわけている。

　他所行きでは中村さんは、最初は小浜方面にでかけている。昭和初期頃の話だ。当時は一〇隻ぐらいの他所行き舟があり、そのうち六、七隻が但馬方面へでかけていたという。その中には更に遠くの賀露（鳥取）や香住（兵庫）方面まで行く舟があったそうだ。

「私が小浜方面に行った時は、まず冠島付近で漁をし、その後舞鶴口の十島につけ、更に舞鶴口と渡ってテングサを採りつつ、小浜湾の入口の両津に行き、更に千歳鼻をまわり、赤岩付近まで行ってました。

　もちろん、小浜まで直接行ったこともあります。早朝の六時に袖志を出ますと、昼の三時には小浜の入口の大島付近まで行ってました。それは速いものです。男二人女二人計四人で櫓櫂を押すと、当時の機械船並みのスピードは軽くでましたね。

　櫓を押す時はですな、『海女節』というのを歌ったものです。

　ワタシャーあなたにホの字とレの字、
　あとの一字がつろござる……

とまあ、こんな歌ですが、これが櫓櫂に実に合いましてね……」

　でかけた先では、浜に寝たり、舟小屋やジャコの加工場を借りて寝たという。毎年決まってでかける土地では世話をしてくれる家もでき、屋敷内に泊めてもらっている。中村さんは舞鶴や小浜の大島半島で土地の大きな養蚕家の家に泊めてもらったそうだ。いずれも無料であった。

　漁場では海女は頭に三尺の手ヌグイを巻き、木綿のシャツに腰巻をつけ、腹にサラシを巻いて体を冷やさぬようにして海に潜った。採ったテングサは腰につけたスマブクロに入れた。スマブクロはウミカヅギブクロともいい、藤蔓を水にさらし、その繊維で織った藤布で、濡れても体にべとつかず具合の良い袋である。半島の山奥の上世屋ではまだ藤布が織られているという。

　船頭は、一人が海女の採ったテングサを受けとってまわり、他の一人がそれを直ちに岩の上に干した。そのようにして、日に六回潜るのが普通であった。ひとかづき（ひと潜り）ごとに海女は岩に上り、カスリの半纏をひっかけて火にあたり暖をとった。その折は必ず芋を焼いて食べたという。そうすると早く体が暖まったからである。また海に潜れば喉も乾く。そこで茶碗で一息に水を飲んだ。水は角樽に入れて運んだ。そのため、それを垣間見た他国の者には「袖志の海女は茶碗酒を飲む」と誤解された。

　他国へでかけると、トラブルも起きた。他国の地先権を侵すからだ。

西陣の帯を織る織機。丹後半島の浦々の多くの家が昭和30年代に織機を導入した

「世間では丹後の盗っ人舟といっていたそうです。人の海に入ってゆくのですから何といわれようと仕方ないですが、実際はそうではないんです。まず小浜から但馬の間ではどこもテングサを採る村はありませんでした。それで、黙って採らせてくれたんです。でなければ舟小屋を借りることも人の家を借りることもできなかったでしょう…。ただ、採っていて文句をつけてくる村があったのは本当です…」

と、中村さんは語る。中村さんは昭和七年に福井県音海（おとみ）で土地の漁業会に取り押えられた経験がある。当時、福井方面では割にトラブルが多かった。そこで但馬方面へ行く海女舟が多かったのだろうが、福井に行く場合は許可書の写しをたずさえていった。どこで、どのような経緯で入手したのかは中村さんも知らないが、当時の農林大臣で後に総理大臣も務めた高橋是清の署名入りの許可書が袖志にはあったという。許可書の内容は袖志の者はどこの海でもテングサを採って良い旨、記載されてあったそうだ。その時、中村さんもその写しを見せたのだが

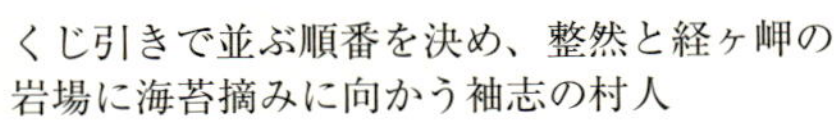

くじ引きで並ぶ順番を決め、整然と経ヶ岬の岩場に海苔摘みに向かう袖志の村人

音海側では納得せず、本物を袖志から取り寄せてようやく納得してもらったという。

山岡さんの母は城崎沖の赤岩で漁をしていた時、土地の漁師に銛を投げられ追いかけられたことがあった。城崎の浜沿いで潜る分には何の文句もつけられなかったらしい。赤岩付近はテングサも多いが、同時にアワビやサザエも多い。それらの貝を採られるのを城崎の漁師は心配したのであろう。だが、追いかけられても捕まることはめったになかったという。四人でこぐ舟と、二人でこぐ舟とはスピードに差があったからである。そのへんが他国の漁師に陰口をたたかれた原因なのかもしれない。

袖志の女が海女としてテングサを採るのは、一年のうちわずか一ヵ月間であった。田植えが終りサナボリ（田植えを祝う祭り）が終った六月一七日頃から、ある者は他国の海に、ある者は地海にと、海女稼ぎにいそしんでいたのだ。他所行きの場合は最初の漁を一〇～二〇日間で終えて帰ってきた。何日か休んだのち再びでかけたが、それも七月二〇日の土用の入りまでには全ての漁を終えて帰ってきている。そしてその頃から田の除草作業が本格的にはじまる。

海女と聞くといまでは何か特殊な漁撈者を想像する。たしかにいまでは、海に潜る漁は珍しくなり、分布も限られてしまったが、歴史的に見るとはるかに分布は広く、ポピュラーな漁法であったといえる。それに袖志の場合は、あくまでも農作業の合間の賃稼ぎの仕事だった。そういう海女のいる村は、私の知っているだけでもいくつかある。五島列島の宇久島もそうだし、福井県越前海岸にもあるし、北限の海女として知られる岩手県久慈の海女もそうだ。ただ、石川県舳倉島の海女は農地を持たぬため、漁業専業となり、冬から春にかけての休漁期には灘廻りと称し、能登の村々を行商して歩いたという。藻貝の多い荒磯の海は田畑には恵まれぬことが多い。農だけでは暮しが成り立たず、海の藻貝も採ることで、生計を補ってきたのである。

海苔摘みは医者の薬よりよく効いた

民宿の山岡さんはたいそう親切な人であった。聞けば仕事の手を休めて長々と話をしてくれる。電話のベルも聞こえぬほどの大声で話をしてくれるので、私には痛しかゆしだったが。

その山岡さんに連れられて海苔摘みを見に行った。海苔は「山の口」が開くのを待って摘む。海での採集なのに山の口というのが面白い。たまたま袖志を訪れた日の翌日、その山の口が開いた。

袖志の海苔摘み場は経ヶ岬の荒磯である。そこに、トケイ、メボシ、ゴリン、バヒキ、オオサキ、コガナ、サイガウミ、オイマワシ、オオガナ、ヒラネ等々の名の付いた岩場がある。他所者から見ると

押しなべて同じような磯であるのに、そこを生産の場とする土地の人は、さすがに細かな地形を読みとり区別している。

袖志の海苔摘みは古式豊かであった。ここではまだ村人の全員参加のもとに海苔摘みが行なわれているのである。既に同じ丹後の他の村々では岩場を分けて入札制にしている。もっとも袖志でも近年は機が忙しく全員が出るわけではない。

海苔摘みに参加する者は早朝に村の東端に集まり、並んででかける。並ぶ順は各自がクジを引いて決める。集まってきた人々の服装を見ると、皆一様に手ヌグイで頬かむりし、腰にはアジカ（カゴ）を下げ、手にはヒシャクを持っている。その何十人もの男女が薄明の中を岩場に急ぐ光景は壮観であった。そうして、並んで歩く列から一人、二人と列を離れ、思い思いの岩場に散ってゆく。老人たちは村からそう遠くない岩場に下りている。わざわざクジを引く意味もわかった。早い者ほど自分の行きたい岩場に行けるからだ。岩場に定員があるわけではない。が、狭い岩場に大勢の者が集まると、各自の収入もそれだけ少なくなるのである。

皆が岩場に散ってしまうと、私はポツンと取り残されてしまった。そこで、できるだけ岩場全体が見渡せる小高い岩場に登って写真を撮った。経ヶ岬の干上がった岩場は、黒々として見るからに海苔摘みの好適地だった。それに広い。袖志の岩場は丹後の他のどこよりも広く、生産力に富んでいる。それで

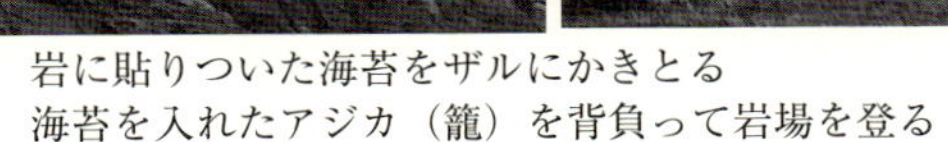

右　岩に貼りついた海苔をザルにかきとる
左　海苔を入れたアジカ（籠）を背負って岩場を登る

まだ昔ながらの海苔摘み制度が残っているのであろう。

近づいてみると、様々な方法で海苔を摘んでいる。手に木灰をまぶして摘んでいる人もいる。すっかり干上がった岩場の海苔は手の平で丸めてはがすようにして摘んでいる。手でコロコロと海苔の玉を作り、大きくしていくので「コロコロ」という摘み方らしい。手にした竹ビシャクは潮水をかけて、海苔の繊維を起こし、その水と共にアジカの中にかきこむためだった。海苔をかきとる器具はケエーガラ（貝殻）といい、時計のゼンマイを切って半円形にして、小さな木の台に埋めこんだものだ。以前、といっても戦前までは、海苔かきにはアワビの貝殻をケエーガラとして用いていた。アワビの殻は岩にぴったり密着し、具合が良かったという。また、これは海苔の根も痛めず次の漁期も期待できた。材料や形がすっかり変わっても名称だけは貝殻として残っているのが面白い。

海苔摘みの岩場では長靴をはいていた人の多くが足半（あしなか）にはきかえている。足半は足の裏の半分ほどしかない草鞋である。海苔場は歩くとツルツルすべって危険である。それにはワラで編んだ足半がすべらず具合が良い。長い草鞋をはけば足も痛まないのにと思ったが、普通の草鞋だとカカトの部分が岩にひっかかってかえって危険らしい。長靴のままの人は、それにワラ縄を巻いて摘んでいる。海苔摘みひとつにしても、人々の暮しの知恵があちこちに生かされているのに感心する。

この日は昼前に雨が降りはじめ、全員早々と村に引き揚げた。それまでに摘んだ海苔の量を聞いてみると、山岡さん夫婦二人で約一〇〇枚分あるという。一枚六〇円で漁協におろすから、午前中だけで約六〇〇〇円の収入になる。しかし、更に製品になるまでには一日の手間がかかることを考えると決して割の良い収入ではない。

それでも海苔摘みは子供の頃からの習慣で止められない。昔は子供や病人でさえも「山の口」が開くとでかけたそうだ。昭和三四、五年頃までは学校を早退したり休んでも行ったし、また、「海苔摘みは医者の薬よりよく効いた」そうで、病人でも飛び起きて加わったという。

海苔摘みの主力は婦人や老人、子供だった。それは後述するように、冬には男たちは出稼ぎに行ったからである。そうして摘んだ海苔は、木の箱に詰め、峰山や加悦（かや）方面に行商に出かけたという。冬、雪に閉ざされ、他に現金収入の道のなかった袖志では、海苔は冬の重要な収入のひとつだったのである。

牛を飼い、蚕を飼い、百日間も杜氏（とうじ）に出て……

海女の話を聞いた稲本さんはまた、一九歳の時酒屋の蔵人として奈良に出稼ぎに行っている。そして二九歳の

経ヶ岬の岩場で海苔を摘む袖志の村人たち。
それぞれの岩場には、トケイ、ゴリンなどの
名前がついている

時に杜氏になった。杜氏は酒蔵の責任者で、杜氏の腕ひとつで酒の良否が決まる。稲本さんが杜氏になった頃は、袖志にはおよそ一〇人の杜氏がいたという。稲本さんはその一〇人の中だけでなく、旧宇川村（現丹後町）で最も若い杜氏だったそうだ。

京都、奈良、神戸の酒蔵では冬の酒の仕込みに季節的な労働力が必要だった。その酒蔵には丹波や丹後の男たちがやとわれて行っている。男たちは秋の稲の刈り入れが終ると連れだって出てゆき、およそ三ヵ月で仕込みを終えて帰ってきた。そこで、酒蔵行きのことを百日稼ぎと称している。百日稼ぎに行く人々は、大正一〇年頃に旧宇川村だけで二六〇人位いたという。そして昭和一五、六年頃には約四〇〇名強にも達している。

行先は宇川杜氏の場合、京都伏見が多かった。京都府下がこれに次ぎ、奈良にも相当数が行っている。神戸が少ないのは丹波杜氏が勢力を持っていたからだろう。逆に京都伏見の酒は丹後の人々の手で多くつくられている。酒蔵行きの歴史は定かでないが、寛永年間に丹後の人が京都に寒天づくりにでかけていることを考えると、古い歴史をもつものといえよう。

何故、酒蔵に出稼ぎに行く者が多かったのだろうか。それは、丹後の冬は雪に閉ざされ、農も漁も不可能だったためだ。一方、酒蔵の仕事は重労働で、都会の人たちにはつとまらなかったからであろう。

袖志の家々は海岸べりの砂浜に建っている。その家並みの後方の段丘上には水田が拓かれている。稲本さんの話では、戦前は桑畑もあり、およそ三分の一の家が養蚕をやっていたという。各戸平均わずか三～五反の耕地である。それでも農の比重も大きかった。農と漁がうまくかみ合って、それで暮しが成り立っていたのであろう。

また、袖志ではどの家も牛を飼っていた。いまはどの家も家を改造しているが、戦後まではどの家も土間の側に牛小舎があった。宇川牛という黒毛の和牛で、体は大きく頑丈な上に、毛並みも細やかな役肉両用の牛として尊ばれていたという。

牛を飼っていたのは袖志の村だけではない。旧宇川村ではどの村も牛を飼っていた。面白いことに山中の村々では冬の間はそれらの牛を海岸部の村々に預けて育てていたという。袖志では上村の牛を預かっている。海岸部の村々は冬でも比較的暖かく、また、雪の消えるのも早かったからだ。

同じようなことは養蚕に関してもいえる。山を越した

海苔漉き（上）と海苔干し（下）。干しあがった海苔は漁協に卸すが、かつては山の村や町に行商した

筒川村から養蚕の為の実生の桑刈りに袖志付近まで来ていたという。

　このような話を聞くうちに、袖志を中心とした丹後半島北岸の人々の暮しが、少しは理解できた気になった。山が海に迫った北岸部では、耕地も少なく千枚田のような棚田を拓かねばならなかった。それだけでは暮しに足りず、畑には桑を植えて蚕を飼い、牛を飼った。そして農の合間には目の前の海で漁もやった。漁といっても伊根のような大規模な漁は育たなかった。日本海に面し、潮流も速かったからだ。だから沖に出ての釣漁や磯漁が、その中心となった。農も漁もできぬ冬は、男たちは現金収入を求めて酒蔵へ出稼ぎに出て、女はその間にワラを編み、海苔を摘んで暮しを支えたのである。

　それは半農半漁の典型的な暮しのたてかたように思えてきた。半島の人々は働き者だといわれる。海にも山にも勤勉でなければ暮せない、きびしい自然環境のせいであったのだろう。

北岸の村々

水争いに泣いた尾和

　袖志から西には尾和、久僧、中浜といった村々が続く。久僧、上野といった村々は、ほぼ素通りした。村々の生活の立て方に切り込んでゆく糸口が見つからなかったからである。冬のことで、雪や雨の中を歩く人もなく、かといって固く門を閉ざした家に上がり込んでゆくのも気後れがした。

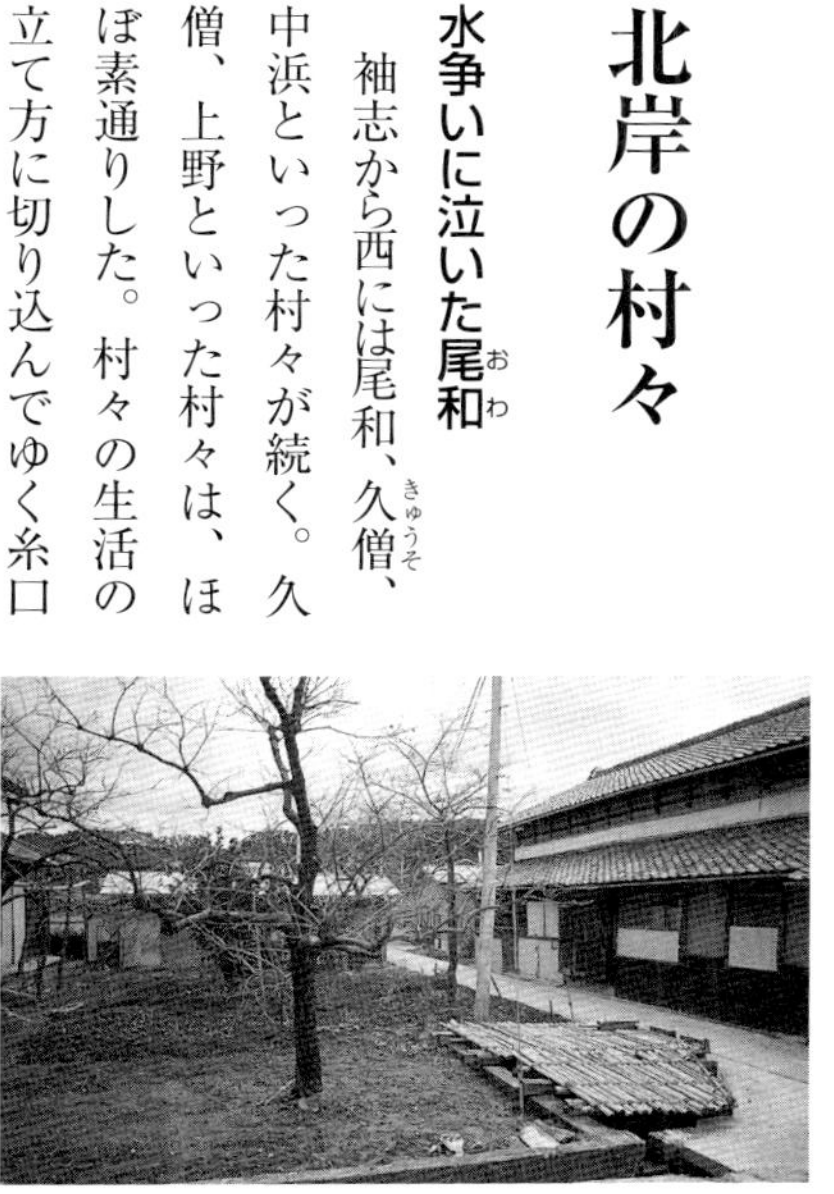

上野の民家と柿の木。上野では畑や家の周囲に柿の木が多い

　尾和は段丘上にできた二八戸ばかりの集落である。尾和には今こそかなりの水田を見ることができるが、水の便が悪いために、戦前までは畑地の方が多かった。江戸時代の尾和の石数はわずか九〇石で、袖志の一六〇石の半分である。そこで、水のある所なら山を越えても耕作に行った。地図を見ると集落の後方の山を越えた土地に水田が見える。落山といい、尾和の人が拓いた水田である。村の周囲の水田は袖志の落川から用水路を引いて耕作した。その水路を尾和イネと通称している。その水路には、袖志側に三六ヵ所の水の落し口がある。水の少ない年には袖志の者がそのセキを切ってまわった。そこで尾和の人は昼夜兼行で水の番をした。が、人口の少ない尾和は結局水を落されて泣いた。このような水争いが尾和と袖志間では絶えなかったという。

　また、牛の飼料にする草も尾和だけでは足りず、袖志の山を借りて育てていた。水や草の件で、尾和の人は袖志の人に、下げたくない頭を下げねばならなかった。

漁一本で生きてきた中浜

　中浜は珍しく冬の出稼ぎのない村だ。それは中浜が漁業専門の村だからである。漁一本で生活するとなると、冬の間でも漁は休めない。

　何故、半農半漁の多い半島北岸に、専業漁村があるのか不思議だったが、後日、中浜は他国からの移住者の村

中浜の漁港。中浜の漁民は16世紀初頭に若狭の日向浦から漁業のために移住してきたと伝えられている

と知って納得がいった。中浜の西半分には以前から集落があったが、その東側に大永年間（一五二一〜二八）、若狭三方郡日向浦の漁家三〇戸が移住して来て、漁村の基礎を固めたという。日向浦の漁民は鱈の延縄漁に秀れ、丹後の沖がその好漁場だったので移住して来たのだという。

漁一筋の村だから、中浜は水田も畑もない。中浜の段丘上の水田と畑は隣村の久僧のものである。

中浜の漁港にある漁協を訪ね、組合長に会ってみた。中浜では以前は延縄で鱈や鰈を釣ったが、今では一本釣りによる鯛やイカ釣りが主だとのことだった。延縄では大量の鰯やコウナゴを餌にする。それらが手に入らなくなって、延縄は衰えたらしい。

一本釣りでは面白い話を聞いた。戦前の中浜では、七、八馬力の親舟に四隻の一本釣舟を積んで沖合の瀬に出て漁をやっている。現場に着くと釣舟を海におろし、それに一人一人が乗組んで釣りをするのである。九州の五島列島では連子延縄といって、同じように小さな漁船を親舟に積んで、朝鮮沖まで延縄漁に行っている。中浜の場合は延縄と一本釣りの差こそあれ、全く同じ方法で沖合に乗りだしていたわけだ。連子一本釣舟である。一隻一隻の舟が動力をつけるまでの過渡的な形態だと思える。そのようにして、中浜では石川県の能登半島まで漁に行っていた。

岬の祠に祀られる神々

中浜では村はずれの海に突きだした小さな岬の上の祠

細い路地が走る中浜の集落

屋根のついた中浜の共同井戸。屋根の梁には井戸を使う家々の名前が書かれている

が気になった。土地の人はイチマンドウと呼んでいる。どのように書くのか、土地の人も知らなかった。それが壱万燈と書くのではないかと思ったのは、かつて、その上で火やノロシをたいたと聞いた時だ。

丹後の冬の海は荒れる。朝晴れていても、昼には時化ることも多い。裏西という北西風のためだ。その時、中浜の港の入口はガサガサに荒れて危険だ。そこで安全な港に舟を回航せねばならなかった。それを「舟を落す」という。その舟を落す時に、無線のない頃には岬の上で火をたいて沖の舟に合図を送ったのである。京都では「虫送りの火」を「万燈」と呼んだという。目的こそ違え同じ火をたくのだからイチマンドウも壱万燈かもしれないと私は思ったのだ。

中浜ならずとも、丹後北岸では岬上に小さな祠のある村が多い。地形の似ている越前でも岬上に小さな祠を見かけた。それら岬に祠をもった村は、かつては漁に暮しを頼っていた村が多いのかもしれない。少なくとも丹後北岸に関する限りはそういえるのではないかと思った。前面に海を控えていても、さほど漁に熱心でない、上野、此代(このしろ)、久僧といった村々には祠が見られないからだ。

岬上の祠は夷子様を祠っているところもあるし、稲荷様、弁天様の例もあった。いずれにしろ、岬の上では火をたけば沖合からもよく見えるし、村に火事を起こす心配もない。そういう場所に、海の安全や豊漁を願って神々が祀られたのであろう。

渋柿と中世の石垣やら霊地やら

上野では家の間口、庭、畑に柿の木が多かった。柿は潮風の当たる土地では育ちにくい。上野は丘の陰にあるので柿も実をつけるのであろう。

柿、特に渋柿はかつては村々の生活の必需品だった。青い小さい柿の実を桶の中でつぶして渋を採ったのである。漁村ではその渋で漁網や釣糸を染めた。伊根などの漁師町では、柿渋を入れた四斗ガメを土蔵の入口に埋め込んで保存していたと聞いている。栗田湾の村々では舟小屋の奥に埋め込んでいたという。土中に埋めるのは渋が日光をきらう為である。

上野の木も渋柿が多いのではないかと思ったが、実際には甘柿が多かった。しかし、いずれの柿も小さいから、二〇年も以前は渋柿が多かったのかもしれない。

上野と久僧の間に小さな川が流れている。

上野を歩いた日にはその川を溯り、山の中腹に見える上山に足を伸ばした。冷たい雨の降る日であったが、遥かな山の中腹に見える家並みに興味をひかれたのである。

上山には五軒ばかりの家が残っていた。道端には宝篋(ほうきょう)印塔(いんとう)や、板碑、五輪塔がいたる所にあった。また、寺には鎌倉時代の作という観音像もあった。

一軒の家を訪ね、コタツに入れて頂き話を伺った。道端にある石塔類は田畑を拓く時にゴロゴロ出てきたものらしい。興味深い話も聞いた。上山には修験僧の宿坊が二八坊もあったという。いまでも南の坊とか角の坊とかの地名が残っているという。また、上山の背後の山は吉野山というらしい。上山は修験僧の霊地だったのである。

松林の中の墓と此代のコンニャク

平から此代までは、車では約五分の道のりだ。平では海岸の松林の中に墓があった。水田や畑の拓けぬ土地に墓を立てているのである。それは蒲入でも袖志でも間人(たいざ)でも同様である。

此代は四六戸ばかりの村だが、一〇年ほど前までは盛んにコンニャクを作っていた。各戸が六、七反のコンニャク畑を持っていたという。コンニャクは、四月に植え

どっしりとした佇まいの此代の農家。冬の夕暮れ、野良仕事を終えた老夫婦が帰宅した

て八月に掘り出す。それを翌春に畑に戻し、四年経たものを出荷した。一軒でも平均七三俵ものコンニャクを出荷したという。

此代を過ぎると筆石、竹野（たかの）と続き、竹野から丹後町の中心地間人まではほど近い。

上　竹野川とその流域にひろがる水田
右下　大成八号古墳
左下　延喜式にもその名が見える竹野神社。

延喜式にも名の見える竹野神社や古墳跡

竹野は、竹野川が海に注ぐ地帯で河口付近に広い水田が拓けている。

その水田の中を見事な松林が山麓に伸びている。竹野神社の参道である。竹野神社は延喜式にもその名の見える、丹後町ではもっとも格の高い神社だ。実際、丹後の寒村にしてはずい分立派な参道と社殿を持っている。かつては隠岐国からの参詣もあったという。この付近の舟は隠岐国の杉を用いて作られていたと聞いているから、その関係かもしれない。

神社脇の小高い松林は、神明山古墳と呼ばれる前方後円墳だった。四世紀頃のもので、古墳の頂きでは、最近まで埴輪の破片が見られたという。竹野付近には大成（おおなる）古墳などまだ多くの古墳がある。また、竹野川上流の峰山には古代の条里田跡があるという。

広い水田や古墳を眺めていて、半島部で人が最初に住みはじめたのは、竹野や平、本庄といった、川が海に注ぎ込むあたりではないかと思えてきた。平には貝塚がある。本庄には浦島太郎の伝説で有名な宇良神社がある。河口付近は湿地帯で稲の生育にも良く、また良い港ともなって、海からの人々の移住が容易で、文化も受けいれやすかったのであろう。

海辺の川の河口に人が住みつき、やがて人口が増えてくると人々は新しい可耕地を求めて川沿いに溯り、更には谷間にわけいって山の中腹にも集落を拓いた。半島の山々の村はそうして拓かれたのではないか。それは山の集落の大半が、川までわずか二、三〇分の位置にあるこ

吹雪の後の間人港。6艘の底引き漁船が係留している

とからも想像できる。それらの川には昭和に入ってもなお、サケやマスが溯って来ていたという。その魚を山の村々の人も川まで下りて獲っている。川を中心に半島の村々が形成されていった図式がほの見えた気がした。

間人（たいざ）

市場に魚が揚（あ）がると続々と女たちが集まってくる

今度の旅では、間人に着いて初めて雪に見舞われた。その印象も強烈だった。海岸の岩に当たって砕け散る波が潮煙と化し、雪と渾然一体となって不透明の空間を作り出している。激しい日本海だった。海鳴りが唯一、海の存在を知らせてくれる。

間人は坂道が多い町だ。道の両側は家がびっしり建てこんでいる。昔は間人千軒といわれた。今の戸数は一〇〇一戸だという。昔も今も戸数に変わりがないのは、狭い段丘上では戸数にもおのずと限界があるからだろう。

狭い間人の坂道を歩くのは楽しい。町は間人港を囲んだ段丘上にあるから、路地を歩いていくと目の前に港が不意に現われたりする。各所にある共同井戸には、可愛らしい地蔵様が祀られている。その前で、野菜や魚を

間人千軒と呼ばれた間人の街並み。はるかに間人漁港が見下ろせる

割く婦人たち。道端の家々からは、バタバタと機の音。いかにも日本海の港町といった雰囲気に溢れている。

私もそうだが、そのような間人に心ひかれ、間人を訪れる人も多い。初めて間人を訪れた人にはその地名がひっかかる。間人の地名は聖徳太子の母穴穂部間人皇后（あなほべのはしうど）にちなむという。間人皇后はその昔、当時の大浜村に身を寄せていた。皇后が奈良に帰るため、この地を退座されるのにちなみ、間人と書いてタイザと呼ぶようになったといわれる。

今の間人は西陣織やチリメンで成り立っている。が、江戸時代から明治にかけての間人の町を支えていたのは漁業だという。宝暦一〇（一七六〇）年の間人には鰈（かれい）延縄六人乗り一二隻、鯛延縄二、三人乗り七隻、イカ手釣り及び藻刈一人乗り六五隻があったという。単純に計算しても、一六〇名は海で身を立てていたのである。間人の沖合は泥砂の海だ。その泥砂に生息するカレイやカニが昔からの間人の漁の中心だった。

間人にいる間はよく魚市場に行った。見慣れぬ者には魚を競り落す光景が珍しかったからだ。カニ漁の解禁日から間もない日だった。市場のフロア一杯に赤い甲羅のマツバガニが並べられていた。

間人の仲買人は女の人が多い。前かけをかけた中年のおばさんである。三時になるとサイレンが鳴り、それを合図におばさんたちが集まってくる。

競りは港に帰ってきた船の順に行なわれる。次々とトロ箱が競り落とされる。競り落すのは幾人かの大手の仲買人である。おばさんたちはなかなか競りに加わらない。

一隻分の魚が残り少なくなった頃、ようやくおばさんたちの口から声がもれる。

大手の仲買人の落した魚は、すぐに冷凍車に積まれ、京阪神へ送られる。漁のない時のため冷凍庫に保管されるものもある。

一方、おばさんたちの魚は、土地の人の口に入る。おばさんたちは魚屋を開いているわけではない。行商で売って歩く。近海漁のある町で魚屋を見かけることはまれだ。殆どが行商でまかなわれている。

現在、間人の町で行商する人は一二、三人いる。他にも峰山方面に車に積んで売りに行く人もいる。かつては峰山には盛んに行商に行ったという。

「間人商い節」という歌が残っている。

長い縄手や黒部の縄手
いつか行きつく峰山へ
間人峠を夜中に出れば
加悦の四辻、犬が鳴く
私の生まれは間人の生まれ
朝も早よからイカや鯖…

テンビン棒をかついで足早に歩く女たちの姿が思い浮ぶ。遠く加悦方面に行商に行く者もあっただろう。

行商に出かけたのは何も間人だけではない。袖志、蒲入、中浜などでも行商の話を聞いた。海辺の村から海苔や魚を近在の山村に売って歩いている。逆に山間の村からは炭や薪が沿岸の村に行商された。また、中浜のように漁業一本の村では、魚と交換に上山の薪を切らせてもらったとも聞いた。山の村と海の村が結びついて互いの生活が成り立っていたのである。

遠洋漁業の見られない丹後沿岸だが、明治三六年に間人から一隻のフカ延縄船が韓国沿岸へ出漁しているのは注目に値する。既に韓国沿海には、明治の初期頃から日本の漁船が出漁している。瀬戸内海や九州の漁民が多かった。その数は明治二五年頃には六八三隻もあったという。それだけ利益も大きかったのであろう。そういう話を伝え聞いた間人の一本釣漁師小谷三左衛門は、政府の補助を得て、大分の佐賀関で漁船を作り、韓国沿海へ出漁して成功をおさめたという。

しかし、それは間人の漁業史に咲いたあだ花のようなものだった。これをピークに間人の漁業は衰退の一途をたどっている。ことに戦後の衰退は著しいという。明治末には七〇〇人近くいた漁師も今はわずか一〇〇名内外だという。戦後すぐには一八隻あった底曳船も、今では

間人にも漁港に降りる坂道の途中に、屋根付きの共同井戸があった

上　マツバガニがフロア一面に並ぶ間人の魚市
下　間人の競り市では女性の姿が目立つ。男の仲買に混じって魚を競り落し、リヤカーで街中を行商する

冬の荒天の合間をぬって出漁した底曳き漁船の水揚げ。リヤカーに積んで右手に屋根の見える漁協の魚市場に運ぶ

間人の岩場で海苔摘みしていたのはお年寄りの女性たちだけだった

六隻に減っている。しかもその六隻によるカニ漁も、解禁一週間でさっぱり獲れなくなる。鳥取漁港などの大型底曳船に押されて、カニをさらわれてしまうのだという。

漁業の衰退は、戦後の西陣織の進出によるところも大きい。漁は不安定なもので、大漁の時もあれば不漁の時もある。それに比べて機織りは冬場でも操業できるし、安定した収入が得られる。漁をやめて機屋に移行していったのもうなずける。その傾向は十数年前のガチャマン時代になると著しかったという。筬(おさ)をガチャンと動かすと万の金になったとさえいわれる機屋景気である。

更に、昭和三八年、半島一周道路が開通した。それに伴う民宿の激増が、漁業離れに拍車をかけたようだ。

間人では潮の引いた岩場で小粒の貝を拾っている親子を見かけた。ニナイと呼ぶ小さな貝だ。貝といえば私はすぐにホタテやアサリ、あるいはアワビやサザエを思い浮べる。親子が小さなニナイ貝を拾っているのは意外であった。しかし、考えてみると、東京の大森貝塚からは三〇種以上の貝殻が発見されている。縄文人の食べた貝だ。ずい分多種の貝が食べられているのである。

半農半漁の村で、最初の頃の漁というのは磯辺の貝を拾う程度ではなかったか、そして各自が舟をもち沖にのり出したのは、かなり新しいのでないかと思った。以前、越前の海岸を歩いていた時だった。六〇戸ばかりの海辺の村に、およそ五、六〇年前でわずか二、三隻の磯舟しかなかったと聞いてもいる。

丹後ではジンメイと呼ぶ小さな巻貝も食糧としている。これはショウ油をいれて炊込みご飯にして喰う。ジンメイメシという。後に袖志の山岡さんに頼んで炊いていただいた。食べてみると実にうまかった。単にゆでても食べられる。中でも興味深いのはイガイ（ムサラキイガイ）だった。砂方では盆礼の時に欠かせぬ貝だったからだ。盆礼は嫁に行った娘が夫を連れて親元に盆の挨拶にくる行事だが、そのいわば晴れの日の行事にイガイが用いられているのである。

かつて、これらの貝は商品にはならなかった。そのかわり、各家では粕づけにして保存食にしていた。生鮮のまま消費地に送る手がなかったからであろう。

山間の村々

山あいに氏神と屋敷跡だけが残されていく

竹野川をさかのぼった清水という在所でバスを降りる。そこから東の愛宕山頂き近くにある力石を目指した。このあたりは地図を見ると愛宕山をとりまいて力石、大石、神主などの村名がある。しかし、いずれも全戸離村して今は廃村になっている。そういう村々を歩いてみようと思ったのである。

是安、吉永という村を通過する。いずれも平地で水田地帯である。吉永

廃村の力石の六地蔵だが、まだ訪ねる人があるのか赤い前垂れをなさっていた

廃村の力石に向かう途中の道脇にも点々と廃屋が見られた

上　小脇集落の遠望
右下　吉永の地蔵堂。かつては村を訪れた行商人たちなどが泊まった
左下　小脇に一軒だけ残って住んでいた家の土間。
「私はね、力石から嫁に来たんですよ、その頃ここには10軒ほどの家がありました。盆には力石や神主から若いもんが踊りにきて、それは賑やかでした…」とおばあさんが話してくれた

の村の入口には地蔵堂があった。半島部には村の外れに地蔵堂のある村が多い。地蔵は子供たちによって丹念に化粧され、いつ見ても何がしかの花が供えられている。これらの地蔵堂は、かつては村を訪れる行商人等の宿泊所にもなっていた。吉永の地蔵堂も大正の初期までは、行商人や乞食の姿が見られたという。内垣という五戸ばかりの村から、道は上り坂になった。

　内垣から力石まではわずか三〇分、たいして疲れもせぬ距離だった。家はバラック建ての一軒を除いて見当たらない。曲りくねった道なりに上ると次々に石垣が現われる。斜面を切り拓き、石を積んで宅地を造っていたのであろう。その石垣が妙に人臭さを感じさせる。さんさんと陽のさす日だから良いが、雨の中を上ってきたら、多少薄気味悪い。

　宅地跡には杉の植林がなされている。田や畑も捨てられたものは少ない。離村したとはいえ、まだ耕作に上ってきているのである。

　力石が村を挙げて離村したのは昭和三三年である。村をなめ尽した大火のためで、火元の一戸を除いて全戸離村した。火元の家は三五年に村を離れた。二年間もなお残っていたのは、村を焼いた罪の意識のためだろうか。それとも再び村を興す努力のためだろうか。

　かつては力石は二四世帯あったという。村人は間人や是安、浄願寺等付近の平野部に移り住んだ。いずれも力石の周囲の村だ。

　力石の旧村民の堀江さんに会って話を聞いた。力石は、その昔は現在の位置から尾根ひとつへだてた谷筋にあった村だという。古屋敷と呼ばれる谷で、そこには今も力石の氏神である石久久里（いしくくり）神社が残っている。堀江さんが伝え聞いた話では、約三〇〇年前はそこに八〇戸ほどの集落があった。が、ある時地崩れが起きて、人々は古屋敷を捨て、力石、一段、内垣に移り住んだという。一段もかつて一七戸の集落だったが、いまは廃村である。その一段も内垣も共に石久久里神社の氏子で、一緒に祭礼を行なっていたそうである。

　堀江さんの子供の頃には、古屋敷にまだ一戸だけ残っていたという。その最後の住人が力石に移ってきたのは明治末だった。大雪が降り雪崩が起きて、夜の夜中に力石まで上ってきたという。牛を歩かせるためムシロを敷きつつ歩いてきたそうで、力石の大人たちが大騒ぎしていたのを覚えていた。その一家はそのまま力石に住み、古屋敷という屋号で呼ばれた。

　八〇戸という数が正確ではないにしろ、この話から、古屋敷にかなりの集落があり、そこから力石、一段、内垣に移住した話は真実と思われる。かつて下北半島でも同じような話を聞いたことがある。それにいま起こっている集団離村という現象も、正にそのひとつなのである。

「今日はいい値で売れますように」

　山の村々はどのように暮しを立てていたのであろう。堀江さんの話では、水田、畑作、養蚕、牛、炭焼き、出稼ぎなどであるという。出稼ぎは海岸部の村々と同じように酒蔵が中心だった。また、戸主を除いた娘や次男たちは、峰山や京都の機屋に奉公に行き、そのまま住みつく者が多かった。村内で分家を出すだけの余裕もなかったからである。

養蚕は春蚕、夏蚕、秋蚕と三回飼っていたという。丹後で養蚕が盛んになったのは明治の初め頃、畑に桑を植える技術が導入されてからだ。それ以前は山の実生の桑を用いる生産性の低い養蚕だった。

養蚕は山村の生活の糧となった。そこで単に蚕と呼び捨てにせず「おかいこさん」「おまゆさん」と敬称をつけて呼んだ。蚕は家の中で飼った。四部屋のうち三部屋は蚕棚を作り、人はその下で寝た。また、正月すぎに播州から萬歳師（まんさい）がまわってくると、人々は競いあって我家に泊めた。めでたい人々を泊めると、蚕が病気にかからず良いマユがとれると信じていたからだ。

桑畑には、家の付近の畑を利用した。それは蚕の重要さを物語る。それが戦後は食糧増産のために桑は切られ芋が植えられた。そして山村の養蚕は衰退してゆく。半島の山村ではどこも同じである。

山の急傾斜面では焼畑を拓いた。丹後ではそれを苅生畑（かりゅうばた）と呼んだ。畑は一枚が三畝から五畝で、ソバや粟、大豆、小豆を播いた。一年目はソバ、二、三年目は大豆、小豆、四年目から五年目に粟を播いて、その畑を放棄した。だから一軒で四、五枚の畑を持てば、毎年、ソバ、粟、大豆、小豆がとれた。そのためには毎年必ず一枚の苅生畑を拓いたことになる。

小脇のおばあさんが保管していたくずマユ。布団の綿にいれたりしたという

苅生畑を拓く前の冬には、その山の木を切って炭を焼いた。炭にならぬ残り木は薪になり、薪にもならぬ木は、夏に焼いて畑を作った。一冬に焼く炭は多い時では、約千貫にものぼったという。

その炭や薪は、間人や網野のような海岸部の町や村に売りに出た。ソバ、大豆、小豆、粟なども売りに行った。穀類は正月までの間に、炭は盆までの間に売り、それが正月や盆の費用になった。母や祖母が炭や薪を背板につんで行商に出る時は、子供たちは「今日はいい値で売れますように」と門口で手を合わせて祈ったものだという。それが、我家を支える糧であることをよく知っていたからであろう。

力石で昼食をとった。竹林の青さが目にしみる。丹後は竹林が多い。力石から下りて山腹をまわると山の向こ

津母（つも）の道端に黄色い水仙が咲いていた。灰色に沈んだ冬の丹後が一瞬明るくなった

ガラシャ夫人の伝説の残る味土野。昭和38年の豪雪や火事などで住民の離村が進んだ

うに青い海が見えた。大石、神主と抜け、小脇に下りて間人に帰った。大石も神主も小脇もまだ廃屋がいくつも残っている。家中は荒れているが農作業の道具が置いてある。力石と同じようにまだ耕作に通っているのであろう。

これらの山村はなぜ崩壊していったのか。丹後半島は日本有数の過疎地帯である。昭和三〇年代後半から、山間の村々は急速に崩壊していった。既に廃村となった村は一六村以上に達し、住民の大半が離村した村になると、その数もぐんと増える。私自身いくつもの廃村を見ているし、七年前には木子（きご）という廃村のなかの一軒を友人たちと借りていたこともある。

崩壊の原因は自然的要因や経済的要因の重なりあったものなのだろう。第一に豪雪である。昭和三八年には一ヵ月間毎日雪が降り続き、積雪は五メートルを超した。ほとんどの山村が長く孤立したという。そこまでなくとも例年一〜三メートルの雪で山村は孤立する。雪のため子供の就学はおろか生活さえあやうくなる。

また、山間の耕地は狭く生産性も上がらない。加えて昭和三〇年代後半の燃料革命は、残された炭や薪の現金収入の道をも奪ってしまった。

一方平野部ではその頃に西陣機の進出が進行していた。機屋景気の直前で、労働力はいくらでも欲しかった時代である。そのような時期に力石や味土野（みどの）のように火災でもあれば、新しく家を建てなおす気も失われ、離村への拍車もかかったのだろう。離村の条件も充分ととのっていたのである。

山を下りた人々を吸収したのは海岸部の町や村だ。海岸部では、逆に人口も戸数も増えているのである。山の村の崩壊していった昭和三〇年代に、海岸部で西陣機が導入されたことはすでにのべた。更には比較的雪の少ない海岸部では、畑作も採種用の野菜への転換が可能だった。新井から間人までの海岸線の畑がそれを物語る。また、車による通勤圏の拡大も、海岸部での過疎化の歯止めになったのだろう。

雨に濡れそぼる白い野水仙の花

旅では、私は常にそこに生きる人々の暮しの立て方や、人々の心のヒダとヒダの間を知りたく思う。「人の心を知りたい」というのは、かなり潜越で思い上がったいい方かもしれない。が、少なくとも知り得ぬまでも知る努力はしたいと思う。そうしてこそ、その土地と人々を本当に好きになれるし、味わい深い思い出もできる。

が、今回の丹後半島の旅では、いかほどもその目的を達し得なかった。旅自体急ぎすぎたし、深く接し得た人もいない。でも、幾人かの心ひかれる人との出会いはあった。蒲入の泉徳兵衛さんや袖志の山岡賢治さんである。いずれも自分の生きた村のため知恵と汗を惜しまぬ人である。袖志の山岡さんは今、その前の海をアワビやサザエの養殖場にすべく心をくだいておられる。そして不可能だ、と思い込んでいる町役場や村の人々を説いてまわっている。そのことはここには書ききれないが、その村を思う気持はよく伝わってきた。山岡さんのような人が半島の村々の歴史を作り変えてゆくのであろうと思えた。

丹後半島にいる間は、連日のごとく雨が降った。灰色に沈みこんだ人気のない村々を歩くのはわびしく重苦しかった。景色だけでなく、人の心も沈みこんでいる印象を受けた。が、海辺の崖や田畑の畔に咲く白い野水仙の花に出会った時は、心暖まる思いがした。それはまた、ずっと前に訪れた山間の村、木子や味土野の目にしみいるような木々や草々の芽吹いた緑の初春の記憶と人々の笑顔を思い起させてくれた。

冬の丹後を明るくするには越前のように村々を水仙の花で埋め尽してみたらどうだろう。さすればそこを訪れる人の心もまた村人の心も明るくなるのではなかろうか。そんな思いを抱きつつ、丹後半島を去った。

女たちの志摩

文・写真　谷沢　明

写真　須藤　功・加曽利　隆

船の棹を押して出船を助ける海女さん。これから沖の海に潜りに向かう　撮影・須藤功

英虞湾に浮かぶ真珠イカダ

御饌つ国志摩

志摩は海の国である。

伊勢湾と熊野灘に囲まれた志摩半島は、大小の入江が複雑に入りくんでいる。浦々には数十戸、数百戸の小集落が点在し、家々は海辺の平地にへばりつくかのように建っている。

古代、律令制をもとに国家が形作られた時、日本は六六の国に分けられ、志摩もささやかながら一国をなした。現在の鳥羽市、志摩郡（現在・志摩市）がほぼその範囲にあたる。それは、隠岐国、壱岐国といった島しょを除くと、日本でもっとも小さな国であった。隣には、伊勢という豊かな農業生産に支えられた国があったにもかかわらず、わざわざ独立した領域を形作ったのはなぜであろう。

当時、志摩には、答志、英虞の二郡で、合わせて一四の郷があった。一郷五〇戸がきまりであったから、全部で七〇〇戸、一戸平均二〇人として算定すると、約一万四〇〇〇人が住んでいたことになる。しかし、耕地はわずかしかなかった。水田面積は、一二四ヘクタールにすぎず、一戸平均にすると〇・一八ヘクタールを下まわってしまう。当時の他の国と比べると、全国の平均が三ヘクタールを上まわっていたのだから、その一〇分の一にも満たなかった。（宮本常一著『志摩という国』）

律令国家は水稲農業をもとに成立した、といわれる。

ところが、一方では、このように農耕にたよらず暮らしをたててきた人びとがいたのであった。

九世紀に編さんされた『和名抄』には、海人が住んだ海部郷・海部郡が一七ヶ所記されている。太平洋側では豊後、安芸（二）、阿波、淡路、紀伊、尾張、武蔵、上総が、九州・日本海岸では、肥後、筑前（三）、隠岐、丹後（二）、越前がそれにあたる。いずれも、そこには海岸に居住して、漁撈をもとに暮らしをたてた人びとがいて、それが郷を作り、郡を形成していた。このほか、地名となっていないまでも、海人の住んだところは少なくない。志摩もその一つであった。

志摩は「御饌つ国」といわれる。

御饌とは、天皇の食物、神社のお供え物のことである。志摩の海にはアワビ、サザエ、ナマコ、イリコなどの魚介類や、ワカメ、アラメなどの海藻類がじつに豊富で、人びとは、これらを採ることにより暮らしをたてた。

これらの海産物は、古代より、伊勢神宮の御贄や朝廷の調物として献上

安芸・安芸郡安満郷
安芸・佐伯郡海部郷
筑前・宗像郡海部郷
筑前・那珂郡海部郷
筑前・怡土郡海部郷
肥後・天草郡天草郷
豊後・海部郡
阿波・那賀郡海部郷
淡路・三原郡阿万郷
紀伊・海部郡
隠岐・海部郷
丹後・熊野郡海部郷
丹後・加佐郡凡海郷
越前・坂井郡海部郷
尾張・海部郡
武蔵・多摩郡海田郷
上総・市原郡海部郷

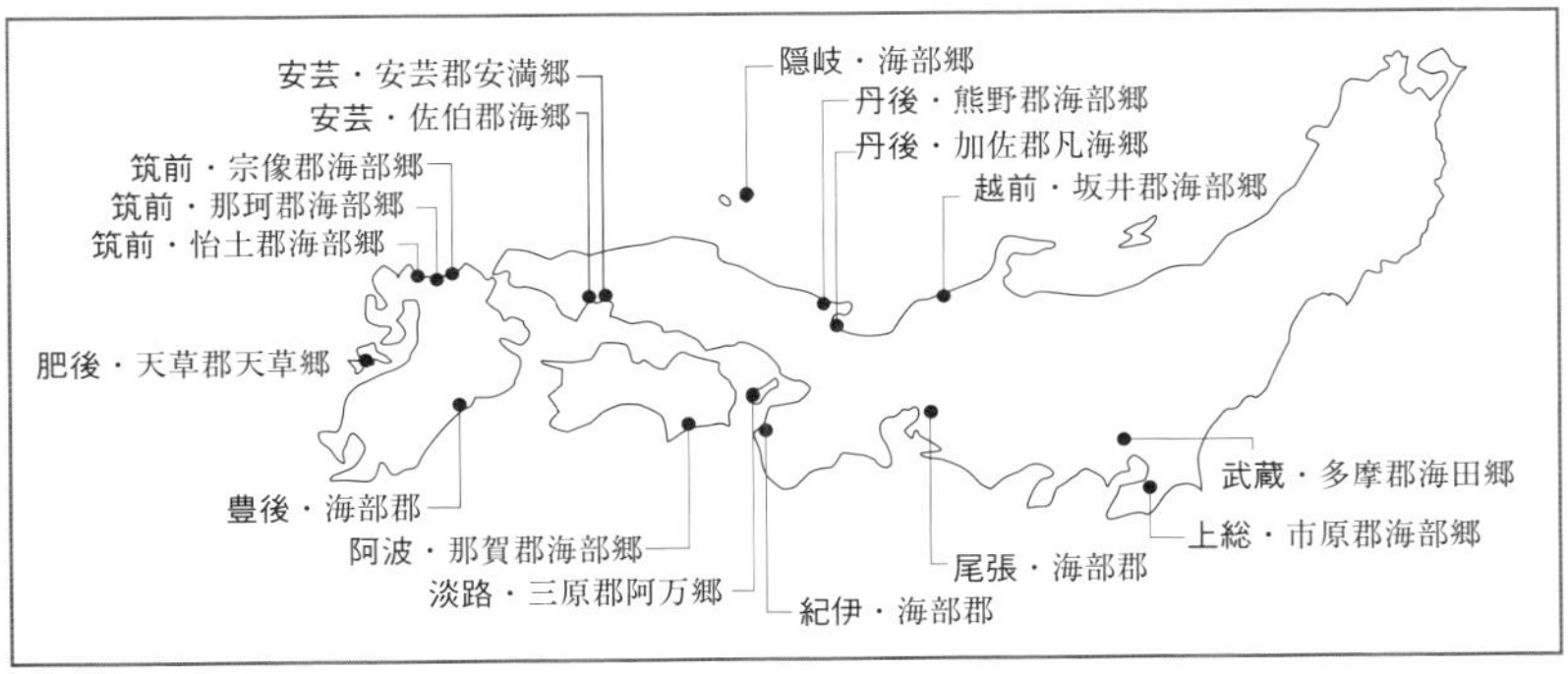

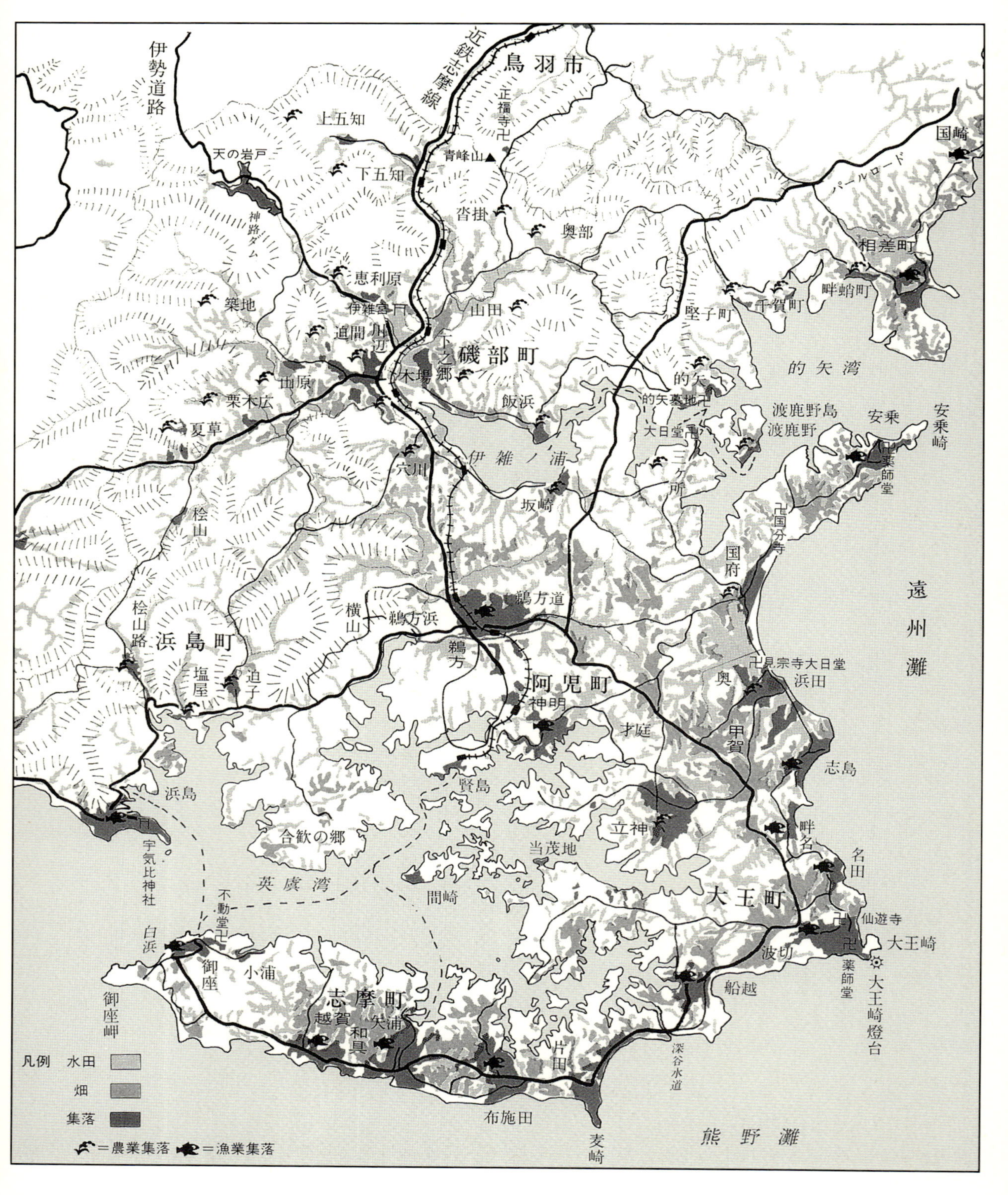
鳥羽市
近鉄志摩線
伊勢道路
上五知
天の岩戸
下五知
正福寺
青峰山
沓掛
奥部
神路ダム
恵利原
伊雑宮
築地
山田
堅子町
千賀町
畔蛸町
相差町
国崎
パールロード
迫間
川辺
下之郷
磯部町
木場
山原
栗木広
夏草
飯浜
的矢
的矢湾
的矢塞地
渡鹿野島
渡鹿野
安乗
安乗崎
薬師堂
大日堂
三ケ所
伊雑ノ浦
穴川
坂崎
国分寺
国府
桧山
桧山路
浜島町
横山
鵜方浜
鵜方道
鵜方
遠州灘
見宗寺大日堂
浜田
奥
塩屋
迫子
阿児町
神明
才庭
甲賀
志島
賢島
浜島
立神
畔名
合歓の郷
当茂地
名田
宇気比神社
英虞湾
間崎
大王町
不動堂
仙遊寺
大王崎
白浜
波切
薬師堂
大王崎燈台
御座
小浦
船越
御座岬
志摩町
越賀
和具
片田
深谷水道
凡例 水田
畑
集落
布施田
熊野灘
麦崎
＝農業集落 ＝漁業集落

されていた。志摩半島の各地に神宮の御厨が発達していたことや、平城宮跡から出土した木簡に記された文字からも、志摩の人びとが、神宮や朝廷と深いかかわりをもちながら生きてきたことがわかる。

志摩が農耕にたよらず小さいながらも一国をなしたのは、海の幸の供給地として強い独立性をもっていた、とみてよいであろう。

志摩のイメージをひとことで言い表す言葉は何か、と志摩を旅した人に聞くと、たいてい、青い海と新鮮な海の幸、という答えが返ってくる。現在、一市五町（鳥羽市、磯部町・浜島町・阿児町・大王町・志摩町）合わせて九万二〇〇〇人が志摩に住んでいる。

地図を見るとわかるが、人々はこの狭い半島に驚くほどの密度で群がっている。耕地は依然としてささやかな谷あいの水田と、それよりも少し広いくらいの丘陵上の畑しかない。

私は、昭和五四年の春から夏にかけて、三ヶ月余り志摩に滞在した。日本観光文化研究所が行なった志摩民俗資料館の設立準備に、スタッフの一人として、民具の収集や、展示の仕事に携わっていた。その時に何人かの見事な女たちに出会った。その人たちから受けた印象は、志摩は女の人がじつによく働く土地柄で、女性の地位や経済力が高く、陽気な人が多いということであった。その後、いく度か志摩に足を運び、この二月、青峰山の御船祭の前に、一週間ほど村々を巡る機会を得た。

これはその時、お年寄りから聴いた志摩の女たちの話の一端である。

朝鮮潜き

近鉄志摩線の終点、賢島から船に乗り、英虞湾を御座へ向かった。春の観光シーズン前であったせいか、船中は人もまばらで静かなものであった。英虞湾には真珠養殖の筏やブイがいくつも浮かんでいる。緑の島々と青い海とがおりなす風景は女性的で、春を思わせる陽ざしに、のびやかな明るさを感じた。

志摩ときくと、海女を思い浮かべる方も多いかと思う。志摩には英虞湾、的矢湾の二つの入江があり、これらの入江に沿って、農村や真珠養殖を業とする集落や港町が発達している。そして、外海に面して、海女の村が多い。

志摩半島先端の御座岬から大王崎にかけて集落をみていくと、御座、越賀、和具、布施田、片田、船越、波切、大王崎から安乗岬にかけて、名田、畔名、志島、甲賀、安乗、的矢湾から北の鳥羽方面に向けて、相差、国崎、石鏡と海女の村がいくつも続く。

御座の港に降りたち、和具に足を向けた。和具は先志摩の海女の集落の中心をなし、町の中心はにぎやかな町並みになっているが、一歩路地に入ると、棟の低い瓦屋根の民家も少なくない。瓦が吹き飛ばされないように、屋根に網をかぶせてある家が目につくのも、風の強い土地柄のせいであろう。

民家の板壁は、黒くしずんだ色あいで、長い歳月を潮

石鏡の海女と、海女が腰に巻いた命綱を船上であずかるトマエ　撮影・須藤功

風に耐えぬいてきた歴史の重みを感じさせる。板が潮風で風化するのを防ぐために、カツオ油にススを混ぜたものを塗ったものである。志摩はカツオ釣り漁の盛んな土地で、カツオ節加工の際に出る油を板壁の塗料に利用していたのは、いかにも海辺の村という感が強い。

海女の村では、たいてい、集落の後背地がゆるい台地になり、台地は畑作地として利用されている。畑作地といっても、自給用の野菜を栽培する程度の利用で、各戸では平均数反歩ずつの耕地をもち、主に女が海女稼ぎに出かける前に耕作している。

御座で石仏地蔵尊や爪切不動尊へ参って時間を過ごした。和具の町に着いた頃には、すでに陽は落ちかけ、家々では夕げのしたくにとりかかる時分であった。

和具の町で宿をとった。主人に、海女の話を聴ける人はいないものかと尋ねると、西岡キセイさん（明治四一年生まれ）を紹介してくれた。彼女は朝鮮の海に潜りに行ったこともある、という。

その晩、家を訪ねるつもりで準備をしていたところへ、ひょっこりキセイさんが訪ねてきた。宿の主人からキセイさんに会いたい人がいると聞き、彼女は親類の息子か誰かが和具に来たと感ちがいしてやってきたらしい。キセイさんは和具で生まれ育った海女で、カミをきちんと結んだ顔だちは、とても八〇歳すぎとは思えぬほど若々しくみえた。

「ここらは海女するしか商売ないよってな。海女せんと嫁のもらい手がないわね」

と、話しだした。

ワカメ採りに出漁する志島の海女船　撮影・須藤功

志摩の娘は学校に上がる頃から、近くの浜に行って潮浴びをし、親が海の中に投げた色のついた石を拾ったりしながら自然に泳ぎや潜りを覚えた。そして、一五、六歳になると、海女として一人前に育っていく。

海女の稼ぎは、一つは泳ぎの能力、もう一つは獲物の居場所を探す力で決まり、その力を幼い頃から遊びの中で身につけていった。海の中に少しでも長い時間潜っているためにも、すばやい泳ぎを身につけねばならない。上手な海女は海水を蹴るようにして泳いでいく。また、獲物の居場所をこの地では「アジロ」といい、「山アテ」をしてアジロをいくつつかんでいるかが海女の稼ぎを大きく左右したという。

幼い頃から海に慣れ親しみ、娘になると、だれもが申し合わせたように海女になった。

「海女をしないのは医者と坊主の家くらいだ」

といわれるほどであった。

海女の村では女が海に潜り、男は海女船を漕ぐか、漁船に乗って漁をするというのが一般的な暮らしのたて方である。海女には夫婦単位で船に乗りこんで漁をするフナド（船徒）、七、八名の海女が一艘の船を雇って沖に出るフナド、そして、船を使わずに浜辺から泳いで漁場に向かうカチド（歩行徒）の三種類がある。海女は沖に出て一時間ほど漁をすると、一時間ほど海女小屋で休み、これを日に数回くりかえす。現在、一日平均一人数万円の漁獲高があるという。

志摩の海女は土地の海に潜るだけでなく、盛んに出稼ぎをし、伊豆、紀州、遠くは対馬、朝鮮などにも獲物を採りに行っていたという。海女の出稼ぎは、すでに、江戸時代にみられた。たとえば、天保一四年（一八四三）の『宗旨御改帳』には、越賀の海女一五名が紀州錦浦や伊勢田曾浦に出稼ぎに行っていることが記されている。なお、当時の越賀の戸数は二〇一軒である。このような海女の出稼ぎの風習は戦前まで続いていた。

夜がふけていく。

宿屋は、家々が寄り添うように建てこんだ一角にあり、窓の外の人家のこもれ灯が目に映る。キセイさんは、朝鮮に稼ぎに行った日々のことを、その晩遅くまで話してくれた。

キセイさんは、小学校を卒業して二、三年の間、土地の海で海女の稽古を積むと、朝鮮に出かけた。キセイさんの母親の時代は、志摩から二丁櫓の漕ぎ船で出かけ、夜はタイマツを灯して玄界灘を越えていった、という。キセイさんの時代は、汽船を利用し、越賀の浜や波切から船出をし、潮岬を経て大阪に着き、大阪から瀬戸内海航路で下関に出て、そこから朝鮮釜山へ渡った。

漁場は、釜山から元山にかけての朝鮮半島の東海岸であった。娘たちは、海女道具とフトンを船に積み、三月の末に志摩を出た。漁は八月まで続き、その間ずっと船で海の上を漂い、アワビ、サザエを採っていた。

「忙しい時は、海の中で浮いとってニギリメシを食べてハラをつくり、海に潜ってな」

とにかく、彼女たちは競争で獲物を採った。

「志摩では一日潜ってもせいぜい二貫か三貫しか採れへん。けどな、朝鮮へ行くと、アワビがたくさんいて、え

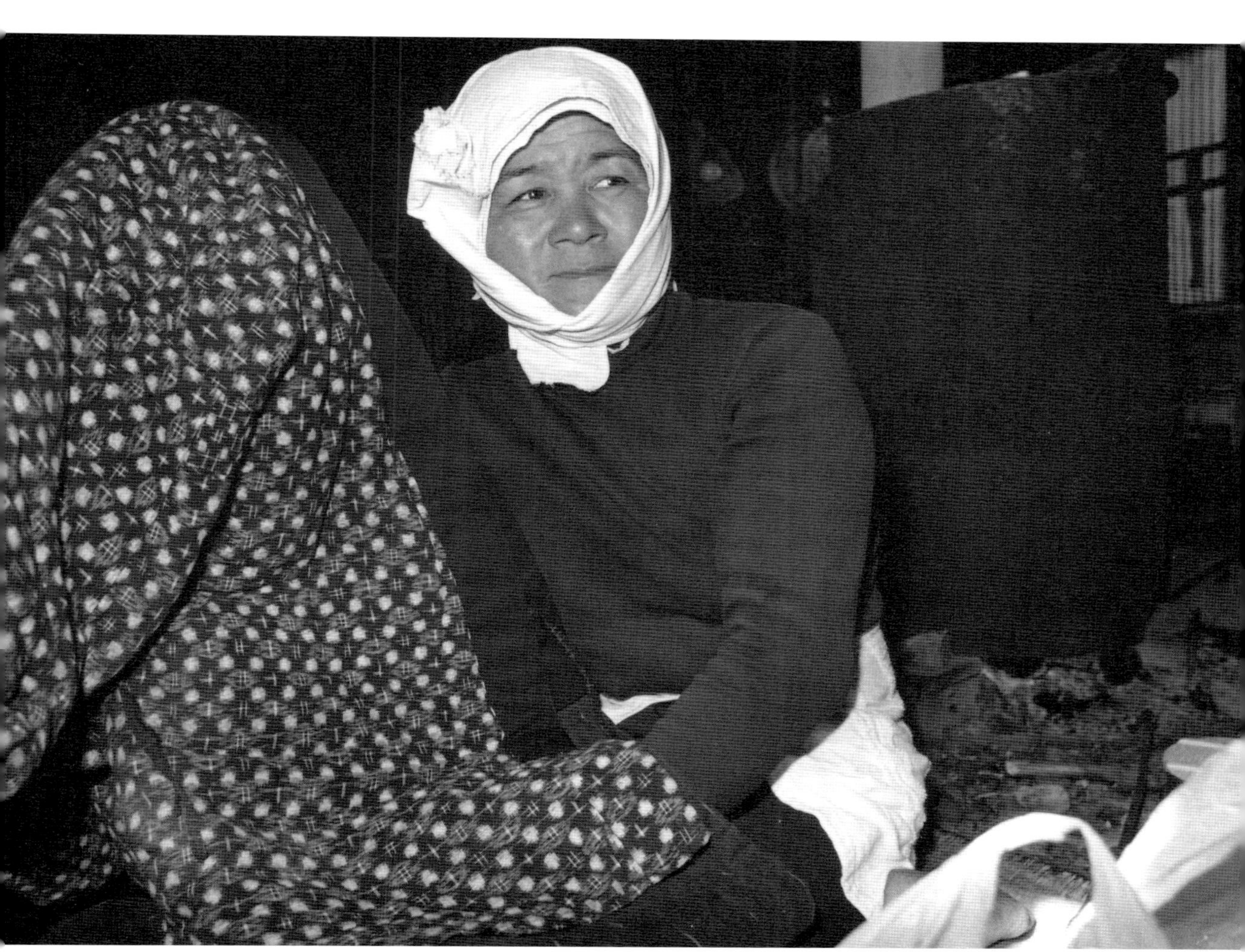

海で一働きしたあとは、海女小屋にもどり暖を取って休憩する。手にしているのはドンザと呼ばれる綿入れ

え日には二〇貫、三〇貫も採った。値は安いけど、はりあいがあってええ。それが、なんともおもしろうて」

朝鮮でのアワビの単価は日本と比べるとずっと安く、朝鮮に行くことが莫大な利得を得ることにつながっていない。ただ、思いきり仕事をし、獲物をたくさん採った時の興奮が何とも魅力に満ちており、そのことが娘たちを朝鮮に引きつけていた。仕事に喜びをみいだすことは、志摩の女の生まれ持った気性といえようか。

朝鮮に稼ぎに出ていたのは、アワビやサザエを採る女ばかりでなく、よその県から来た男海士（あま）もいて、男海士は、ナマコを採った。ナマコはアワビよりも深いところにいるため、そこでは男が活躍したのである。男海士の出身地は長崎県、山口県、四国である。

採ったアワビ、サザエの目方を計ったり加工する作業は、職工が行なっていた。職工として、九州長崎を中心に、多くの男が同じく朝鮮に稼ぎに出向いていた。獲物は朝鮮で罐詰などに加工され、日本に運ばれた。

「獲物が少ないとはずかしゅうて。目方を計るのは、あんたのような若い男の人だし」

少しでも多くの獲物を採り、稼ぎを増やすとともに、海女としての力量をみせたいのが若い娘の心情であった。

「私ら、盆すぎにうちに帰るとワラ仕事で、ワラゾウリを作ったり、いつも働いている」

と、志摩の娘が職工に話しかけると、

「たいへんやなあ、九州ではワラ仕事は男がする。それで、志摩の男は手伝わんのか」

海女の操業形態（昭和53年）

集落		阿児町				大王町				志摩町				
		安乗	国府	甲賀	志島	畔名	名田	波切	船越	片田	布施田	和具	越賀	御座
操業期間	口開け	4月中旬	5月13日	5月1日	4月5日	4月20日	3月15日	1月中旬	1月15日	3月25日	3月10日	4月22日	4月1日	4月1日
	口締め	9月14日	9月14日	9月14日	9月14日	9月14日	9月14日	9月14日	9月14日	9月14日	9月14日	9月14日	9月14日	9月14日
操業日数		70	60	86	93	104	60	120	120	91	100	100	92	105
1日の操業時間数		1.15～2.40	4.30～6.00	3.00～4.00	1.20～4.00	3.00	3.00～4.00	3.30	1.00～4.00	2.00～3.00	2.00～4.00	2.00～3.00	1.20～2.20	2.00
年間操業延時間		140	315	301	247	312	210	—	240	227	300	250	169	210
ウェットスーツ着用度		○	○	○	○	○	○	●	○	◉	●	●	◉	●

凡例：○…ウエットスーツ着用全面禁止　◉…大部分ウエットスーツ着用　●…ウエットスーツ100%着用

海女数の推移

集落		阿児町				大王町				志摩町					計
		安乗	国府	甲賀	志島	畔名	名田	波切	船越	片田	布施田	和具	越賀	御座	
海女数（全女性人口中の比率%）	昭和13年	587	14	210	189	361	不明	242	184	615 (33.4)	162	530	95	203	3,392
	昭和24年	301	25	212	192	200	52	200	247	408 (18.5)	220	501	166	215	2,939
	昭和47年	190 (12.7)	15 (1.8)	112 (9.4)	180 (27.9)	86 (20.4)	80 (32.5)	110 (3.1)	90 (6.5)	400 (20.4)	170 (11.1)	350 (9.7)	123 (8.8)	100 (17.1)	2,006
	昭和53年	115 (7.8)	不明	120 (9.9)	80 (12.2)	55 (13.8)	60 (26.8)	179 (5.0)	100 (7.6)	375 (19.7)	120 (8.2)	200 (5.5)	120 (8.8)	74 (13.4)	1,598

資料（上下表とも）：昭和13年 農林省水産局漁政課・徳久三種氏調査 昭和24年 鳥羽・志摩漁撈調査報告書（三重県教育委員会）昭和47・53年 海の博物館調査

志島の海女小屋の前に勢ぞろいした海女さんたち　撮影・加曽利 隆

「志摩の男はワラ仕事どころか百姓仕事もようせん。ほんに、まあ、男は漁師以外になんも働きしやせんが」

そんなやりとりが、よくなされたものである。そして、朝鮮潜き（かず）が縁で、志摩から長崎へ嫁いだ娘も何人かいた。

海女や職工の元締めを親方と呼ぶ。親方は漁場の権利を買い、海女や職工を雇い、また、海産物の加工、販売を行なう問屋であった。親方の出身地は九州長崎が多く、志摩の男で親方として活躍したものは少ない。

海女の雇い入れは、親方が責任者に託した。

「雇い頭（やとがしら）」、「浦長（うらちょう）」といった責任者が、海女の雇い入れを行ない、海女を組織したのである。それは、トマエが兼ねるとともに、夫婦で出稼ぎに来ている男がやることが多い。雇い頭は、海女の集団の責任者であり、これには、志摩の人があたった。親方は、雇い頭に前金を手渡し、その年の労力を確保するのである。雇い頭の役目は、親方からの指示で海女の雇い入れを請負うのであるが、海女の世話役という意味あいが強く、海女の相談相手でもあった。

船には櫓を押す男のトマエが二人、そして、十数人の海女が乗っていた。船の中には煮炊きの設備があり、そこでは男が賄いをすることになっていた。米は海水でといだあとに真水を入れて炊く。船にはタンクが備えてあり、水を浦々で補給しながら漁をしていくのである。

「志摩にいるとふだんは芋飯か麦飯やがな。けどな、朝鮮に稼ぎに来ると白い米の飯が食べられるよってな」

米の飯を食べることができるのは、朝鮮潜きの魅力の一つであった。船には米のほかに味噌や醤油を積み、それらを調味料として使った。お菜はダイコンや小魚である。ダイコンはホシダイコンにして家からたくさん持っていく。今でも、志摩の村々を歩くと、軒下などにホシダイコンを吊るしてある家をよく見かける。小魚は、出稼ぎ先で海女が獲ったものをそのまま火であぶって食べた。それをドロコ焼きと呼んだ。

夜になると、苫（とま）を葺いた船で夜露をしのぎ、寝起きをしていた。

「寝返りをうつ時は、いちど起きあがらないとうてんほど狭い船中でな」

船のオモテにはフトンや着替えを入れておく小部屋があり、そこがトマエの寝室にあてられた。娘たちは、船底に磯桶（いそおけ）を置き、板を渡し、上にウスベリを敷いて寝た。船住まいで漁をする家船（えぶね）と同じ形がとられていたのである。

海が荒れると漁を休まなければならない。そんな時は、一日中、船の中で話をしたり、縫いものをして時を過ごした。また、陸に上って朝鮮人の家に遊びに出かけることもあった。

「朝鮮の人家はな、部屋が二つくらいあってな、オンドルを焚いているのが珍らしゅうて」

遊びに行くといっても、ただ、百姓家を訪ねて朝鮮人のすることを見たり、朝鮮人にカタコトで話しかけたりする位である。そして、弁当に持っていった米の飯を朝鮮人の子どもに分け与え、帰りはお礼にジャガイモなどをもらってくることもあった。

当時、日本は朝鮮を支配するという関係にあったが、庶民には庶民の世界が別にあったのだ。

　八月旧盆前になると、娘たちは朝鮮潜きから家に戻る。帰りがけには息ぬきに大阪で二晩ほど泊って、映画を見たり、隣近所への土産物を買い求めた。それは、たいへん楽しいひとときであり、土産物には、洗濯石鹸を買うことが多かった。当時、志摩では、カマドの灰をザルで漉し、その漉し汁で洗濯をしていた。そのため、石鹸の土産物はたいへん喜ばれたという。

　盆になると、親方から労賃が送られてくる。労賃は人さまざまで、一人一人の漁獲高によった。稼ぎ高から米、味噌、醤油、薪などの代金を差引いた額が支払われた。米一俵が五、六円の時代、半年、朝鮮に潜きに行くと五〇〜二〇〇円の金が稼げた。

　朝鮮潜きは、キセイさんの時代から、五、六年すると、しだいにやみ、かわりに紀州にテングサを採りにでかけるようになった。しかし、紀州稼ぎに出る人たちも、戦争を境にめっきり少なくなった。

　海女出稼ぎに代わる大きな稼ぎ口は、真珠養殖業である。真珠養殖業は、鳥羽に生まれた御木本幸吉が英虞湾の多徳島で明治中期に始め、昭和に入り、しだいに産業として発展し、戦後、ピークを迎えた。そして、それまで海に潜って海女稼ぎをしていた女たちは、しだいに真珠の養殖作業に携わるようになった。

　また、真珠養殖業が昭和四〇年代頃から下火になると、それに代って志摩は観光地として脚光を浴びるようになった。そうすると、今度は、娘たちは定収入を求めて、リゾート地のホテルや町の商店に、あるいは、四日市、名古屋方面へと働き口をみつけるようになった。

　そして、現在、海女として海に潜く人びとは減少し、志摩郡の漁協に海女として登録されている千余名のうち、実際に海に潜って仕事をしている人は、八〇〇名余りである。

アメリカ移民の村

　和具から東へ三・五キロメートル程行ったところに片田という集落がある。この地は、和歌山県日の岬の近くにある美浜町三尾とならび、明治以降、多くの移民をアメリカに出したことで知られる。

　和具を出て、昼前のバスで、片田に向かった。南の車窓に開ける熊野灘は、青く雄大で、黒潮の流れる海を感じさせる。

　片田の支所前でバスを降り、入りくんだ路地を歩いた。集落は、熊野灘にちょこんと突き出た麦崎を中心に発達している。古くからの家々は屋敷の周りに、腰丈ほどの堤を築き、小さな自然石や割石で土留めをし、上にモチの木や椿を植えている。街路は、軽自動車一台がようやく通れるほどの道幅で、曲がりくねった路地で家と家が結ばれている。

　そんな街路を歩いていくと、三蔵寺という寺に行きあたった。三蔵寺は、京都醍醐三宝院末の修験の寺で、草創は平安時代後期と、古い。壇家がないため、今はさびれているが、江戸時代までは寺領六〇石を持ち、栄えていた。

志摩の寺院の宗旨を調べてみると、曹洞宗が大半を占めている。それは、鳥羽城主九鬼嘉隆が鳥羽に常安寺を創建し、そこを菩提寺として、藩内の寺を曹洞宗に改宗していったことによる。しかし、近世以前は、真言宗や天台宗の寺が多くあった。

境内には小さな観音堂、坊舎が建っていた。本尊の聖観音は弘仁六年（八一五）、脇仏の薬師如来像は室町期の作で、堂内には円空仏も祀られている。

鰐口を鳴らし、観音堂に参詣すると、坊舎から小柄な老婦人が現われた。

「何か思うところがあってお参りでしょうか」

畏まった問いかけに、何げなく訪ねただけだというのは悪いように思えて、

「円空仏にお参りしたいのですが」

と、思わず答えてしまった。

婦人に案内されて畳の上に座り、仏像を拝んだ。顔をあげて、うす暗い堂内を見まわすと、一葉の洋装婦人の写真が額に入れて飾ってあるのに気づいた。そこに目をやると、

「この写真は、私の祖母の妹で、りきという人です」

と、婦人は説明した。それは、片田からアメリカに最初に移住した伊東りきの写真であった。

私の傍らに座って、アメリカ移民の話をしてくれたのは、脇田徳恵さん（明治四〇年生まれ）である。彼女は片田の生まれではあるが、めずらしく海女をせず、長い間、教員として過ごした。

「りきさんは医者の修業をする兄に従って東京へ行きよってな」

伊東家は代々医者を営んだ家で、静岡県伊東から尾張に移り、御典医を務め、のち片田におちついた旧家である。りきの父は雲鱗、兄は一郎といった。りきは一郎の賄いや家事の仕事で上京したのである。

「ある日、横浜に行って遊んでいると、外人がおってね。りきさんは、その人の家に連れていってもらった。その外人は日本にレンガの製法を教えに来ていた技師です。そして、奥さんはとても優しい人で、すっかり仲良うなったということです」

りきは、ほどなく兄の飯炊きをやめ、外人の家庭に家政婦として住みこんでしまった。

私は明治期の女というと、堅苦しいというイメージをもっていたが、りきの生き方には、どこかおかしみを感

三蔵寺のお堂でアメリカ移民の話をしてくれた脇田徳恵さん

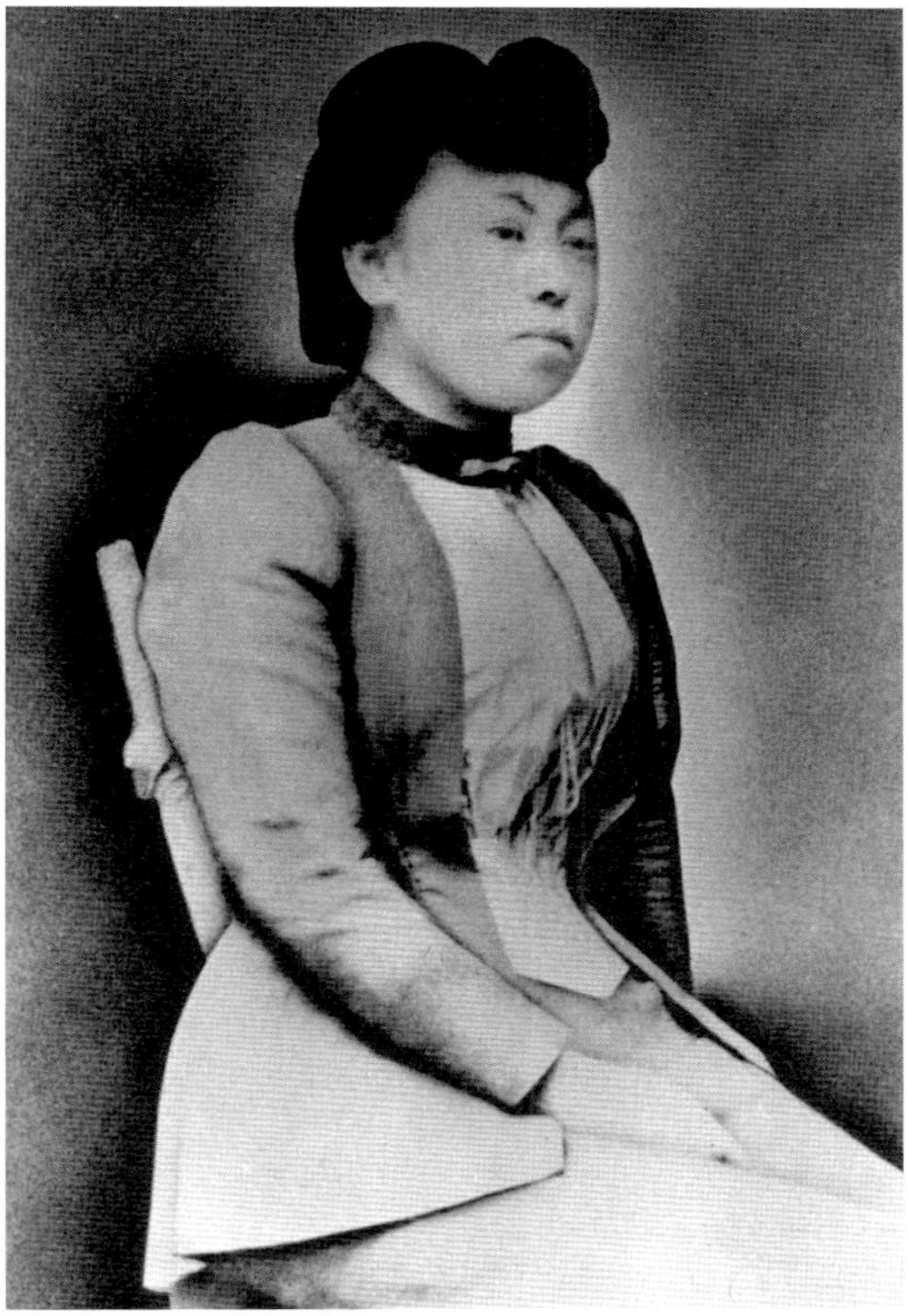

明治22年、片田から最初にアメリカに渡った伊東りき

じる。

やがて、外人の家族がアメリカに帰ることになり、りきもいっしょにアメリカに渡ることになった。そのことを郷里の親に知らせると、家では猛反対したが、彼女はそれを押し切って行ってしまった、という。明治二二年、りきが二五歳の時であった。

写真から見たりきの顔つきは、いかにも勝気な娘という表情をしている。古びたお堂に、美しく着飾った洋装で、鋭い顔立ちの娘の写真が、額に入って掛けられているのが少々、不釣合いにも思える。

五年後に村に戻ると、アメリカに行ってきたりきの評判は村じゅうに広まり、ついには、近隣から男女あわせて七名の若者が集まり、アメリカに行こうという話になった。みな二〇歳前後の人びとであった。りきは、これらの人に洋服や靴を買い与えて、渡航の準備を整えてやったともいう。

それらの若者が、どんないきさつでアメリカへ行くことを決心したかについては、残念ながら伝えられていない。おそらく、志摩の人たちの長い間の出稼ぎの習慣から、どこで働いても同じことだという気持が、アメリカ行きを受け入れさせたのであろう。いずれにせよ、この勇気、気軽さには驚嘆する。

りきに引率されてアメリカに渡った人たちは農家の手伝いをしたり、家の手伝いをするなど、それぞれが独自に仕事をみつけていった。

アメリカに移った人びとはしだいに金を蓄え、郷里に送金し始めた。米一俵が三円位の当時、一人、年間約三〇〇円もの金が片田に送られてきた。それには、村の人たちがあっと驚き、以後、片田から競ってアメリカに稼ぎに出かけるようになった。そして、昭和初期の最盛期には、片田で約三〇〇人の人がアメリカに出かけており、片田村役場の年間の予算を上まわる金が郵便局に送られてきた、という。

近所の誰それがアメリカに行って何々をしたという話が、徳恵さんの口から何の気負いもなくでてくる。志摩の女は、労をいとわず働きもするが、それにも増して、働くことに一種の誇りと気軽さがあった。

広く志摩をみていくと、集落ごとに出稼ぎの特色がある。

たとえば、名田の男たちは昭和初期から、南方のアラフラ海に出かけて貝を採った。ボタンの材料とする白蝶貝である。また、畔名の男は大工、左官稼ぎに出かけた。立神や下之郷の男たちの京阪神への大工稼ぎもよく知られ、「立神大工」「下之郷大工」といわれるほどである。次男、三男ばかりか、長男までも出稼ぎに行っていた。また、波切は石積屋の出稼ぎが盛んであった。

なぜ、集落によって、こんなに出稼ぎの特色があるのだろうか。

波切では、大正時代に漁港改修工事があり、そこで技術を身につけた人たちが他所へ石積屋として出かけるようになった、という。

片田のアメリカ移民は、りきが横浜で遊んでいて、偶然、外人に出会ったことに起因する。また、名田のアラフラ海への出稼ぎも、たまたま船主から名田の男に声がかかり、声をかけられた男が近所の連中を誘っただけのことであった。

ごくささいなきっかけが出稼ぎを引き起こしていく。そんなところに志摩の風土を感じる。それは、海の国として、限られた耕地しかないところで暮らしをたてていく一つの生き方ではなかったのか。

大正から昭和初期までの片田のアメリカ移民は、若い頃にアメリカに行っても、年をとると、郷里に戻ってきたものであった。しかし、今ではアメリカに地盤ができて、そのまま、アメリカで二世、三世として住みついている人も少なくない。

「ところで、りきさんには娘がおってね、アメリカで夫に先だたれると、自分はアメリカに残り、横須賀に戻るという知人に幼い娘を預けてよこした。『一人守りするも二人守りするのもいっしょやで、私の子も連れてって』といってね」

りきの夫のことは何もわからないが、ともかく横須賀の人は、りきの娘を預かって日本に帰り、言葉どおり育ててくれた、という。

「わたしはなあ、りきさんが男やったら、偉いとも何も思わなんや。この人が女やでな、偉かったと思う。そいでね、この写真があったでね、おいでた人に見てもらったらええな、と思って飾ったの。私の机の引出しにしまっておくよりはええと思って」

そういって徳恵さんは、また、りきの写真に顔を向け、かすかに微笑んだ。

波切の大慈寺の石垣。波切の石工の技術は高く、この石垣は万延元（1860）年頃に林与吉という石工が積んだが、未だ一ヶ所のゆるみもない

安乗のタマネギ畑。集落の後ろの畑で自家用の野菜を作るのも女たちの仕事　撮影・須藤功

伊勢百姓稼ぎ

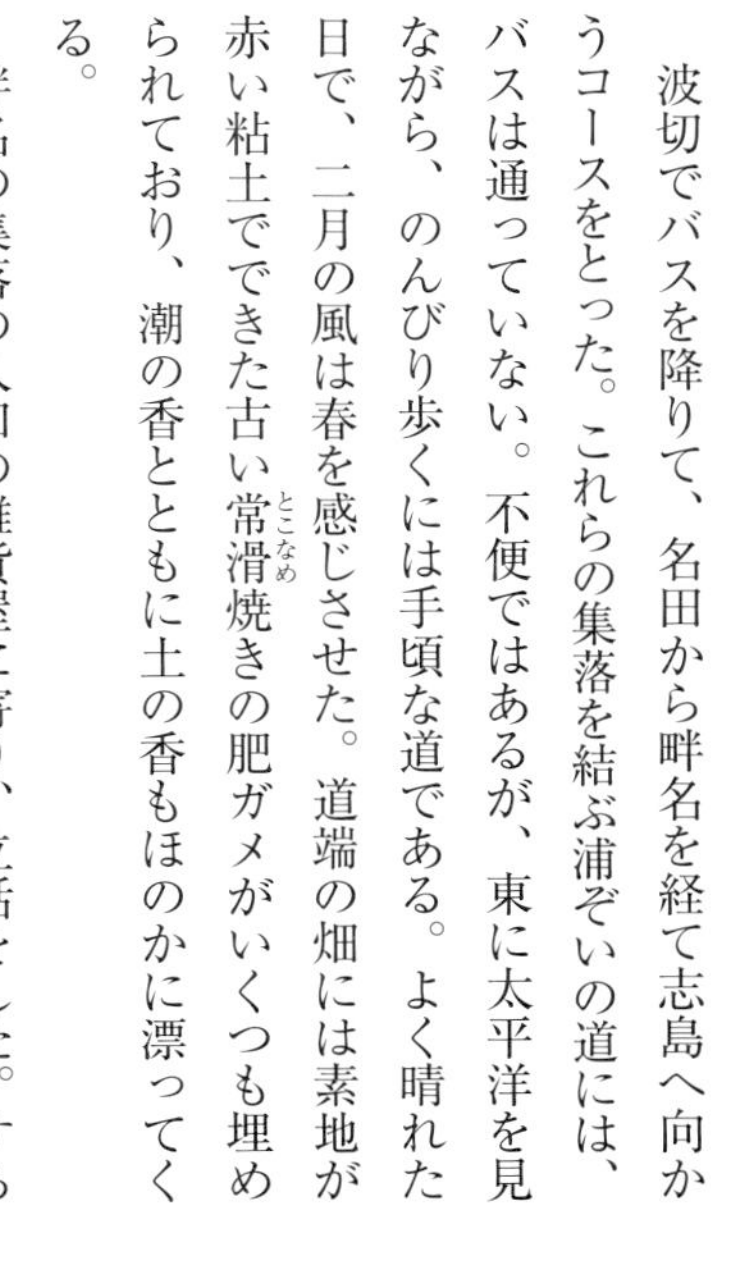

波切でバスを降りて、名田から畔名を経て志島へ向かうコースをとった。これらの集落を結ぶ浦ぞいの道には、バスは通っていない。不便ではあるが、東に太平洋を見ながら、のんびり歩くには手頃な道である。よく晴れた日で、二月の風は春を感じさせた。道端の畑には素地が赤い粘土でできた古い常滑（とこなめ）焼きの肥ガメがいくつも埋められており、潮の香とともに土の香もほのかに漂ってくる。

畔名の集落の入口の雑貨屋に寄り、立話をした。すると、畔名の娘たちは、昔はよく、伊勢へ百姓稼ぎに行っていた、という。伊勢への出稼ぎは、戦後、農作業の機械化が進む時期まで続き、それまでは、漁村の嫁入り前の娘の仕事であったという。

再び、先にあげた『宗旨御改帳』で越賀の例をみると、松阪あたりへ田刈り、麦まき女として二〇名の女が江戸時代から出稼ぎをしていたことがわかる。百姓仕事をしに伊勢に出かけるという習俗は、もっと古くからあったのではないか、と思える。それは、古代、伊勢の耕地の一部が志摩に与えられていたという歴史の流れから推察してのことである。

雑貨屋の人は、当時の話を聞きたければハルさんという人を訪ねるようにすすめてくれた。

訪ねていくと、あいにくハルさんは不在であった。が、

志摩の女たちは忙しい。一寸の間をみてワラ仕事にいそしむ甲賀のおばあさん

入口の戸には鍵がかかっていない。どこか近くにいるのではないかと思って、道を通りかかった五〇歳すぎの女の人に声をかけた。

「ハルバア、どこじゃい」

その人はなんとも大きな声をはりあげながら、手押車を押して、村じゅう捜し回り、ついには村はずれの畑まで来てしまった。このあたりでは、結婚した女はいくつであれ「バア」と呼ばれるようになる。手押車は志摩ではよくみかける乳母車のようなもので、杖がわりに空でも押していることが多い。

「ところで兄さん、ハルバアに何か用事でもあるんかの」

畑にハルさんが見あたらないのをみて、その女の人は私にそんな言葉をかけた。思うと、じつに気がいい人である。

「伊勢に百姓の手伝いに行った話を聴きたいと思って訪ねたのですが」

と、言うと、

「ほんなら、うちのバアやんとこへ聴きに来んかえ」

と、ひょうしぬけするような返答がきた。大声をあげて、村じゅう歩き回ってもらうまでもなかったのだ。

訪ねていったのは、里けいさん（明治三八年生まれ）である。昼さがり、玄関の奥の居間に上がりこみ、けいさんの話に耳を傾けた。うす暗い居間には古い柱時計がかかっており、時を刻む音が時折り聞こえてくる。

「初めて伊勢へ稼ぎに出かけたのは一四の歳でな、当時の金で一〇〇円もろうてきた。親が喜ぶ顔を思いうかべると、何ともうれしゅうて。そやけどな、そんな大金、生まれてはじめてもったもんで、誰かがあとをつけてくるような気がして、恐ろしゅうてな」

畔名の娘は、戦前までは、尋常高等小学校を卒業すると、嫁入り前まで、ほとんどが伊勢平野へ出稼ぎに行った。そして、出稼ぎに行く女は、元気がある、といって人気が高く、土地では、

「娘一人いたら所帯心配せんとええ」

とさえいわれた。

「春、三月になると、粟野（度会郡玉城町）へ茶摘みに行きよった。茶摘みが終わると、原永・若松・磯山（鈴鹿市）で田の仕事や養蚕があるやな。田の草を刈りあげて家に戻るのは八月の旧盆やった」

三月になると娘たちは、誘いあわせ、気のあった者が八～一〇人と仲間を組んで伊勢へ出向いた。そして、手伝いを必要とする農家を捜し、一人、二人と分かれて雇われ、仕事のある先々を渡り歩いていった。そんな歩き方は、なんとも楽天的である。雇われる先は、特に毎年決まっているわけではないが、心安くしている同じ家を訪ね、そこで手伝うことが少なくなかった。そして、行った先々では、食事もそこの家族といっしょにして、住み込みで働いた。伊勢の出稼ぎ先の農家では、志摩の女たちをわが娘のように可愛がってくれたという。

茶摘みは、慣れぬ娘には、つらい仕事であった。茶の葉を一枚一枚、手で摘んでいくため、なかなか茶摘み籠に葉がたまらない。そんな時は、小さな娘を誘った先輩が、そっと、自分の摘んだ葉を分けてくれたものだ、という。

茶摘みが済むと、今度は、田植え、田の草刈り、養蚕の手伝いに行った。伊勢平野の農家では、ハルコ、セツコ、フウケツ、バンシュウと夏前まで四回、蚕を飼っていた。養蚕農家では、どの家でも、母屋の中に蚕棚をいっぱいに作る。小さい家になると、人の寝る場所もとれないほどで、軒下に寝ることもたびたびあった。最盛期になると、昼から夜中まで、夜中から昼までと二交替で作業にあたり、それは忙しいものであった、という。養蚕の手伝いをすると、ホネオリがもらえる。ホネオリとは、一種のボーナスで、日当のほかに手当がつくのである。そのことが仕事のはげみになっていた。

「盆を一ヶ月ほど家で過ごすと、また誘い合わせて、稲刈りに行きよった。彼岸じぶんになると磯部のワセが実り、ここの仕事が最初でな、そして、駅部田・桂瀬・丹生寺（松阪市）、磯山へと渡りよった。稲刈りを終えると麦蒔きをして、菜種を植えて家に戻りよった。帰りがけには餅や栗などの土産物をたくさんもらってな。家に帰ると、正月やがな」

これは、けいさんの例であり、他の土地へ行った娘もいた。稲が実る時期にあわせて、娘たちも移動していったのである。刈り入れが済むと、脱穀をし、米俵につめて、蔵へ収めるのであるが、これも娘たちの仕事であった。米俵を担いだまま、踏台に上がり、蔵に俵を積み上げていった。

「今思うと、よくぞあんな力があったもんだねえ。ほんまにねえ」

と、けいさんは人ごとみたいにいって、笑った。

体力的にきつい仕事であったが、出稼ぎの間、娘たちはほとんど休みもせずに働きつめた。そればかりか、移動の時間も惜しんで働いたのである。

「一日休むと日当が消えるやがな。それで、昼休まんと、夜さり、渡りよった。三里も四里もあるところをな」

カスリのハッピに前かけをしめ、手甲に、脚絆姿の娘たちの群れが、いく組となく夜のしじまを渡り歩く情景が目に浮かぶ。

「さびしいことはない。気のおうた者が、ワーワー話ししながら歩くよって」

娘たちが群をなして、暗闇の中を歩いていく姿につい、さみしくはなかったかと懸念がわき、余計な口をはさんでしまった。が、その答えには、カラッとしたひびきがあった。

けいさんの親の時代は、志摩から歩いて出稼ぎに行った、という。その頃は、二日分の弁当を持って、逢坂峠を越えて田丸（玉城町）まで行って宿を取り、次の日には桜峠を越えて櫛田川を遡り、粥見（飯南郡飯高町）の方まで茶摘みにでかけた、という。

逢坂峠は志摩と鳥羽市の境にある峠で、現在は、伊勢道路が通じ、五知峠とともに北からの志摩への入口となっている。そこは、また志摩の人が伊勢参りに行く道筋でもあった。

畔名の娘が郷里にいる期間は、盆の一ヶ月と正月の二

潜きを終え浜にあがってきた畦名のカチドの海女さんたち　撮影・加曽利 隆

木陰に集まり、よもやま話にふける安乗のお年寄り。誰もが杖代わりに手押し車を使っている　撮影・須藤功

ヶ月を合わせて、年のわずか三ヶ月余りにすぎない。春夏の海女の出稼ぎから戻り、秋になると伊勢へ百姓稼ぎに行くといった土地もあるが、畔名では海女の出稼ぎに行くことはなく、ほとんどの人が一年をとおしての百姓稼ぎですごしたという。

家に戻った数ヶ月間で、娘たちは裁縫や家事仕事を習った。そして、何年か伊勢稼ぎをくりかえしたのちに結婚をすると、今度は、土地の海で海女をはじめるのである。

「嫁に行くと、今度は亭主が船に乗って家をあけるやがな。ほんに、まったく、後家暮らしのようなもんだ」

話を聴きおえて、家の外に出ると、いつしか、陽は傾いていた。

的矢ゆき

的矢湾は江戸時代、帆船の日和待ちに利用された入江で、沿岸には的矢、安乗、三ヶ所、また、島しょに渡鹿野の港町が発達した。江戸時代、航路の整備にともない、大坂と江戸を往き来する樽廻船や菱垣廻船が寄港した。それらの船着場集落は、しだいに、町としての様相を帯びていった。なかでも、的矢は、多くの船宿や遊

港で魚網をつくろう安乗の漁師

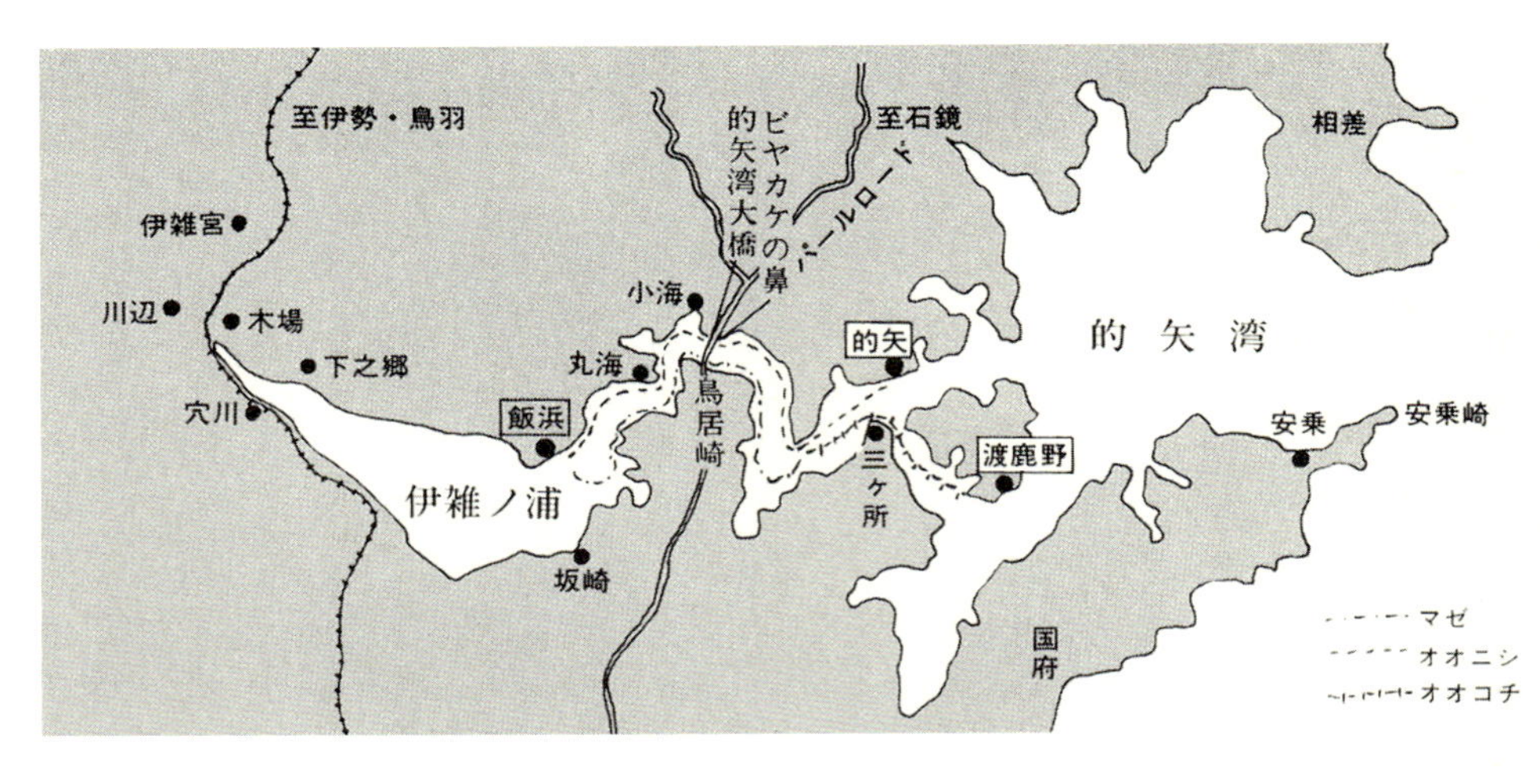

女屋が建ち並び、消費経済が活発になったところである。

的矢から四キロメートル程西に飯浜という集落がある。的矢湾奥の入江を伊雑(いぞう)ノ浦と呼ぶ。飯浜は、伊雑ノ浦の北側に六〇戸余りの人家が塊村をなしている。伊雑ノ浦では戦後、青ノリの養殖業が起こり、飯浜をはじめとする浦ぞいの坂崎、穴川、下之郷では、青ノリ養殖業が主産業となっている。

民俗資料館を作る際、民具収集のため、飯浜に足を運び、西井富士美さんの家の納屋で、昔の道具を見せてもらったことがある。その時、古い一対の竹籠が目にとまった。それは、目の粗い、幅二尺、深さ一尺ほどのもので、天秤棒で担ぐことができるように綱がついていた。

「的矢カゴ」と、土地の人はその籠を呼んでいた。籠に土地の名がつけられているのに興を覚え、聴いた。すると、昔、飯浜の農家の娘たちが、この籠をシナイ棒（天秤棒）で担いで、的矢、渡鹿野、三ヶ所の船宿や商家へ野菜を売りにいっていた、という。

その振り売りを「的矢ゆき」と、誰とはなしに呼ぶようになった。それは、船宿や商家ばかりではなく、沖に碇泊している船に対しても行なわれた。

飯浜は、近くの港町に野菜を売り歩くことにより、暮らしをたててきた農村である。碇泊している船に野菜を売る商いは、志摩に限らず、瀬戸内の港町などにもみられ、瀬戸内では、それを、「沖ウロウ」などと呼んでいた。いずれも、土地の女が行なう商いであった。

西井さんに尋ねると、的矢に野菜を売りに行ったことのあるお年寄りが三人いる、とのことであった。そして、機会をみて、いっしょに当時の話を聴きに行こうと約束をしたが、資料館作りに追われ、志摩に滞在している時には、つい、その時間をとらずじまいであった。

二年ぶりに西井さんを訪ねた。が、二年たった今、お年寄り三人のうち二人がすでに亡くなっていることを知らされた。

的矢ゆきの経験をもつ、ただ一人の北山みとさん（明治四二年生まれ）に西井さんから声をかけてもらった。西井さんは、せっかくの機会だからといって友人の伊藤保さんを誘い、三人でいっしょに西井家でみとさんの話を聴くことになった。南向きの日あたりのよい縁側に座った。

「この在所は、昔は今のように金もうけの道がなかったで、台所の小遣い銭を稼ぐつもりで行きよった。私はな、二一の歳からしよった」
と、みとさんは話しはじめた。

的矢ゆきの日は、前日に用意した野菜をベカ船に積み、麦飯の弁当をもって、日の出前に飯浜を漕ぎ出した。商売を終えて帰ってくるのは昼過ぎであった。ベカ船とは、今も、青ノリ養殖作業に使われている底の平らな長方形の船である。娘たちがベカ船に六人くらい乗り、そんな船が二日か三日に一度、二艘ずつ出ていった。

船から上ると、的矢カゴに野菜をつめ替え、それぞれが得意先を回り、商家などの台所口で声をかけながら売り歩く。米が一俵七円の当時、一人一日の稼ぎは一円くらいであった。月に七回前後出かけるから、一ヶ月で米一俵ほどの稼ぎにあたる。

飯浜では、昔から、商品野菜の栽培が盛んであった。冬期は、ホウレンソウ、ダイコン、ハクサイ、ニンジン、夏期は、カボチャ、キュウリ、スイカ、ジャガイモ、タマネギ、トマトなどを作っており、それが商品となっていた。また、野菜とともに、ダイコン、ニンジン、ナスビ、ショウガの味噌漬、タマゴなどもあわせてもっていった。飯浜では、都市近郊農村と似た暮らしのたてかたが早い時期から起こっていたのは興味深い。

女たちは、ベカ船を的矢まで交替で漕いでいく。ふつうは一時間余りで的矢につくが、風が吹くと、波が立ち、櫓が浮きあがり、船は、なかなか前には進まなかった。逆風の時は、飯浜と的矢の間が二時間余りもかかった。

シナイ棒の先は、どの娘のものもささくれていた。それは、船が前に進まぬ時、船を岸に寄せて、シナイ棒をサオがわりにして船を進めたからである。

風のない日はよかったが、オオニシ（西風）が吹き荒れると、的矢から帰るのに難儀した。的矢から鳥居崎までは風が山でさえぎられて、船は楽に進む。が、鳥居崎の鼻を過ぎると船は容易に前に進まない。そこで、二人が船から降りて、岸づたいに船を曳き、船に乗っている女たちが力を合わせて、シナイ棒をサオにして船を進めていった。的矢大橋北岸のビヤカケの鼻も難所の一つで、また、ここでも同じようにして船を進め、小海の入江、丸海の入江を渡って飯浜に戻った。

マゼ（南風）の場合は、鳥居崎から船を南に向けて、坂崎側の岸辺を西に向かった。そのコースをとるのは、国府の丘陵が南風をさえぎるためである。

オオコチ（東風）の場合、帰りは楽だが、行きに苦労をした。オオコチが吹くと、太平洋のウネリが的矢湾に押し寄せてきて、船を的矢に進めることができなかった。その時は、途中で的矢ゆきをあきらめ、船を渡鹿野につけて、そこで商いをするのである。時々、渡鹿野に野菜売りに行く娘たちもいたが、ふだんは、渡鹿野より人家の多い的矢へ行くことが多かった。

風以外にも、潮によって船を進めるコースが決っており、上げ潮や下げ潮の時は、入江の真中を往き来していた。

「風の吹く日は、みんながくたびれてなあ」

的矢ゆきの苦労は、なんといっても船を漕ぐ苦労だと、みとさんはしみじみ話した。といっても、たくさんの野菜を陸路で運ぶよりは、船を利用した方がずっと便利なため、水上交易が行なわれたのである。

一方、的矢には飯浜のベカ船のほか、伊勢の土路(どろ)からも野菜売りの船がやってきていた。「土路船」と、土地の人はそれを呼んだ。土路は商いの盛んな土地柄である。土路船は、大きな機械船であり、夏になると、スイカ、カボチャ、ナスビを積んで的矢に入った。飯浜の女たちにとっては商売がたきでもあった。

野菜の栽培には肥料を必要とするため、飯浜の農民は肥船を使って、的矢や安乗の商家や遊女屋に一ヶ月か二ヶ月に一度ずつ下肥を汲みに行っていた。古い形の肥船は、ベカ船の内部を土で目貼りし、その中に直接、人糞を入れるものであった。のち、ベカ船にタゴを積んで汲みとりにいくようになった。下肥のお礼として、的矢には年三回、二斗のモチ米を、安乗には割り木や柴を持っていった。町と村はそのようにして結びついていたのである。

野菜売りとともに小遣い銭稼ぎになったのはカキ売りであった。

現在、的矢湾のカキは名物として知られ、養殖業が発達している。これは、的矢の佐藤忠氏が無菌ガキの製造に成功してから後のことである。無菌ガキは、養殖ガキを的矢湾から引き上げた後、二四時間無菌状態の海水に入れて作っている。

快速艇が的矢湾を就航する以前は、的矢湾には天然ガキが多く生息していた。飯浜や坂崎の女が農業のかたわら、カキ採りを行ない、カキを村々に売り歩いていたものである。

カキは一二月から三月にかけて女が夜磯(よいそ)でとった。竹の割木をタイマツとして灯し、夜中の一二時、一時まで作業することも少なくなかった。

数日、夜磯を行ない、カキが三升くらいたまると、女たちは明けがた、カキ売りに出かけていった。安乗、国府、甲賀と徒歩(かち)で売り歩き、それでも売れない時は志島あたりまで足をのばした。また、相差(鳥羽市)や鳥羽、伊勢方面へと売りに行く者もあり、この時は、電車を利用していた。カキを売りに行く先は、野菜を売りに行く先とは違っており、漁村部へも行った。漁村といえども、必ずしもカキが採れるとは限らないためである。

カキは、一合を単位にして売ったが、時として、物々交換も行なった。甲賀は田地の多い土地柄ゆえ、そこではモチやアラレと替えた。また、海産物の豊富な安乗ではワカメやヒジキと交換していた。

漁村の女たちが、海女稼ぎ、伊勢百姓稼ぎに出かけていたのと同様、農村の女たちも、ところによっては野菜やカキ売りに出て、家の暮らしを助けていたのであった。

「野菜を売り歩いていたのは、的矢がにぎわっていた頃の話やがな。今(いま)し、飯浜の人は、ノリ養殖で稼いだ金で野菜を他所から買うとる」

世の移り変りの激しさを、みとさんは感慨深げに話した。

伊雑ノ浦の湾に張りめぐらされた青ノリ養殖用のヒビ

青峰山参籠

志摩郡と鳥羽市の境に青峰山という山がある。海抜三三六メートルで、さほど高い山ではないが、海から山の姿がよく見えるため、沖行く船の目印になり、船乗りや漁民の厚い信仰を受けている。

山頂には正福寺という真言宗の古刹が伽藍を構える。正福寺は寺伝によると、天平一四年（七四二）、聖武天皇が海上安全、国家安穏を祈り、この山に寺の建立を定め、のち、僧行基により開創。大同二年（八〇七）、弘法大師が真言の寺に改宗した、とされる。

山門をくぐると、観世音菩薩を祀った本堂を中心に、聖天堂、大師堂、弁天堂、如意輪観音堂などの堂宇が境内にほどよく配置され、いかにも山岳寺院といったたたずまいをみせている。

山門は文政一三年（一八三〇）の再建で、規模は大きく、軒裏、虹梁、欄間は手のこんだ彫刻がほどこされ、文化・文政期らしい爛熟した時代のいぶきを感じさせる。本堂は境内でもっとも古い建物である。元禄一五年（一七〇二）の建立で、妻入りの大屋根がいかにも堂々としている。

山内には奉納物が多い。天保八年（一八三七）、大坂・西宮樽船問屋中が寄進した山門前の大常夜燈をはじめ、三河、尾張、伊勢の船乗りや問屋などからの奉納物が並んでいる。そのことからも、航海業者らが、いかにこの寺に厚い信仰が寄せていたかがわかる。

また、本堂と聖天堂内には大きな護摩供養施主札が掲げられ、黒地に金文字で「永代渡海安全」「客船繁昌」「海上安全」「諸回船海上安全」「商売繁昌」「家内安全」などと文字が刻まれている。

そこに掲げられている二九枚の護摩供養札の施主をみると、青峰山の信仰圏の一端がうかがえる。尾州では常滑、富貴、名古屋、亀崎、内海、大野、野間、小鈴ヶ谷村、苅谷、三州では天王、三谷、勢州では富田一色、伊勢国小早組船中連名、また、遠くは阿波の撫養、徳島、淡路、土佐種崎浦、大坂南堀江、江戸大門通田所町、同じく大伝馬町の名が読みとれる。

さらに、本堂や聖天堂への渡り廊下には、海難除けにかかわる船絵馬がたくさん掲げられている。奉納者を調べていくと、信仰は遠州、駿河、伊豆の漁民に広がっていることがわかる。

数ある船絵馬の中に、静岡県の住吉港の船乗りが奉納したものを見つけた。住吉港は、私の郷里の家から二キロメートル程東にある漁港である。小学生の頃、私はこの港の近くの浜に磯釣りによく行ったものだ。住吉港の西側に小さな堂宇が建っており、今年の正月、それが青峰堂と呼ばれていることをはじめて知った。それは、土地の漁師が志摩から勧請したお堂であった。

正福寺の奥さんに尋ねてみると、青峰堂は、北は北海道釧路から南は九州まで分布し、その所在すら正確につかめていない、とのことである。

旧暦正月一八日には、青峰山で御船祭が行なわれる。

海に生きる人々の信仰を一心に集める鳥羽市の青峰山正福寺。本堂は元禄時代の建築　撮影・須藤功

本尊の観音様の祭りで、その日は僧侶が護摩祈祷を行なう。それは、海に生きる人びととの厚い信仰に根ざした祭りである。

祭りの前夜には祈祷を受ける人びとの参籠がある。私はお籠りの日（二月一六日）、青峰山をめざした。昨年に続き、二度目である。陽があるうちに山に着いた。境内には色とりどりの大漁旗が張りめぐらされ、出店も揃いはじめ、祭りの雰囲気がもりあがっていた。

庫裡に挨拶に立ち寄った。焚き口が五つもある大カマドには火が入れられ、白い割烹着姿の女衆や、軽装の男衆がその周りに大勢控えていた。

寺の奥さんに案内され、別棟の籠り堂に入った。そこは、いつも和具の人びとが籠る部屋である。先に着いた人びとが六人くらいずつ、ひとかたまりとなり、四組ほどに分かれて火鉢にあたって談笑していた。庫裡の座敷も籠り堂として利用され、ここにもすでに人びとは集まりはじめていた。お籠りに来るのは大半が女たちである。

陽が落ちはじめる頃、手に大きな風呂敷包みを抱えた女たちの一団が一〇人ばかり、にぎやかに入ってきた。

「まあ、今年も来よったン」

その中の一人が私を見るなり大きな声を出した。昨年いっしょにお籠りをした和具のカツオ船・長福丸の人たちである。再び出会ったうれしさは、互いにかくせるものではなかった。

部屋に荷物を置き、女たちは、それぞれ綿入れの夜着に着がえ、お参りに出かけた。私もついていった。

「ツエ、ツエ」

と、口ぐちに唱えながら、本堂、聖天堂、大師堂、弁天堂、如意輪観音堂と次々に参拝し、いちいち賽銭をあげていく。

境内の諸堂を一巡し終えると、山門を出て山道を歩き、燈明岩へ向かった。

下から青峰山を望むと、青い山の中にポツンと茶色の岩肌が見えるところがあり、燈明岩と名づけられている。そこはかつて、船の航海安全を祈って、僧侶が護摩供養を施したところであり、岩の下には小さな祠が祀られている。霧で船が方向を見失った時、この岩がピカッと光り輝き、船に進路を知らしめることがある、と海で働く人たちはよく話す。そして、青峰山に奉納された船絵馬には、この岩が描かれたものが少なくない。

燈明岩からの帰り道、視界がひらけ、海が見えた。

「お昼に船が出てな、見送りに行きよった」

と、一行の一人が私に話した。昨年は、昼飯を持ってお籠りに来たのであるが、今年、少し遅れたのはそのためであった。男たちは一度漁に出ると二ヶ月余り家を空けてしまうのだ。

海から吹いてくる風が冷たい。

「寒いですね」

と、言葉をかけると、

「今日から足からめて寝られんからな」

と、いたずらっぽい答えが返ってきた。

女たちは、いったん部屋に戻ると、今度は庫裡に行って、祈祷の申込みをした。庫裡の玄関は農家風の土間になっており、そこでは、若住職が、上がり框の後に和机

青峰山参籠の翌朝、庫裡のカマドの周りに人々が朝食をとりに集まりはじめる。一汁一菜の膳が山のように並ぶ。外はまだ暗い

を出して、記帳をしていた。家族の氏名と年齢を和とじの名簿に慌しく書きこんでいる。電話が鳴っても、寺の人は受ける暇もないほどの忙しさである。そんな時は、たまたま近くにいた祈祷申込者が受け答えをするのが常で、格式ばったところがまったくないのが、見ていて気持がいい。

祈祷の申込みを済ませると、家族の数だけ紅白のマンジュウをもらい、いっしょに買い求めた海上安全や家内安全のお札とともに風呂敷に包んでお籠りの部屋に戻っていく。

お籠りの長い夜が始まった。台所へ行ってヤカンと湯呑み茶碗を借りてくる。火鉢を囲んで女たちは車座になった。家から持ち込んだ風呂敷包みをほどくと、ダンボールに入った山ほどの食べ物が現われた。ノリマキ、ミカン、イチゴ、バナナ、ホシガキ、落花生、ユデタマゴ、餅菓子、ケーキ、そのほか多数の菓子類が、部屋いっぱいに並べられた。まるで物見遊山のようだ。

昨年、初めてお籠りに来て飛び込んだのが、にぎやかに飲み食いしているそんな場であった。

最近は、前夜からお籠りする人がめっきり少なくなった、という寺の人の話を聞き、台所のカマドの脇でも借りて一夜を明かさなければいけないかと寝袋を用意して来たのである。ところが、寺には、ゆうに百人を超える人たちがいて、陽気に騒いでいた。

「兄さん、女ばかりで退屈しているところへ、よう来よった」

すっとんきょうな声にむかえられ、一斉に沸き起った大歓声に、寝袋をかかえて一瞬立ちすくんでしまった滑稽な自分の姿が思い起こされる。

私が仲間にいれてもらったのは、去年と同じ和具の五〇〇トンのカツオ釣り船、長福丸の船主夫人と、その乗組員の夫人たちである。いずれも昭和一〇年前後の生まれの人たちであった。

彼女たちは、船主の夫人を中心に、よくまとまりをみせている。ひとつには地縁でもあるが、夫の留守に家を守るという共通した暮らしの面でのつながりが強い。きいてみると、彼女らは毎年いく度も連れだって寺社参詣の旅に出かけ、そこで交流を深めている。

正月の初めには、愛知県豊川稲荷と静岡県方広寺（ほうこうじ）に一泊で参る。豊川稲荷は商売繁昌の神社、方広寺は海上安全の祈祷寺である。二月には青峰山御船祭、さらに四国金毘羅参りに一泊で出かける。春、四月になると、奈良県生駒山と信貴山へ行き、一年の願をかける。この時、信仰している天理教の本山へも参る。夏、七月には、伊勢の世義（せぎ）山に行き、大漁祈願をし、帰りに伊勢神宮へ参る。この時は、早朝、家を出て、七時には参詣を済ませ、場合によってはその足で、和歌山県那智山まで行くこともある。旧盆の一六日には御座の不動尊へ参り、海上安全の祈願をする。秋、一〇月には、再び生駒山、信貴山へお礼参りに出かけ、それが一年のしめくくりとなる。

また、毎月、一日には青峰山への参詣を欠かさない。朝、四時半に家を出て、お祈りをし、帰りに伊勢神宮のアコネ稲荷に詣り、八時には家に戻り、その日の仕事につく。なんと、年に二〇回近くも参詣に出かけているのである。

夫の留守中でも、女たちは孤立することなく、結束を計りながら暮らしを立てている。それは、残された女たちが生み出した生活の知恵であり、それが信仰という形で現れている、とみることができよう。

お籠りには元来、参籠潔斉という意味あいがあったであろうが、今では潔斉という姿はみられない。朝一番の祈祷をうけるのに便利だから、一つの楽しみだからお籠りをするというように変ってきている。

参詣のほかにも、彼女たちはよく、旅に出かけている。船が大型化される二四、五年前までは、漁船は和具に入港していたが、その後、船は岩手県石巻、茨城県小名浜、また鹿児島県山川、枕崎の港に入るようになった。さらに、一四、五年前からは静岡県焼津を基地とするようになった。船が港に入ると、彼女たちはその地に赴き、船が出るまでの数日の間を、そこで夫と暮らすのである。

夜がふけてきた。六畳の部屋には私をいれて一一人が籠っている。休む支度が整えられる。昨年は、気を遣い、私のフトンを別に敷いてくれたが、今年は、寺の人が私のためにと用意してくれたフトンもいつのまにか、どこかにいってしまった。その晩は雑魚寝であり、寝返りをうつすきまもないほどであった。

夜ふけると、それまでのにぎやかな空気とはうって変わり、女たちは静かな話し声になった。私は、その場をそっと離れた。

海への祈り

庫裡では、慌しく走りまわっていた手伝いの人たちは、しだいにおちつきを取りもどし、カマドの周りに集まりはじめていた。手伝いのなかで最年長のお年寄りが時おり、カマドにイマメの枯木や雑木の丸太を入れ、火の調節をしている。庫裡は広い板敷きの昔ながらの作りで、柱や天井は黒くすすけている。仕事も一段落したとみえ、茶釜の周りにのせたフキンから白い湯気が立ちあがっていた。

お籠りと祭りの両日には、青峰山の麓の松尾と穴川から男一二、三人、女一四、五人が手伝いに駆けつける。松尾からは寺の世話人の家から、また穴川からは寺の親戚からそれらの人がやって来る。松尾は、古くから青峰山にかかわりをもった人たちが住んだ村である。彼らは、朝の七時に山に登り、男は大漁旗を張りめぐらし、女は賄いの準備に追われ、忙しい一日を過ごした。また、明日は朝五時から祈祷がはじまるため、女たちは二時起きをして、お籠りの人たちの賄いの準備をはじめる。男たちも、参詣者の整理やお札売りの手伝いで忙しい一日が待っている。

寺の人たちは別室で、夜なべ仕事にお札を書き続けている。また、明日の祈祷に備え、志摩の寺々から集まった僧侶は一四、五人を数える。時おり、女衆が酒のカンをつけているところをみると、まだ酒盛りをやっているようだ。

外に出ると、境内にはワゴン車が何台も駐めてあった。それは、露天商のクルマで、三重県ナンバーに混じって愛知県ナンバーも少なからず見うける。彼らは、伊勢市、松阪市、鈴鹿市、伊賀上野市、名古屋市などから来ている、という。

明日は、ざっと数えて、一〇〇の露店が出るらしい。昼間、露天商の親方が、寺に挨拶に来て、若い衆を数名つれて場所割りが行なわれた。親方は昔から、如意輪観音堂の三畳ばかりの小部屋で寝るのが慣わしであったが、露天商たちは、クルマの中で寝泊りしている。自動車のない頃は、境内に建てられた休憩所などが露天商の寝泊りの場として利用されていた。彼らは、いくら寒くても籠り堂の中に入ることは許されない。そんな晩は酒を飲んだり、バクチをして、夜を明かしたものだ、という。また、食事も、お籠りの人には寺から出るが、彼らは自分たちで作らなければならない。今は、ワゴン車にプロパンガスを積んで来て、何の不自由もないが、以前は麓から商品とともにコンロを背負い上げて、それを使って煮焚きしていた。

手伝いの人たちが寝静まった台所はいたって静かなもので、時を告げる柱時計の鐘が耳についた。朝食の仕度に女衆が起きてくる二時まで、火の番をする女が二人、カマドの周りに座っている。残ったのは戦後三〇年、毎年手伝いに来ている寺の奥さんの母親と姉妹であった。

「クルマの通う道ができて、お籠りの人も少なくなりました。以前は、朝ご飯の膳を置く場所もないくらいの混雑で、膳を膝の上に戴せて食べたものでした」

と、当時のお籠りの様子を静かに話してくれた。

十数年前までは、お籠りの女たちは、庫裡や籠り堂のフスマをぶちぬいて、大騒動しながら夜を明かしていた、という。

早朝三時半、ドタバタと女たちが廊下を駆けめぐる音で目をさました。洗面所は人があふれんばかりで、おちおち顔を洗っている余裕はない。吹きっさらしの廊下から見上げると、二月のすき透った空に星が降るように光っていた。

うす暗い本堂の中に燈明が灯され、天井がうっすら光っていた。正面の観音像の前にはローソクの炎がゆらめいている。仏前にあふれんばかりに並べられた真新しい祈祷札からは、海への信仰が、今も、脈々と息づいている姿が胸に伝わってきた。

一時間余りも凍てつく堂内で待っていただろう。すでに、境内には本堂には入りきれぬ人びとがあふれている。いずれも朝の四時すぎから青峰山へ登って来た人びとである。祈祷を待つ間、外で待っている参詣人の唱えごとをする声がたえず聞こえてくる。

五時、般若心経の読経で朝一番の祈祷が始まった。護摩の炎が高く立ちのぼり、周りの人びとは静かな声で僧侶の読経に唱和した。観音経、消災妙吉祥陀羅尼、十一面観音根本陀羅尼と読経が続く。最後に、僧侶が「航海安全」「大漁満足」などと回向を唱えはじめると、それまで水を打ったように静まりかえっていた本堂に、急にざわめきが沸き起こった。女たちが口々に発する祈りと

経文を書いた石を海に沈め、その年の大漁を祈願する志島の海女さんや漁師たち　撮影・須藤功

も呪文ともつかぬ声が賽銭を打つ金属音といりまじり、その場の空気は、ある種の興奮状態に包まれた。一瞬、私もその興奮の渦に巻き込まれてしまった。

夜半まで、あれほど陽気に騒いでいた女たちが、まるで人が変わったかのように真剣な表情で祈りを捧げているのである。暮らしの中に息づいてきた敬虔な祈りに、今まで漠然としてしかとらえることのなかった、海の国志摩という世界を体感する思いであった。

海を生活のよりどころとし、仕事を求めてどこまでも稼ぎに出向いていった女たち、それを苦労ともせず、じつに陽気に歩んできた人たちの顔が次々に目の前にうかんできた。

一つの風土のなかで生み出されてきた生き方は、農耕にたよらず、海の幸を追い求めることによって成り立った国を根底として生まれ、そこに、一つの気性がはぐくまれてきた。

ただ、海に潜るだけでなく、それが今では形を変え、女たちの働く力となって真珠養殖などの産業をも呼びおこし、新たな志摩というものを形作っていった。外に向けて発展した力があった一方では、内に広がっていった力もあったのだ。

青峰山の祭りには、そんな、海に生きる人たち一人一人の思いをこめた祈りがある。そして、そんな気持が青峰山をよりどころにして一つに結ばれている。

五時半、一番の祈祷を終えた人々は、もう荷物をまとめはじめていた。彼女たちは、これから家に戻り、だれもが今日の仕事につく、という。堂内には、早朝山に登ってきた人たちが受けている二番祈祷の声が流れていた。

凍てつく海の聖地の空には、まだいくつもの星が光っていた。

吉野の木霊（こだま）

文・写真　須藤 護

吉野杉のシボ付け作業。15年〜20年生の杉にプラスチック製の網板を巻き、絞り丸太を作る　撮影・工藤員功

一章 吉野への旅

●吉野の印象

私が最初に吉野を訪れたのは昭和五七年一〇月の末であった。夕暮れの大和路を車窓からながめつつ時を過し、下市に着いたときはとっぷりと日が落ちていた。翌日の午前中に下市で何軒かの箸屋さんをまわった。吉野の入口にあたる下市町は五條市、吉野町上市とならび奥吉野から出てくる杓子、曲げもの、樽丸などの集散地として栄えた町で、そのような日常雑貨を扱う問屋が多かったところである。そして現在では、吉野杉を使った高級割箸の生産地としても知られている。町の所どころや民家の下屋などにきれいな割箸が干してあって、いかにも箸の町に来たという情緒があった。ところが肝心の箸づくりのほうは機械化が進んでいて、細長い板片をぐっと押し込むと、一メートルほど先にでき上った箸が瞬時にして飛び出すという仕掛けになっている。こちらはまったく味気ない作業風景であったが、今どき一本一本削っていては採算が合わないわけで、情緒を求めるほうが無理であった。ここでできる箸は天ソゲといって、高級料理店やちゃんとした旅館で使われているような高級割箸である。

下市の割箸は明治初期から樽丸材や建築材の廃材を利用して製作がはじまったもので、昭和一〇年代後半までは、全国の九〇%の生産量を占めていたという。ところが岡山県でマツ、北海道でカバ、シナ、エゾマツ、トドマツなどの材をつかい、機械による大量生産品が出まわるようになるにつれて、次第に高級割箸の生産に力を注ぐようになっていった。下市での機械化もこのころ始まったようである。今日では下市町を中心にして吉野町、

山を埋めつくすスギの美林（川上村高屋）

天川村洞川の通りには大峯山参詣に訪れる人のための旅館が立ち並んでいる。洞川で作られる杓子は土産物としてよく売れた

川上村、五條市を含めて、四六〇軒ほどの業者が割箸の生産にたずさわっている。

午後のバスで下市を出て天川村（てんかわ）洞川（どろがわ）に向かう。洞川には曲げものをつくる職人が何人かいることを聞いていたからである。下市を出て間もなくバスは大きなうなり声をあげて坂道をのぼりはじめた。下市と洞川の標高差は六〇〇メートルほどである。周囲の山は急峻で、その中腹にへばりつくようにして点々と集落が見えはじめる。

山々は見事なスギが果しなく続き、いよいよ吉野の林業地帯へやってきたなと思う。V字谷の谷底から、山の頂上まできれいにスギが植えられている。人工造林の見事な景観に感じいるとともに、そこに加えられたエネルギーがどこから出てきたのだろうかとも思った。そして、吉野の人々は急峻な山を開墾して畑とし、その畑にスギを栽培しているのではないかという印象を強くもった。吉野の人々にとってスギを育てることは、畑で野菜を育てることと同じような感覚をもっているのではないかとすら思えたのである。

洞川には一時間半ほどで到着した。すぐその足で目あての曲げもの職人の家をさがしたが、その一人はすでに亡くなっていて、久保正雄さん（明治四一年生）が一人だけ仕事を続けているという。

久保さんは大変誠実そうな人で、曲げものづくりがさかんなころは洞川には一五〇人くらいの職人がいたこと、主として水くみ用、肥料用の曲げものの柄杓（ひしゃく）をつくっていたこと、やがて金物の柄杓がでまわり、下肥が金肥（きんぴ）にかわって需要がほとんどなくなったこと、自分は下市の鮎屋で使う鮎の押しずし用のうつわや弁当バコ（メンパ）、重ね箱、菓子箱など、曲げものでつくれるものを工夫して今日まで続けてきたことなどを話してくれた。

洞川は関西の修験道場の中心である大峯山をひかえた集落で、五月三日から九月二二日までの開山期間は、多くの信者でにぎわうところである。曲げものの柄杓は大峯山にお詣りに来る人々のお土産品としてよく売れたばかりでなく、柄杓と米を交換した。とくに肥柄杓は農家の人々に欠かせない農具の一つであったので、需要は多かったという。おかげで洞川の人は米にはあまり不自由しなかったようだ。洞川は標高が九〇〇メートル前後あり、水が冷たいためか米のとれないところであった。

翌日の午前中は洞川のむら内を歩いた。メインストリートは参拝者を泊めるための旅館が並んでいる。旅館の中には胃腸薬である陀羅尼助や名物吉野葛の古びた看板を下げているものもあり、しっとりした古い門前町のたたずまいを見せていた。このときは大峯山の閉山後であったために旅館街は静まりかえっていたが、今年（昭和五九年）五月末に再度訪れたときは、まっ白な修験装束をつけた人々が街を行きかい、とてもにぎやかで活気に満ちていた。折から土曜の夜であったため、とくに客が多く、旅館の女中さんや番頭さんが、廊下を走り廻っていた。この日一番たくさん泊り客のあった旅館は、二〇〇人の団体（大峯講）が入ったという。

高台に登って集落をながめると、以前何度も通った福島県の桧枝岐村によく似ていることに気づいた。山上川の両岸に立地する洞川と桧枝岐川の両岸のそれとが大変よく似ているのである。桧枝岐は篩を中心にした曲げものをつくり、洞川は柄杓をつくっていた。日光と大峯山という信仰の地をひかえていることも共通している。また両方とも耕地がそう広くなく、しかも畑作が中心であった。似たような条件のところに、似たような集落が立地するものだなと思った。

午前一〇時頃洞川を出て大塔村篠原をめざして歩きはじめた。ちょうどいいバス便がなかったこともあるが、一度歩いてみたい道であったからだ。天気もすこぶる良かったのである。

その日は天川村坪内まで行って泊り、翌日は坪内から九尾、栃尾を経て和田の手前で川瀬峠を越えるために山道に入った。ちょうど山道を降りてきた老夫婦に出会った。

うすく割ったヒノキの板を曲げてつくる曲げ物は、洞川の特産物のひとつであった　撮影・森本 孝

天川村洞川の曲げ物　手前に押し鮨用の桶、左に柄杓と蒸籠、奥に乾燥中の曲げ物がみえる

「にいさん、峠を越えるんやったら、杖をもって行かんとあかんで、明るいうちには着くとは思うが、くれぐれも気いつけてや」

折から昼に近かった。この親切な老夫婦は山の畑仕事を終えて昼食のために降りてきたのだろう。背負カゴの中には鎌や鍬が入っていた。

これから向かう大塔村篠原、そしてその先の惣谷(そうたに)は杓子をつくって暮しをたててきた木地師が多かったところである。一時は村中が杓子ぶちをしていたといっても言い過ぎでないほど、杓子づくりがさかんなむらであった。

昭和一〇年代後半までの話である。ここでつくられた杓子はこの川瀬峠を越えて、天川村の栃尾まで出す。栃尾には杓子を扱う問屋があって、そこで米、塩、びんつけ油などと交換して、もと来た道を帰る。記録をみると栃尾から持ち帰る荷は米が多い。栃尾からは黒滝村の人がやはり背負って下市まで運んだという。これらの荷を運ぶ人をこの地方ではニモイチといい、ほとんどが女の人であった。標高差約五〇〇メートル、片道六キロほどの峠を二時間で越えたという。往復とも三〇キロの荷物を背負ってである。また篠原から直接下市まで出る人もあった。朝暗いうちに出て、その日のうちに下市まで行く。そして次の日も早朝に下市を出て、二斗俵（三〇キロ入）米を背負って夕方には篠原に着いたという。非常に激しい労働であった。篠原から下市までの道はゆうに四〇キロメートルはある。

さて、私の荷物はかなり重く見積っても一五キロほど。どのくらいの時間で峠を越えられるか試してみるつもりであった。ところが、しばらく登って和田の集落が真下に見えるころになると息が切れてきた。そこで上着をぬぎ、汗をふいてひと休みして、近くに落ちていた木の枝をひろって、老夫婦にいわれたとおり杖にしてまた登りはじめた。何度も休

天川村洞川の家並　山上川の両側に旅館が軒を連ね、大峯山寺の門前町の面影を残している

んだために結局頂上まで二時間余もかかり、また下りも膝がガクガクしはじめ、同じくらいの時間がかかってしまった。目的地の篠原に着いたのは四時半をまわっていた。山道に不慣れとはいえ、川瀬峠越えは大変みじめな結果であった。しかし、昔杓子の通った道をたどることができた満足感が残った。

篠原では和泉(いずみ)重三郎さん（明治三五年生）があまり到着が遅れたので心配して待っていて下さった。和泉さんは長年杓子づくりに従事してきた人で、昔の話をよく知っている一人であった。調査仲間の工藤員功さんから話を聞いていて、和泉さんの名は以前から知っていたため初対面のような印象はなかった。むしろ長いこと会えないでいた人に、ようやくお会いできたというなつかしさみたいなものがあった。そしてその晩は和泉さんのつくったつぼ杓子を見せていただき、夜がふけるまで話に聞き入った。

吉野の杓子はナガエ、ダイツボ、コツボ、マメコなどがあり、ナガエは茶粥用で、古くは杓子全体の長さが尺四寸であったという。シャクシの語源は、このナガエの尺四寸の寸法から出たという説もあるようだ。その後尺三寸になり、尺二寸五分まで小さくなった。昭和初期のころは尺三寸のものをつくっていた。ダイツボは煮物用で長さが一尺、コツボ、マメコは山に出られなくなった年よりが、家で手なぐさみにつくったもので、長さは八寸、六寸というものだった。やはり煮物を分けるためのものである。このほかにゼンマイのような形をしたものがあり、これは杓子づくりを休んだ日に、腕だめしのためにつくったものだという。吉野の杓子は荒けずりで、力強さがあった。それでいて、大変使いよさそうな形をしている。

翌朝奥さんが茶粥をつくって下さった。和泉さん宅だけでなく、このあたりではまだ茶粥を食べる家が少なくない。茶粥は自家製のお茶を釜の中で沸とうさせ、その中に米を入れて何度もかきまぜながら粥にしていく。米二合つきに茶湯が一升五合ぐらいであるという。少ないご飯を増やして食べるのであるが、米が貴重であった時代はムギ、ヒエ、アワ、キビなどを混ぜた。それも米二割に対して雑穀八割がふつうであったようだ。杓子を背負って天川村栃尾まで行かないと米が手に入らなかった時代である。

「吉野のみやげ話に、一度食べていって下さい」

奥さんが出してくれた茶粥の中に無雑作に入っていたのが、何年も使い込んで黒光りしているナガエであった。大和の茶粥とつぼ杓子は切り離すことのできないものであることをこのとき気づかせてくれた。茶粥の歴史とつぼ杓子の歴史は重なり合っていたのではないかと思われたのである。

この日篠原からとなりの在所である惣谷に向かった。荷物を整えてお別れのあいさつをすると、和泉さん夫妻は道ばたまで出て見送って下さった。和泉さんのお宅は道下の斜面にあり、わざわざ道の上まで上って見送ってくれたのである。そして姿が見えなくなるまで手を振ってくれていた。

惣谷に向かったのは新子(あたらし)薫さんにお会いするためであ

った。新子さんは吉野郡でただ一人の現役の杓子木地師である。しかも旧来の技術を生かしつつ、現代の生活にも通用するつぼ杓子をつくっておられる。旧来のつぼ杓子は底の浅い大きな鍋に合うように、柄が鈍角についていて、アタマの部分が浅く掘られている。これに対して現在、新子さんが工夫してつくっているものは、小さくて底の深い鍋でも使えるように柄は鋭角に近く、アタマの掘り方が深い。私の家でもこの杓子を使っているが、なかなか使い勝手がいい。

新子さんはすぐさまつぼ杓子づくりを実演してみせてくれた。杓子づくりの工程は材を決められた長さに玉切りした後、ワリボウチョウで割り、杓子の形にキドリをしてアラガタをつくる。ここまでが山中での作業で、アラガタを作業小屋まで背負ってきて、そこでコズクリ、テッペンガンナ、ナカウチ、ウチグリ、サメ、エーケズリの工程を経て完成品となる。新子さんの動作にはまったく無駄がなく、的確な刃物のさばき方には目をみはるものがあった。職人は一日に同じ形のものを一定量つくることが要求される。つぼ杓子は一日に一〇〇個から一二〇個つくって一人前の職人として扱われるという。そのためにはたとえわずかであっても無駄な動作は許されない。新子さんの仕事ぶりの中に、本来の職人の姿を見る思いがした。

その晩もまた杓子職人の山中での生活などを夜遅くまで聞いた。

杓子づくりは一人前になるまで三年ほどを要し、その技術は親から子へ、子から孫へと受け継がれていくものであった。新子さんの場合は現在で五代目になり、それ以前は何代続いていたかはわからないという。同じ形のものを何代も何代もつくり続けてきたその持続力が、伝統というものだろうとつくづく思う。爆発的なエネルギーではないけれども、しぶとく受け継がれてきたものである。吉野のなかでも篠原と惣谷に杓子づくりの職人が集中していたのは、親から子への技術の継承方法が大きな理由であったように思う。

翌日もう一度仕事を見せてもらって、大変名残り惜しかったけれども惣谷を後にした。折から日本シリーズのまっ最中で、ライオンズとドラゴンズの試合が五條市へ向かうバスのラジオから声高に流れていた。

最初の旅を含めて、今年（昭和五九年）の五月までの間に、吉野への旅は六回になった。そのうち、三、四、五回目は主として林業で生計を立てている人が多い東吉野村で過した。企業的な林業のさかんなところでは、なかなか生活の細部まで入りこめないという印象を強くもったからである。それは後に述べる借地林業の伝統や山守制度と関係があるように思われ、少し腰をすえて話を聞こうと考えたのである。さいわい私が所属している日本観光文化研究所で懇意になったAさんの実家が吉野で山林経営をされていることを聞き、応援を求めることにした。Aさんは快く私の相談にのってくれ、御両親をとおして林業関係の人々を紹介してくれた。また、Aさんの実家を訪ねて、御両親から吉野の林業制度についての話をうかがい、山林撫育や伐採、搬出などの作業を見せていただくこともできた。

●景観のちがいから

奥吉野地方の十津川村、上北山村、下北山村を除く吉野地方をひととおり歩いてみて、西と東では大きなちがいがあることがわかりはじめてきた。正確には西吉野、東吉野といういい方はしていないようだけれども、今ここで大塔村と野迫川村を西吉野、東吉野村と川上村を東吉野地方、そしてその両方の性格をもっていたむらが天川村として考えてみると、その差がはっきりとしてくる。

むらを歩いていてすぐ目に飛び込んでくるのがスギの植林であるが、西の場合はスギの木が比較的若く、太い木をさがそうとすると宮や寺の境内に行かなければ見られない。三〇年生か四〇年生くらいの木が圧倒的に多く、もちろんそれ以下の木もたくさん植わっている。第二次世界大戦の際に強制的に伐採させられた例も少なくなかったようだが、いずれにしても明治以降に植えたスギを一度伐って、戦後植えたものが多いようだ。それにスギの植林よりも雑木の林が目立つのが西吉野である。目見当であるが面積的にみれば、ナラ、サクラ、クリなどの雑木の林がはるかに目立っている。東吉野の場合はその逆を考えればいい。とくに川上村では北向きの山には雑木の林はほとんどみられず、所によっては二〇〇年生をゆうにこえるスギが見事に育っている山をみかける。つまり東吉野地方のほうが植林の年代が古く、林業が村のすみずみにまでいきわたっていて、林業の先進地であることを山の景観から教えられるのである。

その景観が物語るように、東西吉野地方では木工産業のあり方のちがいがみられ、それぞれ特徴ある産業を発達させていったように思う。西の場合は小規模ではあるが、多様な樹種を用いた多様な木製品があった。大塔村篠原、惣谷のつぼ杓子・モロ床・サン、十津川本流沿いの宇井、閉君、辻堂、飛養曽、猿谷、小代、中原、阪本、簾の村むらの樽丸・材木・板材・曲木など、天川村塩野、広瀬のへら杓子づくりなどがあった。また野迫川村では北今西、桧股、弓手原、大股、平、北股、中津川の丸箸・つぼ杓子、今井の経木、木製品ではないが野川谷の野川、柞原、中村、上村、上垣内、池津川ぞいの池津川、中津川、そして北股などのむらでは凍豆腐（高野豆腐）の生産がさかんに行われ、大豆を煮るための薪炭の生産も主としてこの谷で行われていた。

つぼ杓子はクリが主材料でナラも用いた。へら杓子はクリ・ヒノキ・サワグルミ、丸箸はスギ・ヒノキ・ミズキ・アサキ、曲木はマツ・ヒノキ・トウヒ、樽丸はスギ、材木、板材はスギ・ヒノキ、モロ床、サンはスギ板、そして経木はマツ・モミ・ツガ・ヒノキを原料としており、広葉樹、針葉樹の多様な利用がみられた。いずれも農家の副業として行われていたもので、専業の職人はほとんどいなかったといっていい。このうちモロ床はコウジを入れる箱の底板で、柾目の通ったきれいなスギ板を使う。サンはコウジブタにあてる脇板、樽丸は後に述べるように樽の側板、曲木は柄杓、篩、メンパ用の簿板、へら杓子はご飯を盛るための杓子である。

これに対して東吉野地方では木製品の種類は少なく、スギ材を利用した樽丸、桶板の生産が大規模に行われ

急斜面の一角をうまく利用して小屋を立て、その中で杓子の木取りをする。
写真はへら杓子の木取り（旧大塔村惣谷）

た。また、その廃材を利用してカマボコ板や割箸の生産がおこり、樽丸需要が減少するにつれ、建築材や指物材の生産にきりかわっていく。材木の輸送は吉野川（紀ノ川）を筏で下ったために、川岸の村むらでは筏のり（なかのりさん）にたずさわる人も多かった。

二章 木工の伝統

●山を買い小屋を建てる

大塔村の篠原や惣谷の人々が、いつごろからつぼ杓子の製作をはじめたかは明らかではないが、かなり早い時期に近くの山々では原木の不足をきたし、原木を求めて天川村、野迫川村、十津川村あたりまで出かけて行ったようである。篠原の和泉重三郎さんは父親について野迫川村今井、和歌山県有田川筋、そして十津川村にまで足をのばし、惣谷の新子薫さんも篠原の花折峠、清水（大塔村内）、大峯、桧川迫（西吉野村）の山に入っている。

杓子（左と中央）と鉢の木地の乾燥。クリの木は乾燥すると強度を増し、しかも軽くなる

一方、野迫川村の北今西、桧股、弓手原の人々は篠原や和歌山県の有田川筋からやってきた職人に杓子づくりの技術を習い、みずからも製造をはじめたという。『野迫川村史』によれば、安政四（一八五七）年にはこれらの村むらで、二三〇〇本ほどの杓子が製造されており、江戸時代の末期にはすでに篠原の杓子職人が出稼ぎに出ていたことがうかがえるのである。先に述べたようにそれぞれの職人がそれぞれの土地に住み分けていて、しかも使用する樹種が異なっていたために、杓子の職人が入ってもいざこざは少なかったようである。むしろ野迫川村のように積極的に技術を修得して、生業のたしにしているところもあった。

杓子づくりは職人の上に親方がいて、親方は原木の供給と製品の販売が大きな仕事であった。杓子は主として素性のいいクリの木を用いるために、何人もの職人をかかえた親方は各村の山の情報を集め、山の持主と交渉して購入する。杓子山の見方は立木の石数でみるのではなく、杓子の本数に換算したという。山をひとまわりして木の年数や太さを頭の中に入れ、ひと山で何万本、何十万本の杓子がとれるかを計算するのである。そして杓子一本の値段と、予想する総本数とで山の値段が決まる。長い経験と、直感力を要するが、あまり大きな誤差が出ることはなかったようである。材木で買うよりは立木で買ったほうが、はるかに見積りがしやすかったという。木全体の姿が見え、木の生えている立地条件がわかるからその素性を見分けやすかったのであろう。

杓子につかうクリの木は一五〇年生から三〇〇年生ほどの木が適しており、それより若い木は堅くてつくりに

つぼ杓子づくりの行程

オオワリ＝クリの丸太から杓子の板片をとっていく

キドリ＝板片から杓子のアラガタをつくる

キドリ＝頭をまるめて柄を削る

キドリ＝面をはつる。これらの作業はキドリナタ1丁で行う

コズクリ＝センで柄を整形する

コズクリ＝コズクリボウチョウで背中を整形する

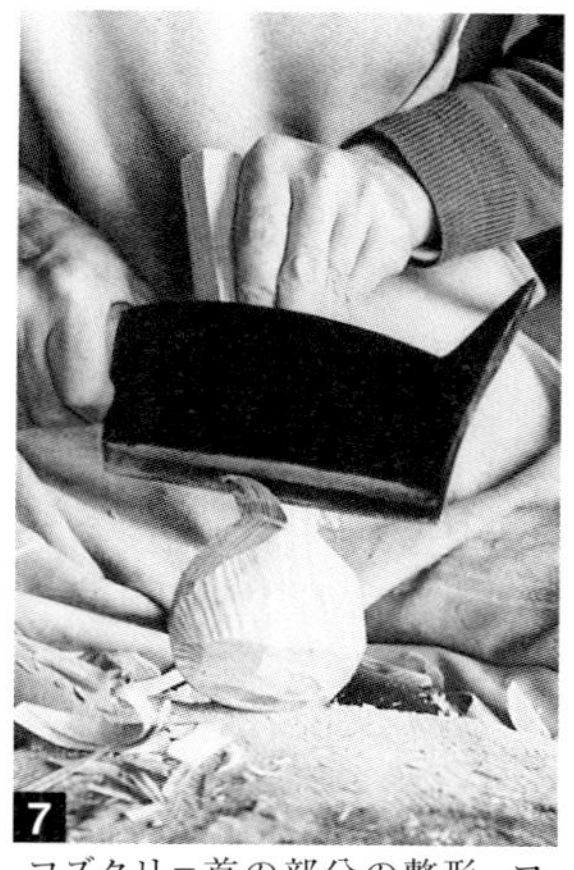

コズクリ＝首の部分の整形。コズクリはセンとホウチョウで行う

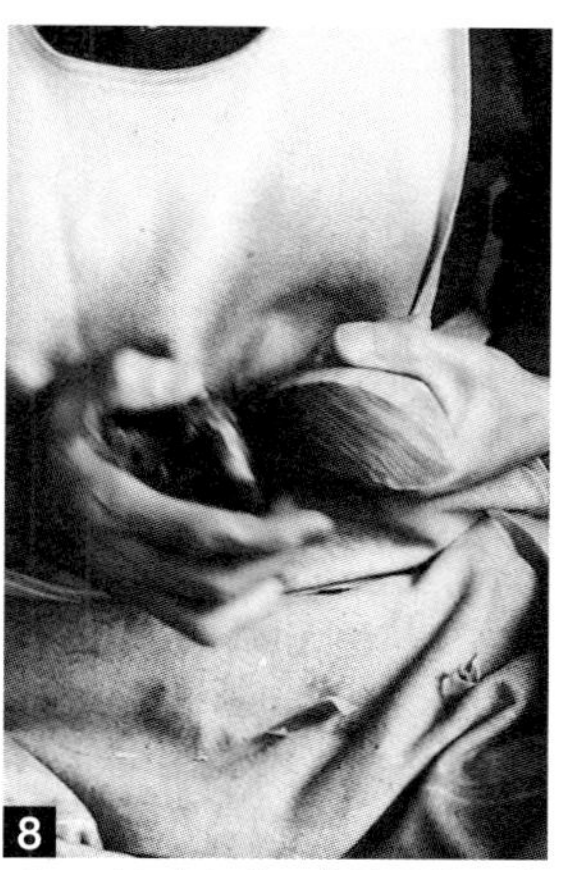

テッペンカンナ＝杓子のテッペンをカンナで仕上げる

ナカウチ＝チョウナで中を刳る。木地師の基本的な作業

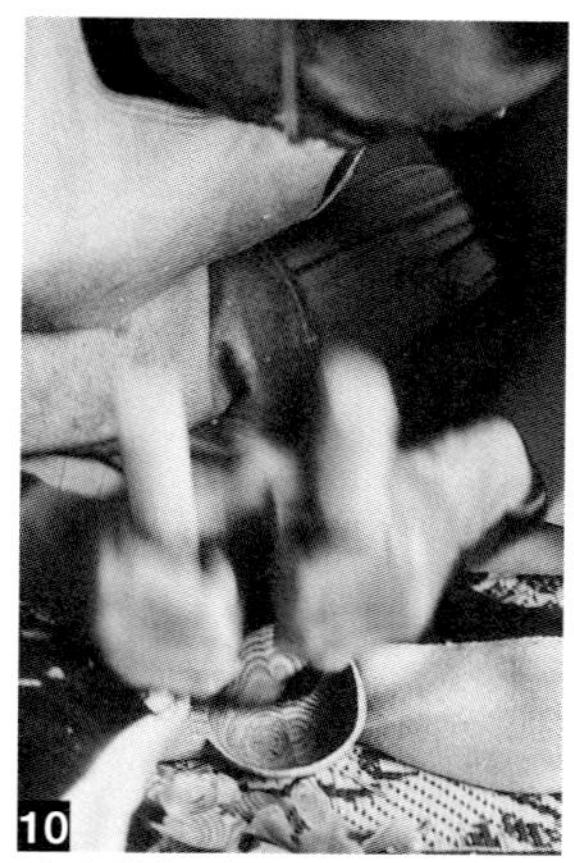

ウチグリ＝カーブのついたセンで杓子の中を仕上げる

サメ＝サメボウチョウで縁や首を仕上げる

エーケズリ＝センで柄を仕上げて完成

この地形図は参謀本部陸軍部測量局作製（明治21年版）を参照

紀ノ川沿いに中央構造線が東西に走り、近畿の屋根といわれる吉野〜大峰山系の尾根道が南北に貫く。この道は熊野に通ずる修験の道である。山奥まで集落が点在するが、吉野川に沿った東部地方が吉野林業の中心地である

植林された杉がまだ若く、雑木林の広がりが目立つ吉野西部地方の山容

くかったという。太いものであれば一本の木で二〇〇〇本から三〇〇〇本もの杓子がとれたというから、中がくさっていたり、ねじれていたりして、本数の見積りが狂っていたら大変な損をしてしまう。

杓子づくりがさかんであった当時、そのような大木があちこちに自生していたが、大体は斜面に立っていることが多かった。木を倒すときは谷側に倒れるように伐っていく。そのために谷側にヨキでウケクチを木の芯のあたりまで入れ、山側からヤマノコギリで伐っていくと自然に谷側に木は倒れていく。太い木だとウケクチをあけるのに背がとどかないので、足場をかけて伐ることもあった。山の木を伐採する作業をサキヤマというが、大木に足場をかけて倒す光景はさぞかし壮観であったろう。

さて、杓子山の買いつけが終ると、職人が山へ入る。四人で一組になるのがふつうであった。最初の二、三日は仕事にかかる段取りをする。まず水の便がよく、比較

杓子づくりの作業行程の比較

吉野

作業工程	作業内容	道具
タマギリ	杓子の長さに合わせて、原木の玉切りをする	ノコギリ
オオワリ	杓子の厚みを計り、ワリボウチョウで1枚ずつアラガタをはがしていく	ワリボウチョウ ツチンボ
キドリ	キドリナタで荒削りをする	キドリナタ
コズクリ	杓子の面を削る　背中を削る　頭を丸くする　肩の部分を整形する	コズクリボウチョウ　セン
キッペンガンナ	丸くした頭をさらにカンナをかけて仕上げる	テッペンガンナ
ナカウチ	ナカウチで杓子の中を掘る	ナカウチ
ウチグリ	ウチグリで中を刳りながら仕上げをする	ウチグリ
サメ	杓子の縁や肩をサメボウチョウでで仕上げる	サメボウチョウ
エーケズリ	エーケズリで柄を仕上げる	エーケズリセン

会津

作業工程	作業の内容	道具
タマギリ	杓子の長さに合わせて、原木の玉切りをする	ノコギリ
スミカケ	杓子の厚みを計り、芯を中心にして放射状にスミカケをする	スミカケ
オオワリ	スミに沿って、オオワリする（ミカン割りにする）	ワリナタ、ツチンボ
コワリ	オオワリした木片の芯の部分を取り除き、アラガタをつくる	ワリナタ、ツチンボ
カタヒキ	杓子の両肩の部分をノコギリで挽く	ノコギリ
コハジオトシ	柄の部分を残して、両側をワリナタで落とす	ワリナタ、ツチンボ
イエケズリ	エーケズリナタで柄を削り整形する	エーケズリナタ
ツラキリ	ツラキリ台に杓子をはめ、杓子の面を整形する	ツラキリナタ
デコマワシ	楕円形の型を杓子の面にあて、スミカケする	デコマワシ
アラキリ	杓子の背中をアラキリナタでアラギりをする	アラキリナタ
セナカキリ	アラキリのあとセナカキリナタで背中を整形する	セナカキリナタ
メンツキ	セナカキリのあとメンツキナタで背中を仕上げる	メンツキナタ
イエツキ	イエツキ用のセンで柄を削って仕上げる	イエツキセン
ナカッポリ	ナカッポリ用のセンで杓子の中を掘る	ナカホリセン
ツラガンナ	杓子の縁に台ガンナをあてて仕上げる	台ガンナ
イエツキ	杓子の首の部分を仕上げる	エーケズリナタ

●吉野の杓子づくりは会津のそれにくらべて作業工程も使用する道具も少なく、一つの道具を多様に使い分けている。たとえば杓子のアラガタをつくる作業ではキドリといって、キドリナタ一丁でつくり上げるのに、会津ではカタヒキ、コハジオトシ、イエケズリ（柄削り）、ツラキリという作業があり、そのために五種類の道具を使い分けている。

また木地師の基本的な技術は、木を刳って椀や杓子をつくることであるのだが、会津ではセンで中を削る作業に代っているのに対して、吉野では依然としてナカウチ（チョウナの一種）で中を刳るという木地師の基本的な作業が残っている。このちがいをみていると、良木を求めて山から山へと移住していった木地師の姿を、吉野の職人は今日まで残してきたのではないかと強く思う。山から山へ移住するには極力道具の数を少なくし、それらを多様に使いこなす技術を身につける必要があった。

会津の場合ももともとは木地師がつくっていたものであろうが、それが農民の副業として技術がひろがった結果、多種多様な道具を使い分けることで技術面をカバーし、農民でもつくることのできる製作工程が考えだされていったように思う。杓子そのものは洗練はされているが、きゃしゃなつくりである。

これに対して荒削りではあるが、がっしりした吉野の杓子は、山を渡り歩いてきた木地師の技術の高さを偲ばせるに充分なものであった。この両者の比較は木工技術や道具の発達段階や木地師の定着段階をみていくうえで、大変興味深い。

的なだらかなところに小屋を建てる。小屋の大きさは四畳半大ほど。柱や小屋組みは近くの雑木を伐って用い、屋根は杉皮で葺いた。壁には杉皮や木の枝を使った。小屋を建てる時期は春先か夏であったから、当初は青々した葉がついていた枝も、冬になると葉が枯れ落ちて、小屋の中に雪が舞い込むこともめずらしくはなかった。

小屋の中央に三尺四方ほどの炉を切る。その周囲をならして杉皮を敷き、その上にワラムシロを敷く。入口は谷側の中央につけて、ワラムシロを下げ、朝になるとそれを巻き上げて陽の光を入れる。雨風が入ると困るので窓はなく、入り口からの光が唯一のあかりであった。入口の巾は三尺、入ってすぐは三尺四方ほどの土間で、履物はそこで脱ぐ。急な斜面上に建てた小屋も、毎日出る木くずを踏みかためていると、入口の前はけっこう広いニワになった。小屋の山側には山の地肌が直接出ており、そこを棚として使えるようにならして、食糧や鍋釜、薪や荷造りした杓子などを置くスペースにした。

その小屋に四人で生活するのである。それぞれのふとんや着替えは四隅のコーナーに棚を吊って置き、椀、湯呑み茶碗、箸などの食器類は壁に吊しておく。とにかく四人が作業できて、食事をして、寝ることのできる最小のスペースを確保し、それを最大限に利用したのが杓子小屋であった。四畳半より少し大きめであったが、それでも炉や入口に一畳あまりとられるので、一人あたり一畳弱の広さである。その範囲で生活のいっさいを行い、壁や棚を利用して生活用品や道具を置いたのである。小屋を建て、その中に作業台を設置するまでに、二、三日を要したという。

●杓子職人の生活

杓子ぶちの朝は早い。陽が上らないうちに起きてサキヤマの現場へ行くのだが、あたりはまだ暗いので手さぐりをしながら行ったという。原木が大きいので小屋まで運ぶことはせず、キドリはサキヤマの現場で行なった。現場に着くと杓子の寸法に合わせて玉切りをする。

玉切りをする段になってもまだ手元が暗いことが多かったので、あらかじめ寸法にあわせてノコギリで筋を入れておいた。そうすれば手さぐりでも作業ができた。そしてあたりが明るくなるころからキドリを始め、お昼前にはそれを背負って小屋まで帰ってくる。一日にできる杓子の量は一〇〇本から一二〇本くらいであった。

昼食後からコズクリ、ナカウチ、ウチグリ、サメ、エーケズリの作業を続け、これが終るのが夜の一〇時ごろで、それから夕食をとった。後かたづけをして寝るのは一一時近く。無我夢中で働いたという言葉がぴったりするほど激しい労働であった。それだけやらなければ一日一〇〇本余の杓子をつくることができず、従って生活ができなかったのである。それでも一生懸命働いたという充実感が残り、二枚に折って座ぶとん代りにしていたムシロを一枚に延ばし、その上にハンチャ（袖なしの綿入れ）を敷いて床についたときは、大きな安堵感があった。杓子職人にとってこのときほど幸せなときはなかったのである。次の日はまた暗いうちに起きる。

このような作業が四日続くと、五日目は休みになる。

吉野西部地方の山林。杉の植林地よりも雑木林が目立つ。吉野の西部地方の村々ではクリ、ナラ、ミズキ、サワグルミなどの雑木を利用した杓子や曲げもの、箸づくりなどの木工業が盛んだった

山の中腹の比較的なだらかな斜面に立地した川上村白屋の集落。斜面上部に家を構え、下部に畑を拓くのがこの地方の一般的な姿である

休みといっても普通の日よりも少し遅く起きるだけで、この日のうちにやっておかなければならない仕事は多かった。まず四日間につくった五〇〇本近い杓子の荷づくりをする。次に四日分の原木を伐採し、杓子の寸法に合わせてノコギリの筋を入れておく。更に四日分の薪づくりをして、夜に燃やす四日分の松明(たいまつ)用の肥松(こえまつ)をとり、細かく割っておく。これだけすると大体日が暮れる。休養日というよりも、次の四日間へ向けての準備をする日であった。

それでもこの日は特別な楽しみがあった。ボタモチをつくるのである。ボタモチといっても麦飯に塩小豆をまぶしたものであるが、これがとてもおいしかったという。飯が残るとコズクリダイの上で大きなおにぎりをつくり、それを焼いて、みなでちぎって食べた。また、たまには往復何時間もかけて里まで酒を買いに行き、飲んでさわぐこともあった。休日の最大のレクリエーションであった。

このようにして一つの山で二、三年くらい杓子づくりを続けるのであるが、一年の間に四回ほど家に帰る。短い期間であるが、家族がそろって暮すことができるからであろうか、山を降りる日が近づくと、気分が何となく落ちつかなくなったという。

一番長く家に居られるのが暮から正月にかけての約一ヵ月間であった。正月準備をして正月行事が終ると、その年一年間使うタキシバ伐りがはじまる。タキシバは道の近くまで運び出し、きれいに積んで秋まで乾燥させておく。この作業に二週間ほどかかった。そして一月二五日が惣谷の氏神さまの祭日なので、それが終るまでは家にいたのである。

次に帰るのは五月で、アワ、ヒエ、マメ、野菜などの作付けを行い、またそれらの作物をとり入れる九月から一〇月にかけての時期に、やはり山を降りた。また盆の時期にも家へ帰った。盆の行事が終った後に、畑の肥料として入れる下草刈りをする。むらには共有の採草地があり、そこに刈りに行くことが多かった。

このように春の作付け、盆の下草刈り、秋のとり入れは大体一週間から二週間ほどかかり、その間は家で過したのである。家に帰るといっても休みに帰るのではなく、家族の労働を助けるためであった。

●野迫川(のせがわ)村へ

杓子づくりは男の仕事であり、数人のグループで山から山への移動を続けてきた。たとえ杓子山が自分の家からそう離れていなくても通う時間を惜しんで、小屋がけをして仕事をした。女は主として畑仕事と、でき上がった製品や職人の食料の運搬にたずさわっていた。

これに対して丸箸づくりは家族が分担して製作する。い

山深い野迫川の村々だが、
意外なほど多くの水田が拓けていた

共同の農作業の合間の昼食どき

わゆる家内工業であった。丸箸づくりがさかんであったところは先にも述べたように野迫川村の北今西、弓手原、桧股などであった。これらの村むらは林宏さんの『吉野の民俗誌』（文化出版局、昭和五五年刊）を読んで名前だけは知っていた。この本には紀州からやってきた木地屋が付近の山中で椀をつくり、むらの女たちが里まで運び出していたこと、大塔村の篠原や天川村の塩野から杓子屋が入り、やがてむらの人々も杓子づくりの技術を身につけていったこと、また箸削りがさかんに行われていたことなどが、詳しく述べられている。私はこの本が出版された当時、福島県南会津の山中で生産されていた木地椀、杓子、曲げものなどの調査に没頭していたため、はるかかなたの吉野の山に思いをはせていたものだった。

　その思いが実現したのが今年（昭和五九年）の五月末であった。野迫川村に入って驚いたことは実によく水田が拓けていることであった。集落のまわりはもちろんのこと、むらから離れているところにもかなり広い水田が目についた。とくに野迫川でも一番奥にある弓手原は水田が広く、大きな家がゆったりした屋敷地のなかに、どっしりとした構えをみせていた。土倉と納屋（ナガヤ）をもった農家の構えであった。山村というと平地に恵まれず、しかも水が冷たくて水田をあまり拓くことができず、斜面や狭い河岸段丘の上に肩を寄せ合うようにして立地している村むらを想像してしまうのだが、現実の弓手原はまったく異なり、豊かな稔りに恵まれた農村であり、しかも広大な山林をもった豊かな山村でもあるという印象を受けた。

　折から田植えの真最中で、どこへ行ってもむらの中はお年寄りばかりで、働ける人はみな田んぼに出ていた。とくに野迫川村は共同作業がよく残っていて、自分の家の田植えでなくとも必ず手伝いに出て行く。そして自分の田んぼの番になると、大勢の人に手伝ってもらうのである。これをグーガワセ（工為替）、ググワリなどとよんでいる。

　ここでの丸箸づくりは、このような農業の副業として行われてきたものであった。その作業形態も家族労働が中心で、男は主としてキドリをして二分（約六ミリ）角の角棒をつくり、女はそれを削って丸箸に仕上げていく。作業は単純なものであったが、大変根気のいる仕事であった。

　野迫川村でつくられていた丸箸はカンバシとテッペンガキの二種類があった。カンバシは箸の両端を細く削った両口箸で、長さは八寸（約二四センチ）あった。材料は主としてミズキ、ヒノキを使った。このうち一番高級品として扱われたのがミズキのカンバシで、正月用に用

上　材木の伐採・搬出作業　今日ではノコギリに代わってチェンソーを使い、集材機が活躍している。写真のスギ材は通しものの民家の桁材に使われるもので、1本もので6間（約12m）あまりもあった（東吉野村杉谷）
左　急な斜面を開いた畑　畑には等高線に沿うようにして丸太を渡している。土止めをするとともに、作業中の足場にする。写真はサツマイモの収穫（旧大塔村篠原）

いられ値段も高かったという。ミズキのカンバシはヤナギバシともよばれている。ヒノキのカンバシもミズキに次いで高級品として扱われた。

カンバシはまず先と元を削り、次に中央部を丸くして、さらに「なおし」といって仕上げの削りをする。道具は箸の丸さに合わせて溝が切ってある小型の台ガンナを使った。仕上げが終ると麻袋の中に数十本の箸を入れてもみ、つやを出した。

これに対してスギの箸は両口のカンバシもあったけれど、多くは片方だけ削った片口箸で、これをテッペンガキといった。削り方も仕上げもカンバシより雑であり、長さは六寸で、カンバシより短い。値段も安かったという。現在の割箸に似た使い方をして多くは使い捨てであった。またカンバシのほうも毎年正月になると新しい箸をおろす習慣があったので、いずれも需要がなくなるということはなかったようだ。

●箸づくりの生活

秋になって樹木が水分や養分を吸い上げなくなった時期に、箸の原木の伐採をする。弓手原も北今西も自分の山をもっている人が多く、原木は主として自分の山から採ることが多かった。箸材を確保するために、古くからこの地方ではこつこつと植林をしてきたようで、小規模ながらきれいに植林された山が目立つ。現在は箸はつくっていないけれど、先祖が丹精して仕上げてきた山があったから箸づくりを続けてこられたわけで、今度は子孫の代に利用できるように植林を行なっているのである。

下市町の割箸づくり。機械が導入されていた（下市町）

伐採した木は一時山に放置しておいて乾燥させ、秋のとり入れが終ったころに運びに行く。大径木の場合は適当な長さに玉切りして、ミカン割りに割って中の赤身の部分は捨ててしまう。理由はよくわからないが、箸は白身の部分しか使わないからであった。吉野町新子（あたらし）でヒノキの割箸製造を見せてもらったとき、やはり白身の部分で箸をつくり、赤身はわざわざ漂白してから割箸にしていた。

ミカン割りにして白身の部分だけにした材料は、家族の者が背負って家の近くまで運び、積み上げておく。また川が近いところでは丸太のまま一本一本流して家の近くまで運ぶこともした。

ミズキの場合は自生木を使うので、スギ、ヒノキのようなわけにはいかない。山で仕事をしているときにミズキの生えている場所をあらかじめ見当をつけておいて、秋になるとそれを伐りに行く。また幼木を見つけると下草などを刈り払い、大事に育てたという。ミズキは赤身の部分がないので丸ごと使うことができるが、大変重い木である。直径が二〇センチくらいの木であれば二尺七寸ほどに玉切りして背負って帰ってくる。これを四本背負うと米二斗（約三〇キロ）と同じくらいの目方があったという。

このようにして家に近いところに原木を運び込み、初冬から翌年の農作業が始まるまでの間の三、四ヵ月の間、一家がそろって箸づくりに専念したのである。野迫川村は凍豆腐（高野豆腐）の産地であったことからもわかるように、冬期間は大変寒い地方である。今年の正月は零下一五度を記録したところもあり、冬期間に外へ出て働くことはできにくかった。箸づくりは朝早くから夜の一一時ごろまで続く単純な作業の連続であったが、家の中で家族がそろってできるということは、幸せであった。一日に三人がかかって、ひと丸の箸をつくった。一〇〇膳をひとくくりにして一把といい、これをカンバシの場合は二五把で一束（ひと丸）といい、テッペンガキの場合は三〇把で一束といった。

でき上がった箸は高野山町へ運んだ。高野山町には箸などの荒物を扱う問屋が三軒あり、そこへ出したのである。現在これらの問屋は土産物店やパチンコ屋に改装されていた。土産物店には箸がならべられているが、野迫川でつくられたものではない。弓手原から高野山までは五里の道のりである。桧股を経て水ヶ峰（一一一七メー

割箸の乾燥。30本ほどの箸を扇形にして、まんべんなく陽があたるようにする（下市町）

吉野町橋屋の樽丸づくり
小割作業。玉切の丸太をミカン割り（ミカンの袋状）にしたものを、年輪に沿って割っていく（右上、左上）
削り。小割りにした板をセンで削って表面をならす（左下）
荷造り。樽丸は２～３週間乾燥させた後、束にして（右下）、出荷する

トル）へ登り、そこから和歌山県側の大滝（高野山町）までいっきに下る。大滝は谷に立地しているむらである。大滝からまた山を登り高野山の町に出る。桧股の人も北今西の人も一度水ヶ峰まで登り、高野山へ向かう。大変起伏の多い険しい道であったが、高野山、水ヶ峰、北今西を経て伯母子岳（おばこだけ）を越え、十津川におりるこの道は、高野山と熊野を結ぶ旧高野街道で、利用する人が多かったようだ。明治のころまでは水ヶ峰に何軒もの旅籠や茶屋があり、旅の者を泊めていたという。

弓手原の人々は箸を背負って高野山町まで往復した。往路は女は箸を二束、男は三束背負い、天びん棒で運ぶときは四束運んだ。天びん棒の場合スギのテッペンガキは数量にして一二〇〇〇膳ということになる。朝三時ごろ家を出て高野山で昼になり、買い物をすませて家に帰るのが夜九時すぎになったという。帰路はランプ用の石油、塩、足袋、野良着などのほか、たまにはおみやげにまんじゅうなども買って帰ることもあった。

馬で輸送業にたずさわる者も北今西に四軒、弓手原でも二、三軒あった。この人たちは箸のほかクロモジ（妻楊子の材料）や木炭などを運んだ。箸の場合は四束ずつ振り分けて、一度に八束運ぶことができた。とくに雪の多い年などは人も馬も峠を越えることができないので、仕上った箸は雪が解けてからまとめて運ばなければならない。そのようなときには、人が担ぐだけでは間にあわず、馬方に頼むことが多かったようだ。馬は兵庫県の淡路島から入っていたという。

野迫川村の丸箸づくりは昭和三〇年ころまで行われていたが、次第に機械生産による箸が出まわるようになってやめていく家が多くなったという。時期的には岡山県や北海道で一般向けの割箸生産が軌道にのりはじめた時期、またそのあおりを受けて下市の割箸が高級箸である天ソゲの生産に切り替えていった時期と重なっている。

●樽丸（たるまる）づくりを見る

昭和五八年六月に吉野町橋屋で樽丸を製造している栗山さんを訪ねた。吉野の一連の旅を計画したときに、樽丸についてはかなり時間をかけて追いかけてみたいと考えていた。以前、宮本常一先生から吉野林業は樽丸と密接に関係しつつ発展し、この樽丸が堺、伏見、灘の酒造業を大規模化させていった、という意味の話を伺ったからで、旅の途中で会った人には、必ず樽丸の話を聞いた。が、実際に樽丸製造をみせてもらったのはこのときが初めてで、栗山さんの工場をさがし当てたときは、私は少々興奮気味であった。樽丸の製造は単純な作業のくりかえしであるが、それがとてもおもしろくて、栗山さんの工場に二日間通い、あきずに作業をながめていた。

樽丸は樽の側板のことで、酒の醸造用の大きな桶の側（がわ）板は酒榑（さかくれ）、酒丸（さかまる）などとよんだ。それらをつくる職人が樽丸師（たるまるし）で、略して丸師（丸仕）とよんだ。栗山さんは酒樽が一升ビンに代った今日でも、樽丸製造を続けている数少ない丸師であった。栗山さんのほかに吉野郡では下市町に二軒、大淀町に三軒、川上村に一軒あり、桜井市に五軒ほどが製造を続けているという。

樽丸の製造工程はサキヤマ、大割、小割、削り、乾燥、荷造りの順序で行われ、乾燥までは山中での仕事であった。サキヤマは材木の伐採、玉切りすることをいい、四斗樽の場合は長さ一尺八寸、厚さ五分、二斗樽は一尺五寸と四分五厘、斗樽は尺一寸と四分、五升樽は九寸五分と四分というように、玉切るときの寸法と板の厚みが決っている。樽は主として酒や醤油などの液体輸送用の容器として用いられてきたが、同時に計測容器である必要があった。一斗樽には一斗の液体が入らなければならず、それよりも多くても少なくても、樽の役割は果さなくなる。そのため正確さが必要であった。

大割は玉切りした木材をミカン割りにする作業、また小割はミカン割りしたものを年輪に沿って割っていく作業である。割るというよりも年輪にそって一定の厚みに木をはがしていく、といったほうがぴったりする。

樽丸づくりで一番神経をつかうのは小割の作業である。スギを玉切りしたものを上から見ると、芯を中心にして赤身の部分がひろがり、外縁は白身があり、皮がついている。赤身の部分を赤、白身の部分を木皮（こわ）という。小割のときに最初にとるのが赤と木皮の境の部分で、内側に赤、外側に木皮の出る板をまず一枚とる。ここを甲（こう）つきといい、酒樽として一番高く売れる部分である。酒の味が一番まろやかになり、香りもよくなるらしい。もう一つ大切なことは、四斗樽の場合、厚さ五分の板の中に年輪が八本以上入っていること、そして樽にしたときに年輪の堅い部分のどれか一本がつながっていなければならないということである。

赤でもいいところは酒樽用の樽丸にするが、渋がつよく黒味がかったものは醤油用の樽丸にした。そして木の芯や素性の悪い部分は樽の底板に用いた。木皮のうち外側で幅が広くとれるものを極稀（ごくまれ）といい、飯櫃（めしびつ）、たらい、手桶、洗い桶などの桶材になり、樽のふたもこの部分でとることが多かった。また幅がせまくて桶板がとれない場合は、割箸の原料として下市へ送られたという。スギ皮は瓦屋根の下地、内装材、あるいは山小屋の屋根材、壁材、床材として利用した。捨てるところはまったくないという実に見事な使い方をしてきたわけである。最近また木材資源の無駄使いを防止するために、割箸を使わない運動が起りつつあるようだが、すべての割箸が木材の無駄使いをしているわけでない。長い時間をかけてつちかわれてきた伝統技術というものは、現代人が考えている以上に合理的な体系をつくり上げているのである。

小割が終ると樽丸の背中の部分を平らなセンで三回削り、樽丸の両側を芯に対して直角に削り、さらに湾曲したセンで内側を削って製品にする。これを井桁状に組んで二～三週間乾燥させ、荷づくりをして出荷するのである。栗山さんは、削りが終った段階では含有水分が二五%ほどあり、これが七%くらいに減少すると完全な乾燥状態になると科学的に説明してくれた。

●丸師の仕事と旅

今日、丸師は上市、下市などの町場に工場をかまえ、原木を仕入れて製造している。以前は杓子づくりと同様に、山に小屋をかけて仕事をしたものであった。やはり樽丸用の山を買い、その山に職人を入れ、できた製品を問屋に送り出す商売人がいて、これらの人々を材木師または親方ともいった。職人は商売人にやとわれて山に入るのである。

丸師は三人一組で仕事をする。一人がサキヤマ、一人が大割、小割、そしてもう一人が削りをする。大きい山であれば二、三組で山に入り、このように丸師が多いときは食事をつくったり、樽丸を乾燥させたり、荷造りする者が一人つく。

樽丸に用いるスギは目通り二尺五寸（約七五センチ）以上の木でなければ使用しなかった。目通りは人間が立ったときの目の高さで測った木の周囲のことをいう。目通り二尺五寸ということは、六〇年生以上の木でないとそこまでの太さにはならなかった。目通りが五尺（一・五メートル）以上のものになると木挽き（こび）が板に挽いて仕込み用や保存用の酒桶にした。直径も高さも六尺ほどもある大桶である。

山で仕事をしていたころは、酒の輸送は主として四斗樽を用いたから圧倒的に四斗樽の樽丸が多かった。樽丸の板の幅は定まった規準があるわけではなく、材料の大きさによってまちまちであった。また、節や疵（きず）がみつかるとその部分を落してしまうので、板の幅は一定の寸法になりにくかったのである。ただし荷造りには一定の基準があった。板を横に並べて三〇尺分をひと丸といい、四斗樽にして六個分になった。樽屋はこの中から年輪が通ったものを選び出し、パズルのように組み合わせて樽をつくるのである。

丸師のうち割り方と削り方は、二人一組で一日に一〇丸つくるのが標準の仕事量であったという。四斗樽にして六〇個分にあたる量である。丸師は朝暗いうちから夜遅くまでせっせと樽丸をつくり、山にめぼしい木がなくなると山を降りる。このようにして大体半年から三ヵ月くらいの周期で山を渡り歩いていたようである。

丸師が山を降りてから地元の人たちが乾燥した樽丸を荷づくりして、木馬（きんま）（木製のソリ）で山から交通の便利のいい所までおろしてくる。立木の売買は地主と材木商との間で行われるのであるが、このとき地元の仕事をつくるという配慮が常にみられた。地主は売買契約の際に、製品の運搬は地元の人間を使うという条件をつけるのである。その条件づけの権限は地主がもっていたという。だから杓子にせよ樽丸にせよ、輸送は地元の人間が行うことが多かった。

山からおろされた樽丸は、吉野川（紀ノ川）ぞいの村むらから出たものは、筏の上にのせて和歌山まで運ばれる。和歌山から船で酒どころの堺や灘などに送られた。また新宮川（熊野川）沿いの村むらからはやはり筏にのせて新宮に出して船で送られた。堺や灘には樽丸を扱う問屋がそれぞれ二、三軒あって、問屋が樽屋に売り込みをする。樽屋では専属の樽職人をかかえて、桶、樽をつくらせ酒屋の注文に応じたのである。

丸師が山に入って仕事をする山は輸送の不便な奥山が多く、便利なところでは材木のまま筏で送ることも多かったようである。河口の和歌山や新宮にはやはり丸師が

いて、そこで樽丸を製造した。その人数ははっきりとはつかめなかったが、新宮では一〇〇人ほどの丸師がいたと伝えられている。その中には吉野地方から出稼ぎに行き、定着した丸師や材木商も多く含まれていたようである。

吉野地方で丸師の多く出たところは黒滝村中戸(なかと)、槙尾(まきお)、堂原(どうはら)、雫(しずく)、川戸(かわと)、桂原(かつらはら)、寺戸(てらど)、脇川、川上村の高原、東川(うのがわ)、井光(いかり)がなどが知られている。そのうち黒滝村川戸は五七軒のうち六〇人くらい、川上村高原は一二〇軒中一〇〇人くらいの丸師が出たといわれている。大正中ご

樽丸の幅は決まっていないので、パズルのように１本分の樽丸を組み合わせる。このとき数本の年輪がつながるようにしなければならない

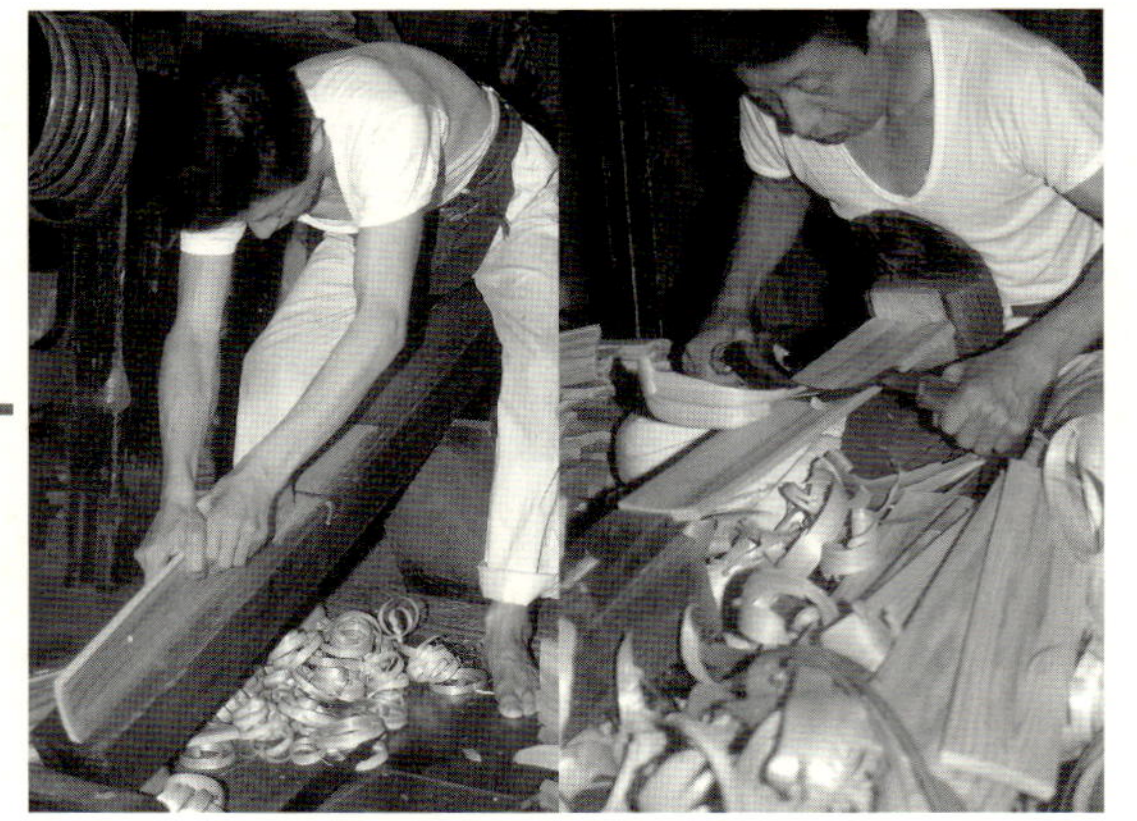

吉野から送られてきた樽丸の外面と内面をセンで仕上げ、樽丸の側面をショウジキカンナで仕上げる

基準となる仮のタガに樽丸をならべる。合わないようであれば他の板とりかえる。３、４枚に１枚はヤとよばれる台形の板が入る

底の方から仮のタガをはめ、底板と鏡を入れて様子を見る

樽の形がまとまると、ふたと底をとりはずして、中のカンナがけをする。カンナは前方に押し出すようにして使う。次いでセンを使って樽のコグチの仕上げをする

今日ではタガの固定は
機械を使用している

ふたと底をはめてタガをしめ、固定する。ふたを固定するところが樽と桶のちがいの一つ。

樽の外面をセンで仕上げる

あざやかな手さばきでタガを巻き、次々にタガをしめていく。四斗樽の場合はクチワ、カシラ（カサネ）、ナカワ、コナカ（ドウワ）、三番、二番、四番（シリワ）の合計７本のタガが入る。タガの数の多いことも樽の特徴の一つ

６本目のタガをいれたのち、底の仕上げをする

７本目のシリワを入れる。これをナキワともいう。せまい所にびしっとタガを入れなければならないので、職人はよく泣かされたという

仕上がった四斗樽

神戸市御影町の庄製樽（株）にて（一九八四年六月）

ろの話である。

丸師は黒滝村や川上村など近隣の山で仕事をすることが多かったが、広く各地に出稼ぎに行く者も少なくなかった。私が最初に訪れた栗山政一さん（明治三六年生）は、十津川村桐原の出身で、祖父の代からの丸師であった。祖父の時代は十津川村内で丸師をしていたようであるが、明治四三年ごろ栗山さんの父親は鴨緑江へ出稼ぎに行っている。このときは樽丸づくりではなく、筏流しが主な仕事であったようである。鴨緑江の水かさが増える期間だけの出稼ぎで、二、三年通ったようである。その後は宮崎県の小林へ三年間ほど行っていた。当時島津公の山林の伐採が二〇年計画で行われていて、いい材を樽丸にしたのである。小林にいる頃桜島が噴火して、大隅半島と陸つづきになった。桜島の噴火は大正三年のことである。

栗山さんの父親は当時三〇〇円という大金を得て故郷の十津川へ帰り、昭和一〇年ごろまで和歌山県熊野の那智山に入って仕事をしていた。現在那智山には二〇〇年生近いスギが植わっているが、当時八〇年から一二〇年生くらいの木を間伐して出していた。丸太のまま出すと山が荒れるというので、樽丸用に優先的に払い下げられたという。栗山さんは六、七人の仲間とともに那智山で一〇年間ほど仕事をしたが、その間にも新潟県糸魚川付近の山や、高知県安芸のあたりにも出稼ぎに出ている。いずれも半年間ほどの短い期間であったという。

昭和一〇年ごろになると材木は流送からトラック輸送に代っていく。そして新宮川流域のスギはトラックで吉野町、桜井、大阪へ送られるようになり、新宮で樽丸づくりをすることがむずかしくなっていった。そこで昭和一五年ごろ吉野町へ出て、丸喜一商店に樽丸の職人として入った。現在吉野町には一〇〇軒あまりの製材所があるが、当時そのほとんどが樽丸師をかかえて、あるいは工場主自身が、樽丸の製造を行なっていたという。丸喜一商店もそのひとつで、後に樽丸製造から製材業に力を注ぐようになり、栗山さんは丸喜一商店からのれん分けして独立、今日に至っている。

黒滝村中戸の喜田軍太郎さん（明治三六年生）も各地に出稼ぎに出た丸師の一人である。喜田さんの父親は明治五年ごろの生まれで、広島県へよく出稼ぎに出ていたという。『吉野林業全書』（森庄一郎著、明治三一年刊）によれば、吉野の山中で樽丸がつくられるようになったのは享保のころ（一七一六〜一七三五）といわれており、このとき大阪の樽丸商人が広島の職人を連れてきたといわれている。このように吉野の丸師と広島県との関係は大変深かったようで、丸師の嫁になって広島から来た人も何人かあるようだ。

喜田さんはこの父親について一六歳（大正七年）のときから丸師になり、二一歳で独立して各地に出ていくようになった。以後旅好きの喜田さんは近くの山をさけ、好んで遠方へ出かけていった。丸師は仲買人の要請があれば、どこにでも出かけて行ったのである。

喜田さんの記憶をたどっていくと、大正一二年三重県多気郡と兵庫県三方郡、大正一三年福井県今立郡河和田（現鯖江市）、大正一四年高知県（在所の名は不明）、一五年高知県安芸郡、以後昭和に入ってから岡山県川上郡、島根県飯石郡、同美濃郡、長崎県大村の奥（北高来郡か？）、山形県温海郡などの地名が次から次へと飛び出してくる。いずれも人里離れた山中で、最寄りの町から二里も三里もへだたった山が多かった。そしてみな樽丸ができるような見事なスギの植林地であったという。このような山中に小屋をかけ、三人が一組になって仕事に精を出したのである。でき上がった製品はその土地で桶や樽に加工されるのでなく、多くは西宮や大阪に送られたという。酒樽や酒桶ばかりでなく、醤油樽の注文も少なくなかった。喜田さんが長崎県大村の奥の山へ入ったときは、千葉県野田のキッコーマン醤油の仕事であった。キッコーマンが大阪に支店を出すのにともなって、広大な山を買い、主として一斗樽用の樽丸を製造したという。このときは丸師が五〇人くらい山に入り、大変にぎやかであったようである。製品はやはり大阪に運ばれた。

丸師のうちでも喜田さんは特殊な存在であり、多くの丸師は地元の黒滝村や川上村内の山を歩くことのほうが多かったようだ。そのため両村内合わせて二〇〇人あまりの丸師がおり、そのほか吉野川河口の和歌山と新宮川河口の新宮に丸師が集中していた。材木のトラック輸送が行われるようになって、吉野町上市や下市に丸師が集まった。また樽丸の需要が少なくなるにつれて製材業にかかわる者が増えていった。これが樽丸製造のおおまかな歩みである。

●酒造と結びついて

吉野の山中で樽丸をつくりはじめたのは、享保のころであったことは先に述べた。丸師は広島の人で、最初に入ったところは黒滝村の鳥住であったという。その後地元の人も樽丸づくりの技術を収得し、地場産業として定着していった。黒滝村から丸師が多く出たのは樽丸づくりの中心地がこの村であり、次第に周囲の村へ技術が伝えられていったからだと思われる。宮本常一先生の話によると、吉野山中で生産された樽丸は、人の背で大和の五條まで運び、五條から旧高野街道を牛の背につけて堺まで運んだ。それで江戸時代の初めごろまでは、堺が大きな酒の産地になった。当時堺には酒造家の株が八三軒もあり、また樽丸の問屋が二〇軒もあったという。

また享保年間以前から吉野のスギは樽丸材として名が知られていたようで、吉野川を利用して原木のまま和歌山へ送られ、和歌山で樽丸が加工されていたが、このシステムは後まで残っていった。つまり吉野川、またはその支流に近い山では主として原木のまま流送され、流送がむずかしい奥山の材は樽丸に加工して、人の背で運び出していたものと思われる。それは奥山のスギまでが商品価値が出てきたことを物語るものであり、酒造地帯が堺から兵庫県の灘地方にまで広がっていったことと重なっているように思われる。『日本産業史大系、近畿編』（東京大学出版会　昭和三五年刊）によると、天明五（一七八五）年に灘地方から六八万樽余りの酒が江戸に送られている。この量は関西方面から江戸に入津した酒の四〇%余りを占めており、灘を中心にした関西の酒造業者の間で、かなりの数の樽丸の需要があったことを示している。江戸へ送られた酒樽がすべて吉野産のスギであったかどうかはわからないが、後に述べるように木香がよく、色もいい吉野スギが好まれたのは事実であった。このように吉野の東部地方では江戸時代前期から企業的なスギの生産が行われ、その一環として樽丸生産が、やはり企業的に行われていたことがうかがえるのである。

三章 吉野林業を支えた植林技術と人々

●吉野の自然環境

今まで見てきたように同じ吉野郡内でも様々な木を利用して木器をつくってきた地帯と、主として樽丸を生産してきた地帯とがあった。なぜこのような差が生じたかという問題は、私には大変興味があった。これまでの旅ではっきりしてきたことは、林業がさかんな地帯に丸師が多く出ていたことである。たしかに林業地帯では規格に合った材料がまとまって得やすいから、企業としての樽丸生産が可能であった。しかも伐木後はまた植林し、スギを育成していくので、材料が枯渇する心配はない。そこでこの章では企業的な樽丸を生産可能にした吉野林業について話を進めてみたい。

林業は自然相手の産業なので、地質、降雨量、風、斜面の方向などの自然条件が、いいスギを育てるための条件としてあげられる。『吉野林業全書』（森庄一郎著、明治三一年刊）『吉野林業概要』（北村又左衛門著、大正三年刊）などの書物によると、吉野郡の林業地帯は古生層及び中生層から成り、砂岩、粘板岩、凝灰岩、硅岩、角岩、石灰岩などで構成されているという。とくに古生層の岩石は分解して良質の土壌になり、その組織が適度に粗粒であるために空気や水の透通がいい。しかもその中に植物性の腐朽物が混入しているために、土壌がよく肥えているという。つまり植物がよく育ち、スギの植林に適した地帯が、吉野林業地帯であるという説明である。

次に雨量であるが、吉野郡の東に位置する大台ヶ原は日本一の降雨地帯としてよく知られている。年間四〇〇〇ミリ余の雨量を記録し、その西方の川上村、黒滝村、北方の東吉野村では年平均二〇〇〇ミリ余の雨量を記録するという。これらの地帯が前述した東吉野にあたり、良質のスギが育つところである。

吉野地方はまた強風がふき荒れることの少ない地帯でもある。吉野木材振興協議会事務局長の家根義誠さんの調査の結果をお借りすると、吉野地方が今まで台風で大きな被害を受けたのは昭和三六年の伊勢湾台風の余波をうけたときくらいで、たいていの台風は伊勢湾か紀伊水道に入り、吉野の山を直撃することは少なかったという。それは吉野郡全体が紀伊山地のなかにあって、東に台高山地、南に果無山脈、そして西に高野山へつながるさらに高い山脈に囲まれているためで、いわば自然の屏風に保護されているためであった。

スギとヒノキを混植した山。山の適性がわからないときはスギ、ヒノキを混植し、成長の具合をみてどちらかを優先的に育てる

さらに吉野の東部地方と西部地方に決定的な差をもたらしたのは斜面の方向であったと思われる。吉野郡を大きく分けてみると、吉野川（紀ノ川）流域、十津川流域、北山川流域とに分れる。吉野川流域には下市町、吉野町、西吉野村、東吉野村、川上村があり、十津川流域は天川村、大塔村、野迫川村、十津川村、そして北山川流域には上北山、下北山の両村がある。

このうち吉野林業地帯とよばれている地帯は、吉野川流域の南側に位置する地帯で、そこには北向き斜面が大変多い。南側に紀伊山地のなかでもひときわ高い大台ヶ原や大峰山系をひかえているからで、吉野川の谷へ向かって北向きの斜面が延々と続いている。北向きの山は湿気を多く含み、しかも太陽の光が均等にあたるために良質のスギを育てるには最も適した山で、とくに吉野林業地帯の中心地である川上村は、そのほとんどが北向き斜面という好条件を備えている。しかもすぐ南に雨量の多い大台ヶ原をひかえ、山々は常に霧がかかったような状態にあった。川上村のスギは赤身が大変きれいなピンク色をしており、木香がよく、酒樽にはとてもよいものであったという話を各地で聞いた。素人の私がみてもやはり香りがよく美しいスギであることはすぐにわかった。

これに対して十津川流域、北山川流域の村むらの山は、多くは南面している。スギが育たないわけではないが、川上村のものにくらべると酒樽としての品質はよくなかった。それでも流送の便が比較的よい大塔村天辻、阪本、猿谷、飛養曽、辻堂、閉君などの地域では、樽丸の用材を新宮へ流し、また現地でも樽丸製造をしていた。しかしそのほかの地域では大規模な林業の発達が遅れ、高野山や大峯山と結びついた形で生活雑器の生産が続き、また五條や下市の問屋を通して、各地へ売りさばかれた。この地方で植林が始まるのはようやく明治に入ってからで、とくに戦後になって規模の大きな植林がみられるようになったという。

●密植は畑作と似ている

このような自然条件の良さを利用して吉野の東部地方を中心とした地帯で、独特の林業を生みだしていった。吉野林業の特色は密植である。一町歩（一ヘクタール）当り八〇〇〇本から一万二〇〇〇本の苗を植え、それを何回も間伐することで素性のいい木を残し、八〇年から一〇〇年生の木までに育て上げていく。たとえば一町歩に九〇〇〇本の苗を植えたとすると、坪（三・三平方メートル）当り三本の計算になる。ふつうスギの植林といえば一町歩当り一五〇〇本から三〇〇〇本ほどという地帯が多いようであるから、かなりの密植である。

植えてから八、九年の間は毎年下草刈りをして苗木の成長を助け、下草刈りをしなくてもよくなったら一度除伐をする。除伐は、大きく育ったときに素性がよくなりそうもない木を伐り除く作業で、この作業は一一年生から一二年生のころにもう一度行う。このくらいの木になると、稲を乾燥させるためのイナガケの足として、農村地帯への需要があった。その後一五、六年生ころから間伐を始め、以後五年から一〇年の間に一回ずつ、合計一三回ほど間伐を続け、皆伐するころには四〇〇本から五〇〇本ほどの木を残すのみとなる。

間伐材は年数によって様々な用途があった。一八年生くらいからいいものは磨丸太として床柱や化粧材になり、そのほかテント棒、霧除（小庇）材、太いものは建築用の足場丸太としての需要があった。二六、七年生になると柱材、三五、六年生のものは桁材、五〇年生にな

山の神に祈りを奉げる。山の生業に頼ることが多かったこの地方では、山の神の祭りが盛んに行なわれた。枝が自然のままに伸びた杉の木の根元に、山ノ神の祠がある

ると建具材、各種箱材などに利用でき、廃材はかまぼこ板や割箸材となる。そして六〇年生になると柱、長押、垂木、敷居、鴨居、天井竿などの各種建築材や建具、指物材として用いられる。そして八〇年生から一〇〇年生になると皆伐して、かつては樽丸や桶材として用いられた。樽丸や桶材の需要が少なくなった今日では、建築、建具、指物材が主流を占めるようになった。

　このように、八〇年から一〇〇年くらいを一期間として、その間に樹齢に応じた種々の素材を市場に出していった。そのため、皆伐して得られる利益と、間伐材で得られる利益はほぼ同じくらいか、後者のほうが多い場合もあったという。また間伐を続けていくことで定期的に収入が入り、林業経営がやりやすかった。今日でも吉野町の木材市場に入る材木の八七%ほどは間伐材で、なかには二〇〇年生の間伐材も含まれているという。

　このように密植することで育った木は、大変上質なものであった。日本人が木材の価値を決めるときは一定の規準をもっている。木がまん丸いこと、まっすぐに伸びていること、根元と末の細りが少ないこと、節がないこと、色や艶がいいこと、そして年輪が緻密でその間隔が均等であることなどである。材木を扱う業者も職人も使う人も、非常にきびしい目で木材の良し悪しをみつめ、きれいな木目や木の肌や香りを愛してきたのが日本人である。と同時に桶樽材にせよ、建築材や建具、指物材にしても、このような木であれば加工がしやすく、それぞれの機能を充分果すことができ、利用者は何年でも何十年でも大切に使うことができた。

　日本人の木に対するきびしい要求を完璧に近い形で供給してきたのが吉野材である。このような木を育てるために、吉野の人々は密植という方法を開発し、体系化していった。密植をすれば一番外側の境木は別として、内側の木は風による害が少なく垂直に伸び、陽の光が平均にあたるのでまん丸に育ち、年輪も均等になる。また陽があたりにくいので育ちが遅く、従って年輪が緻密で、根元と末の太さがあまり変りなく育つ。密植のために枝を横にはりにくく、太陽の光を求めて木は上へ上へと伸びていくためであるという。吉野材の元丸（一番根元に近い材）の元と末の太さの差は、二間もの（四メートル材）で約一寸（三センチ）しか違わないという。そして一本の木で二間ものを最低五本、いい木になると七本もとれることがあるという。

　さらに密植でいいことは、枝打ちの手間が省けることであった。植林して九年か一〇年目くらいに紐打ちといって、秋から冬にかけてスギが養分や水分の吸収を停止した時期に葉梢を伐り払うが、その後枝打ちの作業はしなくてもすんだ。枝が自然に枯れて落ちてくれるのである。また間伐をするたびごとに枯枝が自然に落ちる。ただ初期のころは長さ一〇メートル余りの棒で、枯枝を落してまわる作業があり、これを払い打ちといった。このようにさほど手を加えることなしに樹木の生理を利用して、無節のスギをつくることができたのである。

　密植はすぐれたスギの育て方であるのだが、この方法は吉野であるからなしえた方法であった。吉野の山は密植に耐え得るだけの土壌があり、雨量にも恵まれ、大きな風に見舞われることが少ない地帯であったことは先に述べた。根元から末まですっと伸びた木は風にはすこぶる弱い。加えて北陸、信越、東北地方のような豪雪もなかった。私は新潟県や福島県の会津地方で、雪に押されて根曲りしたスギや、真二つに裂けてしまったスギをよく見たが、このような地方でいいスギを育てることは大変むずかしいことを知った。幸いにして吉野ではそういう被害にあうことが少なかったのである。

さらに感心することに、この自然条件を利用するだけでなく、保護することも同時に考えていた。雨が多く急斜面の多い地帯では肥沃な表土が流れやすいのであるが、それを間伐することで防止してきた。つまり一度に皆伐して山を丸坊主にしてしまうのではなく、約一〇〇年もの間に適当に木を抜き伐りすることで、土壌の流出を防いだのである。この方法が吉野の山を荒らすことなく今日まで保ち続けてきた大きな要因であったように思われる。古い時代にこのような自然条件の良さを見い出し、密植、間伐の体系をつくり上げていった吉野の人々の智恵の深さに、私はただ驚きの目をみはるばかりであった。

密植、間伐という林業の体系は、もともとは農業から学んだ智恵であったように思える。それも稲作ではなくて畑作であった。大根や白菜などの野菜をつくるときは種をたくさんまいて、成長の遅いものや形の悪いものは間引きをしていい作物を育てていく。それと同じ感覚が吉野林業の中にみられるのである。この地方の人々は間伐に行くことを「間引きに行く」とか、「抜き伐りに行く」といっているが、この言葉のなかに畑作農業の名残がみられるように思う。それに吉野林業の中心地である川上村には水田は一枚もなく、純粋な畑作地帯なのである。

今日ではスギの苗木は水田地帯の業者から購入する場合が多い。かつては吉野地方でもスギ苗を育てていたようで、今日でも苗畑をときどき見たが、いずれも規模が小さかった。スギ苗は七〇年から八〇年生の母樹から種をとり、数日間乾燥させる。採種時期は秋の土用のころが最も良いといわれている。乾燥した種子は一日ほど水に浸し、浮き上った種子を除いて、良質のものだけを選んで陰乾しをして、再度水選をする。そして最も上質な種だけを三月中旬から四月上旬にかけて畑にまくのである。種の量は一坪当り三合ほどで、苗がのびてきたら数回施肥、間引き、除草をする。播種から一年後の春に床替えをして、さらに二年目にもう一度床替えをする。この間も除草や施肥をして、畑の作物を育てると同じように世話をする。そして満三年を経るとスギ苗は四五センチほどに成長し、これを山に植えるのである。植林の時期も三月中旬から四月上旬のころがもっとも良い季節であった。このようにスギの苗木の育てかたは畑作の作業そのものであり、その感覚が密植して間伐していくという、山の作業に引き継がれていっているように思われた。私は吉野の山を最初に見たとき、吉野の人々は山を畑にしてしまった、という印象を強く抱いたのは、このようなところに原因があったように思う。

この地方でいつごろからスギの密植が行われていたか

は明らかでない。ただ前出の『吉野林業全書』には、文亀年間（一五〇一～一五〇三年）に植林が初められ、大阪城築城の際に吉野材が使われて筏を組んで吉野川を下ったとある。また築城後の大阪で吉野の人が材木を並べて売っていたという。そして寛文年間（一六六一～一六七二年）には化粧用の垂木や床柱などに用いる磨丸太の生産が初まったとある。城郭建築や武家の書院造り、茶室などに建材として使われたのであろうか。磨垂木は茶室などに使われる化粧用の垂木であり、磨き丸太は床柱や軒桁に使われる高級材である。

家根さんの話によると、このような丸太は密植をしないとつくれないという。そして寛文年間にすでに密植が行われていたとすれば文亀年間、あるいはそれ以前から密植に対する知識があったのではないかと考えられる。何故なら林業は農業とちがって、播種から伐採まで数十年の年月がかかるため、ひとつの生産体系ができあがるためには、少なくとも百年以上を必要としたのではないかと推測できるからである。

ところで、『日本産業史大系　近畿編』によれば、鎌倉時代には奈良の田原本（たわらもと）とその西隣りの坂手（さかて）には桧物（ひもの）座があって、さかんにヒノキの曲げものがつくられていたという。吉野は原料であるヒノキを供給していただけでなく、曲げものもつくっていたようだ。曲げものは素性のいい木をうすくはいで曲げ、サクラの皮で縫い合わせて底をつけたもので、桶以前に多用されたうつわであった。曲げものをつくる過程で最も難しいのは木をうすくはぐことであり、そのためには、年輪が緻密で節のない木が必要であった。それは樽丸をつくるのにも全く同様である。

吉野の人々は古くから曲げものをとおして、いい木を探し育てていく方法を知っていたのではなかろうか。室町時

急な斜面を拓いた畑でヒノキの苗を育てる

代の終りごろから曲げものに替って、強くて大きなうつわである桶が普及していくのであるが、吉野では曲げもの用の原木をつくる技術が、密植による桶材用のスギの生産に生かされてきたようにも思えるのである。そして曲げものの技術そのものは、大峯山に参拝する信者たちのみやげものとして売れたために洞川に残ったのであろう。

●借地林業と山守(やまもり)制度

林業は大変時間と人手を要する産業である。植付け以前に種子の採取、選別、苗木の栽培、植林地の地ごしらえ(地あけ)があり、植付け後も一〇年間ほど下草刈りを行ない、枝打ち、除伐などの作業が続く。そして皆伐するまでには八〇年から一〇〇年ほどの歳月を要した。

林業地としては大変めぐまれた条件にあった吉野であるが、地元の人々だけの力で、林業経営をすることはむずかしかったようである。林業経営は年数と人手がかかるために、よほど財産の蓄積があるか、有利な副業をもっていなければ、なかなか経営ができなかったのである。そこで考え出した方法が借地林業であった。借地林業というのは、資金の余裕のある者が一定の期間山を借地して林業経営を行い、立木の伐採時には材木の価格の幾分かを地主に支払う制度である。つまり山の所有権は地元でもち、使用権を各地の財産家に売り渡すのである。その期間は立木一代限り、定期、年限内一代限りの三通りがみられる。立木一代限りというのは植付けをしてから伐採するまでの期間で、年数は決っていない。定期というのは数十年から数百年の間の一定の期間を貸借人の間で定めるもの、また年限一代限りは前二者の折衷案で、一定の年限は定めておくけれども、年限内に立木を伐採した時点で、跡地は地主に返還するという方法であった。

この借地林制度は元禄年間(一六八八〜一七〇三年)のころに始まったといわれているが、基本的には現在の分収造林と同じシステムである。分収造林の場合は国や

ヒノキのヒモ打ち。この木が立派な成木になるのは孫の代である

県にある一定期間土地を提供し、造林撫育に関するいっさいの経費は国や県で負担する。そして造林地の伐採をした後に、利益を分配する方法である。地元では植林や撫育の仕事にたずさわることができ、しかも伐期になるとそれなりの収益があがり、伐採跡地は返還されるのである。元禄年間から吉野地方で借地林制度が実施されていたとすれば、現代に通用する林業がかなり早い時期に成立していたことになる。資本家に資本は出してもらうが、むらの共有林の場合は庄屋が、個人有林の場合はその所有者が山守として山の管理にあたっていた。つまり、林業経営や林業労働の主導権は地元がもっていたのである。

借地林業の傾向は、明治以降さらに拡大していった。吉野の山の高い財産価値に目をつけた奈良県内の農村地帯の地主層が、明治一〇年すぎから山林に手を出すようになったからである。当時、山林労働の日当は米で支払うことになっていたから、地主たちは水田経営を基盤とし、そこであがった小作米を吉野に送ることによって、山林経営にも手をひろげていったのである。そして、明治二〇年ころまでには多くの立木が村外者の手に移っていった。

それればかりではなく、こうした村外の豊かな資本の力が伸びてくると、従来のような借地林業の段階にはとどまらない。規模の小さな個人有林は、次第に土地そのものまでも村外資本に渡ってしまうケースも多くなっていったのである。

さらに大正一二年の部落有林野統一の政策により、部落有林の多くが、やはり村外地主に渡ってしまったという。部落有林野統一というのは部落有林の散逸を防ぐために政府が推し進めていった政策で、江戸時代の旧村単位（多くは現在の大字にあたる）で保有していた林野を新制の町村有として合併しようとした。ところが、広い共有林をもっている部落も、あまりもっていない部落もあったために、どうせ自分たちの手で管理できなくなるのであれば、早く売って金にしたほうが得だという考えが広まり、多くの共有林野が平地の地主に移ってしまうことになった。

こうして、現在、吉野林業地の多くは村外林業家のものになっている。ところが、山林の経営そのものには借地林制度の伝統が生かされており、その主軸をなすのが山守制度である。

借地林制度の時代と同じように、山守は地元にいて村外林業家の代理として、造林撫育の管理運営をとりしきる人である。共有林を売買したときはその代表者（多くはむらの有力者）が山守にあたり、私有林の場合は旧所有者が山守になるケースが多かった。山守は旦那（村外林業家）と相談しながら林業経営に関する作業を計画し、作業にあたる山林労働者を確保し、自らも山林労務に従事する。造林撫育に対する経費のいっさいは旦那が支払うので、山守が自ら作業にあたれば山守料のほかに、自分の日当も支払われるからである。このほかにも間伐、皆伐の時期の設定、材積調査、売買価格や諸経費の算定など、必要に応じて旦那の相談相手となる。そして材木を売った収入の三％ないし五％が山守賃として支払われた。

このように、山守には材木売却時の収入が保証されていただけでなく、山林の管理運営面をにぎっていることによって、地元に対しても旦那に対しても大きな影響力があった。地元の山を熟知している山守の協力なしには、山林経営は成り立たなかったから、旦那に対する山守の権利は管理運営のみならず材木の売却にもかかわるようになった。

その結果、山守権はひとつの財産としての価値をもって世襲されていく。そのため、経営難で資本家である旦那は代っても、山守は何代も続いて同じ山林に権利を保っていくことが多かった。また小規模な山守から権利を買い取り、大きくのし上っていく者もあって、むらの重鎮として村政を左右する者も現れてくる。吉野林業地の村長経験者には数百町歩もの山を管理する山守が多いのはこのためである。

また、昭和二〇年以降、吉野近辺の各地に木材市場ができ、市場から前受金を借りることができるようになると、山守自身が伐期に達した山林を山守料を引いた価格で旦那から買い取り、自ら材木商として伐採、搬出し、市場に出すようにもなっていった。

三度目の旅で友人のAさんにお世話になったとき、旦那と山守の関係をかいま見ることができた。折から山林経営に関する打合せをAさん宅で行なっていて、その席に同席させていただいた。Aさん宅では一番奥の座敷に二人の山守さんを招き入れて、いろいろな相談ごとをする。そして打合せが終ると料理屋へくり出して、もてなすのである。

「私が山守さんの家に行ったときに、やはり同じような接待を受けるから、できるかぎりのことはします」とのことであった。その言葉どおり、私がAさんに連れられて別の山守さん宅を訪ねたとき、心暖まる接待を受け、大変恐縮してしまった。

両者の緊密な関係は、お互いに利益を守り生活を守るためであるのだが、旦那と山守の関係は親戚づき合い以上の暖かさと親密さがあった。Aさんと山守との関係はもう四代前からの付き合いで、お互いに深い信頼関係で結ばれていればこそ、このような息の永い関係が続けていけるのだと思えた。

●最初の山林労働組合

山守はむらでの数少ない有力者層であって、他の多くの人々は山守をつうじて雇われて造林撫育、伐採、搬出などの山仕事にたずさわる山林労働者であった。樽丸職人もそのうちにはいる。このように、吉野林業にかかわる人々の間で、旦那、山守、労働者という階層に分れていくのであるが、吉野では明治時代にすでに山林労働者が組合をつくり、統制のとれた活動をしていたことを知って、私は大変興味をもった。

吉野で一番早く山林労働組合ができたのは川上村であることを聞いて、川上村高原の山谷豊重さん(明治三九年生)を訪ねた。山谷さんは一五歳から家計を助けるために樽丸職人になり、以後山林労務にたずさわってきた。昭和二三年から高原山林労働組合(略して山労という）の組合長、そして昭和三二年から二〇年間にわたって川上村山労の組合長をつとめ、この間昭和四七年から五一年まで全国山労の委員長をつとめた人である。がっしりした体格の大柄な人で、山で鍛えたその身体は衰えを知らない風であった。

招き入れてくれた山谷さんの部屋には、焼きスギを加工した花立てがいくつも飾ってあった。山林労働者は生活が不安定であった。とくに近年は木材景気が悪く、山林主は伐木をためらうケースが多い。たとえ仕事があったとしても、雨や風が強い日は休まなければならない。年間の就労日数が限られてしまうのである。そこで地元にある材料を利用して、副業として考えついたのが焼きスギの花立てであったという。スギの根本の部分を利用して焼き、木工旋盤で仕上げていく。山谷さんはこの技術を一四年かけて独力で開発し、ようやく高原の人々に指導できるところまでこぎつけたという。山谷さんはこの花立てと、昭和五三年に自費出版された『川上山労とともに』という、山谷さんが歩んできた人生がびっしりつまっている本を記念に下さった。そしてこの二つの贈り物は私のこの上もない宝物になった。

川上村の山林労働組合が設立されたのは東川（うのがわ）地区が一番早く、明治三六年のことで、時に日露戦争勃発の前年であった。吉野郡のみならず、日本で最初にできた山林労働組合であるともいわれている。

東川で最初に労働組合がつくられたのは、他地区にくらべて労働者が多い割には山林面積がせまくて就労できないケースがあったこと、しかも川上村の中では吉野川の下流にあたり、平場の農民が出稼ぎに来やすかったために、労賃が安くおさえられがちであったことなどが大きな理由であった。そのために、当時

材木の初市風景。1月10日に初市が開かれ、各地から業者が集まり活気ある風景がみられた（桜井市）

の組合の最大の目的は、地元の人間が安定した仕事を得ることにあった。組合は流送業者を含めた純然たる山林労働者の組織で、原則として山守は非組合員であった。

当時の組合の規約を見ると、まず第一条に「労働時間を一定にすること」とある。たしかに、樽丸や杓子づくりでもそうであったように、山林労働は長時間の重労働というのが慣習になっていた。そうした労働条件を改めていくには、労働時間を一定にしていく必要があった。それだけではなく、木材業者から仕事を請負っていた組合が、適正な人員配置のもとに仕事と賃金を保障するとともに、それを持続していくためには、組合自体で自己規制をして一定の労働時間は確保しようとしていたようである。

当時を知る人の話によれば、組合員は毎朝六時に寺の境内に集まり、七時までには人員配置に責任をもつ組合の事業部長の指示のもとに、それぞれの現場へ入った。朝食は現場でとり、仕事の開始は八時からだったという。

現在の山林労務では若い人が伐採、搬出などの、危険で重労働の仕事につき、年配者は植林、下草刈り、枝打ちなどの山林撫育にまわる。そして労働の難易によって賃金が決められるのが通常の賃金システムになっている。組合結成当時の東川では若い人が重労働にたずさわっていたことは同じだが、賃金は一律にするという取り決めがあった。年配者は山林撫育の比較的軽労働につき、若い人に助けられて一人前の賃金を得、また若い人もいずれは老齢をむかえ、若い人に助けられる日がやってくる。このようなことが配慮された上での取り決めであった。

また「山守の指定を確実に遵守すること」「製材には物品の声価を落さざる様注意すること」ともある。これらのなかに、雇傭者側の山守や旦那と協調しつつ、組合の信用を保ち、組合員の仕事を継続的に確保しようと懸命になっている姿勢を感じとることができる。そうすることによって、組合員の結束を強め、他に仕事を奪われることなく、さらには労働条件を改善していく方向へつなげていこうとしていたのではないだろうか。このような組織的な活動が明治後期に、山深い吉野の山中で行われていたことが、私には新鮮な驚きであった。

さらに心を打たれることは、労働組合の姉妹組織として「東川労働保護財団」をつくり、組合員の財産を蓄積し、自らの生活を守ることを積極的におし進めていったことである。山谷さんの書かれた本によると、この組織は組合員の共済事業を行う目的があり、明治四四年から賃金の三%を積み立て、非常の場合に備え、蓄積された資金で組合の共有山を購入し、組合員の労働力を出し合って植林をしてきたという。一度失ってしまったむらの山を、少しずつでも買いもどし、共有財産を増していこうという努力が払われてきたのである。

東川の労働組合に影響されて、川上村内をはじめ東吉野村、吉野川下流の和歌山県の林業労働者が、組合づくりに力を注いだという。川上村では大正三年に白屋（しろや）、大正一〇年に井光（いかり）、そして大正一五年に高原で労働組合が組織された。山谷さんも当時は丸師の修業時代であり、多感な年ごろであった。朝暗いうちから夜遅くまで働きつめても、なお楽にならない暮しに疑問をもちはじめ、労働運動に参加し、やがてそのリーダーとして活動を広げていくのである。しかしながら明治、大正、昭和初期の労働組合は、各地区内の労働者の就労確保が最重点におかれたため、仕事を奪いあっての排他的な性格が非常に強かったという。川上村全体がまとまるようになるのは、昭和二〇年以降の労働組合運動を待たなければならなかった。

このように吉野林業地帯ではそれぞれの立場は異にしつつも、山林主、山守、山林労働者の力によって、スギやヒノキが育てられてきた。山の頂上から深い谷底にいたるまで、見事に埋めつくされてきたスギやヒノキの林は、気の遠くなるような長い年月を経て、多くの人々の智恵と努力によってこつこつと築き上げられてきたものであった。

●新たな出発

吉野地方の東部と西部のちがいを決定的にしたのはスギの密植、間伐林業であり、密植林業を可能にさせたのが恵まれた土壌、雨量、北斜面の広さ、そして吉野の人々の智恵の蓄積であった。しかも後背地に京阪神という大消費地をひかえて、間伐材は建築材、家具材、指物材などに、そして皆伐材は樽丸や桶材として確実に需要があった。このような東部吉野の山は財産としての価値が高かったために、平野部の資本家は競って進出してきた。そのため山は見事なスギで埋まっていったが、反面

下市の川沿いの製材所。製材した板を井桁状に積み重ね天日で乾燥させる

広大な山々が平野部の資本家の手に渡ることになった。現在、吉野林業の中心地である川上村では九〇％余り、西部の野迫川村では六〇％ほどの山が資本家の手に渡っているといわれている。

数字的には大きな差がないようにみえるが、ふつう村から遠く離れた不便な山から資本家の手に渡っていく。そのため西部地方の人々がもっている山は比較的村に近くて便利な山が残り、山林経営をしていく上で大変有利な条件になった。また明治から大正時代にかけては、より良質なスギの育つ東部へ資本進出が集中したために、西部では遅くまで地元有林が残った。数字にあらわれた差以上に、東西の差は大きかったのである。

その結果、西部吉野では多種多様な樹木を用いた生活雑器の生産が遅くまで残った。それはスギの植林が東部より遅れたこと、そして大峯山や高野山といった名高い信仰の場をひかえ、みやげものとして、また五條や下市の問屋に送り出すことで、米や金と交換できたことが大きな理由であったように思う。

一方東部を中心にした吉野林業地帯では、良質の樽丸や桶材が大量に生産されたために、関西の醸造業に大きな影響を与えることになった。大阪周辺と兵庫県灘地方を中心とする地帯が、日本でも有数の酒造地帯として発展し、その販路を関西一円のみでなく、遠く江戸にまで伸ばし得たのは、吉野林業をぬきにして考えることはできない。直径、高さとも六尺余りもある酒造用や貯蔵用の大桶は、酒の大量生産を可能にし、酒樽は遠隔地への輸送を容易にしたからである。

このように吉野地方では東部と西部で、それぞれ特色ある木器や素材の生産がさかんに行われ、それが直接、間接に、私たちの生活にかかわり合いをもち続けてきた。今日では酒造用の大桶はホーローびきの桶に、酒樽は一升びんに、またその他の生活雑器も金属製のものやプラスチック製品に替っていったが、昭和三〇年以前の日本人の生活をふりかえってみたとき、木器が果してきた役割はことのほか大きかったように思う。その片鱗を今に残している吉野地方は、私にとって大変魅力的なところである。

六回にわたる吉野の旅では、この地方に伝えられてきた生産技術の巧みさに胸をときめかせ続けた毎日であった。そして当初抱いていた疑問が、少しずつではあるが解けはじめてきているように思う。同時にさらに大きな問題が頭をもたげつつあることも感じている。今までの記録の整理が終った後に、再び訪れてみたいところである。

糸の匠（たくみ）
淡路島のだんじり屋

文・写真 近藤雅樹
写真 神戸佳文

淡路島のだんじり屋・梶内家の「浮きもの刺繍」の製作風景。
写真提供・産経新聞社

■ぼくの「まつり」体験

雨の宵宮にて

淡路一の宮・伊弉諾神宮の春祭りは、今日が宵宮である。さぞ賑わっているだろうと思っていた。ところが、乗合バスから降りて雨中の境域に入ってみても、人っ子ひとりいない。実に静かなものだった。

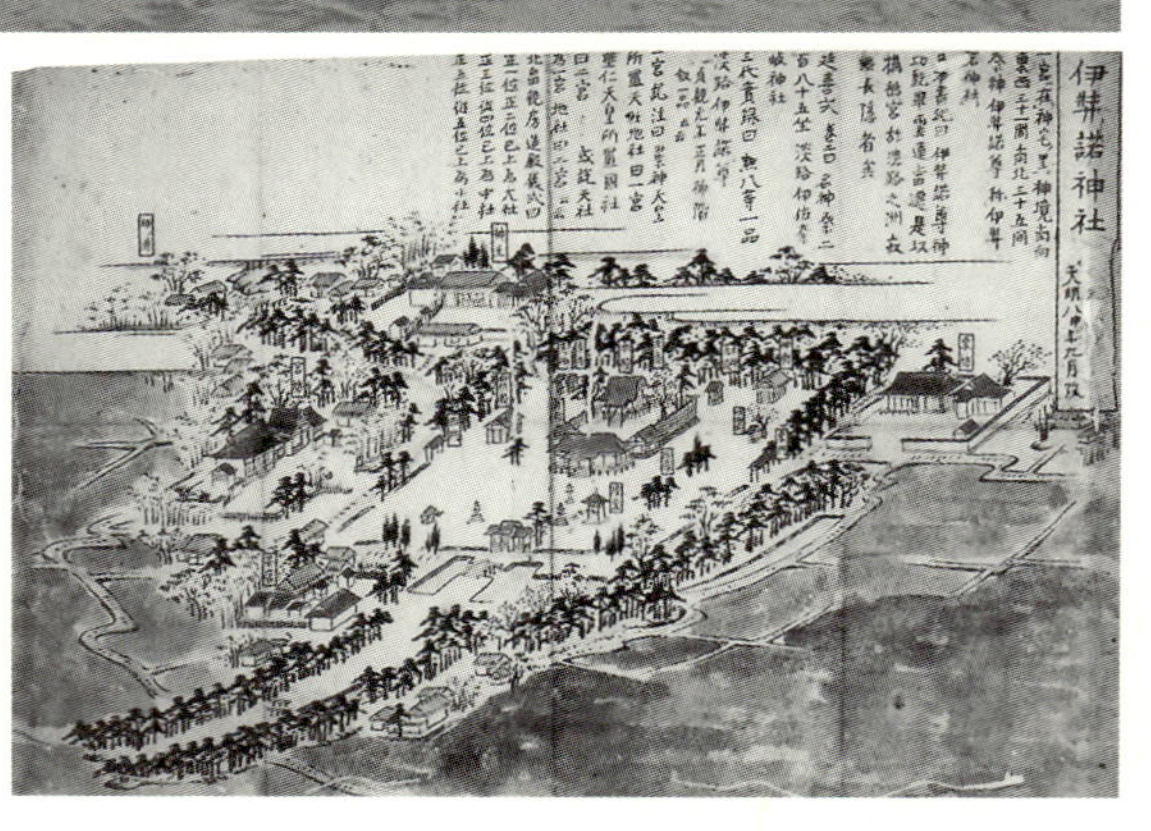

上　淡路一ノ宮の伊弉諾神宮拝殿。折からの雨にしっとりと濡れ、神さびた風情を漂わせていた
撮影・神戸佳文

下　『淡路名所図会』に描かれた伊弉諾神宮

「本当におまつりがあるのかねえ、日を間違えたってことはないよね」

一緒に来たK君に思わず問いかけてしまった。

「ハア……」

と、K君も頼りない返事をする。雨は強くはなかったが、傘は必要だった。大きな旅行カバンを携げたうえに、ブローニ・カメラと撮影機材一式を詰めたジュラルミンケースを肩にかけたK君にとっては、そんなことより、とにかく早く宿に入りたかったに違いない。ショルダーバッグとペンタックスを首からぶらさげただけのぼくは、のんきにキョロキョロしていた。本当に誰もいないのだろうか。

広い境域の砂利道をK君とぼくだけが歩いていた。

ぼくたちが伊弉諾神宮の祭礼を見物するため淡路島へ渡ったのは、昭和五十七年四月のことだった。当時は、まだ明石架橋は夢物語りに近かった。ぼくたちは明石海峡を二百トン足らずの連絡汽船で越えて来たのである。一方、鳴門架橋の工事は着々と進行していて、あの橋ができたらうず潮が消えてしまうのではないか、いや、どうやら大丈夫らしい、などとささやかれていた。今、淡路島は明石海峡大橋の架橋が現実のものとなり、島内はもとより全国的な関心を集めている。しかし、当時は、まだそういう話が、初対面の挨拶に続いてすぐ話題になるというほどさし迫った日常的な問題には、なっていないようすだった。

広い境域の処々に露天商の資材が置かれていた。天幕を張り終えた店も二、三はあったが、こんな天気具合でもあるし、見物客をあまり多くは見込んでいないのだろう。

「今夜あたり、雨があがってから店を出すんだろうね、きっと」

「まあ、そんなところでしょうね」

K君も拍子抜けしている。

伊弉諾神宮の社殿は、一の宮の名に恥じぬ立派な建物だった。檜皮葺屋根の寂とした拝殿は、重く垂れこめた灰色の空を支えるように広く堂々としており、神聖さを印象づけるには充分だった。

「これはいい」

俄然眼を輝かせたK君が撮影の準備をはじめた。場所を選び、三脚をたてて、そうして露出計を片手に雨の止むのを待った。

一時間ほど待った。しかし、無情の雨は、もう止むだろうとみえながら、いつまでもしょぼしょぼと降り続く。ため息をついてK君が言った。

「もう、今日はやめときましょう。時間も時間だし、雨が止んでも露出が足りませんから」

門前のバス通りに、うどん屋が一軒あった。開いているのかいないのか、引戸を開けると、おばさんがひとりテレビを見ていた。安いうどんをすすって、伊弉諾神宮見物の第一日目が終わった。

ぼくの「まつり」体験は、たかが知れている。そして、いつも、祭礼を担う当事者としてではない、見物人―ヤジ馬・たまたま居合わせた通行人・民俗調査スタッフの一員―としての体験だった。幼すぎて、記憶にも残らないほど早く生地を遠く離れてしまったぼくには、産土（うぶすな）の宮の氏子としての役割を果したという実感がない。神輿（みこし）を担いだり、屋台を曳いたりしたことがない。笛や太鼓を鳴らしたこともない。まったく、ない。ある意味で、そのことが一種のコンプレックスを形成しているのではないかと思っている。

そのせいか、だからどんな祭礼を見物していても、何か完全には同調しきれない醒めた気持ちがつきまとう。酔いきれないのである。シニカルな態度でいるぼく自身に気がつくこともあった。氏子感覚の欠如は、ぼくの「まつり」体験を経て自覚され、さらに故郷喪失者としての自己認識へと展開してゆく。そして、氏神様と懇意でないこの身が、民俗学でいう「常民」とは縁遠い境涯におかれているような、そんな気持ちになるのである。

いろいろと理屈っぽいことを書いてしまったが、かく言うぼくだって、やっぱりまつりが好きなのである。その晴れやかなふんいきに接すると心地がいいし、何よりも、アッ、おまつりだ！　という、一目瞭然の光景が、文句なしに楽しい。

そう、今日はおまつりなんだから。何を深刻そうにしているんだい。うっとうしい顔をするなよ。パアーッとやれパアーッと！

まつりの賑い

これが「ふとんだいこ」というものか

昨日の雨は、未明に止んだらしい。濡れた路面から立ちのぼるような朝もやの中に、やわらかい日射しが感じられた。昨日は、雨で屋台の宮入りが中止になったが、今日は一日好天らしいから、昨日の分まで盛大にやるだろうと、宿の主人が話してくれた。参道の辻々に一基、二基、早くも宮入りに備えて飾りたてた屋台を曳き出している地区もあった。だが舁き手はまだ揃っていない。ジャンパーや、カーディガン姿で鉢巻を締めた男たちが、屋台の舁き棒によりかかり、煙草をくわえて談笑している。

見物客で賑わう参道で宮入りの順番を待つ「ふとんだいこ＝ふとんだんじり」

淡路島の祭礼屋台は、多くは「ふとんだんじり」また「ふとんだいこ」といわれる形態を示している。その掛け声によるのだろうか、香川県下などではこれを「チョーサ」という。このタイプの屋台は、地域的な形態差をみせながらも基本型は太鼓台の上部に屋根のかわりに蒲団を積み重ねたもので、今日の淡路島のそれは、最上部に深紅の蒲団を五段に重ね、金色の太綱（金綱）で締めた形の丈高い屋台である。五重の蒲団は上部ほど大きくつくり、厚く重ねた姿はぼってりとした重量を感じさせる。その正面中央には金幣が飾られ、あるとも思えぬ風にゆらめき輝いている。蒲団の重量感と金幣の軽やかさは、その配色とも相俟って、巧みなコントラストを示す。心憎いばかりの構成である。蒲団と飾り幕の間の空間、建築でいえば建具の上の欄間にあたる部分に施された透彫りの狭間飾りは、主に黒檀を用いているという。そして、レリーフのように浮きあがった総刺繡の飾り幕（水引ともいう）を四周にめぐらせている。見事だった。

これが「ふとんだいこ」というものか。はじめて見る淡路島の屋台に、ぼくは思わずみとれてしまった。

時間がたつにつれて、伊弉諾神宮の参道に、ぽつぽつと見物の人だかりができはじめた。ほとんどが普段

これが、ふとんだいこというものか！　五段重ねの蒲団を頂いた屋台（だんじり）を、男たちがかついで練り歩くと、周りから歓声があがった

着姿の地元の人たち—特に女性たち—だった。小さな車輪をとりつけた移動用の補助台に乗せられた屋台が、ゆっくり、ゴロンゴロンと動きはじめた。屋台の内から、試し打ちのように、不揃いな太鼓の音がする。低く、太い、眠気を醒ますような音だった。いよいよ宮入りがはじまろうとしていた。

ドーンと、ひときわ大きく太鼓が鳴った。それを合図に、三、四十人ばかりの男たちが、ヨオッとばかりに屋台を担ぐ。ゆらりと揺れて歓声があがった。ドン・ドン・ドーン・ドン。力強く太鼓が響く。下駄のようにはかされていた台車が取り払われた。屋台が、男たちの肩に乗ったのだ。

だんじり唄と式包丁と……

伊弉諾神宮の春祭りは、だんじり祭りともいわれる。今日は四月二十二日の本宮大祭で、ほぼ定刻どおりにはじまろうとしていた。拝殿では、ふたりの巫女（みこ）が御幣と鈴を手に舞い納めていた。その舞いの終わるか終わらぬうちに、早くも一基、宮入りをはじめた屋台があった。歓声とともに拝殿前の人だかりが退き、あとに広い空間が生じた。その空間に向かって、屋台が突進する。掛け声にあわせて、前へ進み、後ろへ退（さが）り、勢いよく回転し、高々と持ちあげられる。やがて、ひとしきり練った後、屋台正面を拝殿の中央に向けて据え、舁き手一同で礼拝の後、だんじり唄を奉納する。年配の紋付姿の男がひとり、朗々と詠いあげると、舁き手全員がこれに唱和して、とき折り合の手を入れる。

この唄は「ぎおんばやし」とされており、地区ごとに若干の違いが認められるという。舁き手の男たちの服装は、ブレザーあり、トレーナーあり、赤シャツに白カーディガン姿もあったりとてんでんバラバラだったが、唄はよく揃っていた。

ふと気がつくと、舁き棒に皆よりかかっている。唄いながら、面倒臭そうに煙草を吸っている者もいた。何とも弛緩した光景を目撃してしまったわけだが、だんじり唄の悠長なしらべには、たちのぼる紫煙も不似合ではないようにも思えた。唄のあと再度屋台の練り納めがあり、境域隅の所定の場所に移動させなければならない。中休みにだんじり唄が挿入されることで体力・気力の回復がはかられているのである。しかし、カメラを持ったぼくたちはいかにも手もちぶさただった。まさかぼくたちは、煙草を吸うわけにはいかない。

式包丁の奉納は、拝殿東脇の神庭に緋毛氈を敷き展げて執り行われた。派手な屋台の練り込みに気をとられ、こちらはあまり見物客の関心をひかなかったようだ。まばらな観衆がのぞきこむなか、式包丁の儀は黙々とすすめられた。

この式包丁、後に聞いたところでは、必ずしも毎年の祭礼に奉納されるものではなく、行事そのものが、こちらでは戦後になってはじめられたものだという。そして奉納主体はこの宮の関係者でなく、観光協会などが中心になっている。奉納を希望して名告りをあげる料理人があった場合に、伊弉諾神宮の春祭りに限らずアトラクションとして執行される。

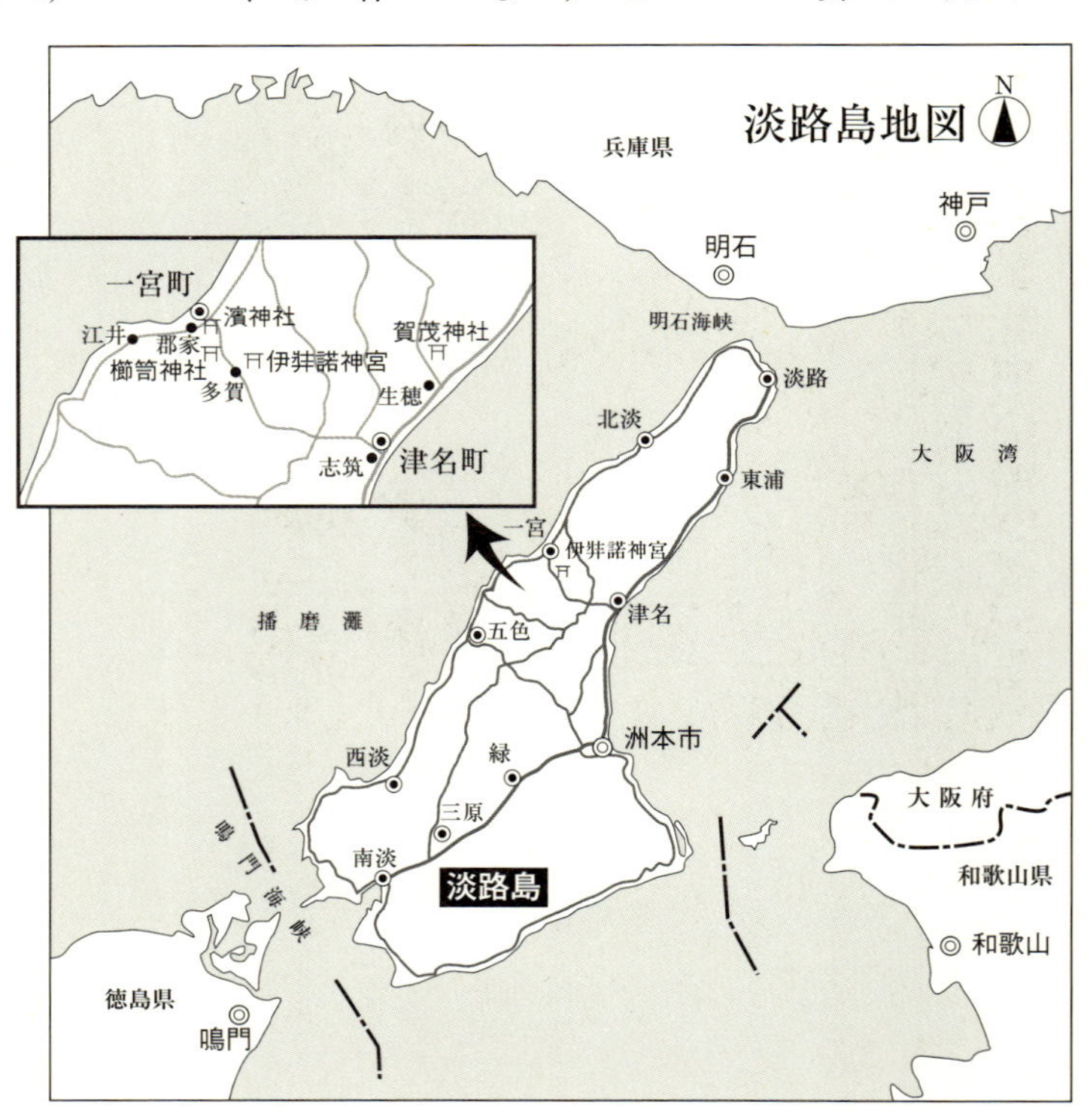

歴史の新しい行事なのだが、それはなかなかに優雅なものだった。威儀を正して端座した烏帽子姿の包丁人たちは、それぞれ真剣な表情で長いまな箸と包丁をあやつり、次々とマダイを料理してゆく。見物人も神妙だった。

また、だんじり唄が聞こえる。今度はどの地区の練り込みか。社前の賑わいは、先にも増して盛大になっていた。すでに練り終わった屋台が三基、神庭の一隅によせて並んでいた。屋台の番人といっても、特に誰もいない。杖をついた老人と一緒に近寄ってきた坊主頭の少年たちが、屋台の太い舁き棒にぶらさがったり、舁く真似をしたりして遊んでいる。早く大きくなって、一人前に屋台を担ぎたいのだろう。そんな子どもたちのたわむれる姿を見て老人が笑い、顔をあげて屋台を見やった。間近に見る屋台の飾り幕には、金糸をふんだんに使い、獅子の眼にガラス玉をはめこんでいる。龍の爪は、ひょっとすると、本物の象牙だろうか。肉厚く盛り上げて立体感を強調した総刺繡の飾り幕は、いかにも凝っていた。

このような屋台を作る職人が、まだいるんだなあ。そのときは漫然とそう思っていた。それはやはり宮大工の流れを汲む人たちだったのだろうか、それとも数々の職種の職人を頼んで、それぞれに自分たちの在所の屋台を豪華に飾りたてて競い合っているのだろうか。一体、屋台職人ともいうべき存在を、ぼくはまだ知らなかった。

糸の匠

腕利きの刺繡職人を訪ねる

伊弉諾神宮の参道は、西へ行けば淡路西海岸（西浜）の郡家、東へ向かえば東浜の志筑の町に至る。郡家は江井と並ぶ一宮町の、志筑は津名町のそれぞれ中心地である。そして郡家と志筑を結ぶ参道は、同時に淡路島の中央部を横断し、西浦と東浦を結ぶ主要路、津名＝一宮線ともなっている。自動車なら十分程で行く。この道を伊弉諾神宮から志筑まで、そして志筑でこの道は東浦を縦走する海岸道路と交叉している。その交叉点の近くに一軒の「だんじりや」が開業していた。今は改組し

上　ふとんだいこ（ふとんだんじり）は凝りに凝った造りをしている。新調すると一基数千万円かかる。
下　黄金の龍がぐるりと屋台に巻きついている。立体的な「浮きもの刺繡」ならではの豪華な飾り付けが見物客を魅了する。上下共に撮影・神戸佳文

て株式会社となっているが、もとは梶内だんじり店といって、島内はもとより、近畿地方や瀬戸内海沿岸各地から注文を受け、だんじり（檀尻＝屋台）また神輿などを三代にわたって製造し続けてきているのだった。

淡路に腕利きの屋台職人がいると聞いて尋ねて行ったのは、それから二年あまり後の昭和五十九年の夏、旧盆を過ぎた頃だった。

はじめて会ったその人、梶内近一（通称照弘）さんは、米寿の祝を済ませたおじいさんだった。鉄筋コンクリート造り三階建ての、社屋兼居宅の一階にある奥まった応接室に通されてみると、大きな総革張りのソファーに腰かけておられた。「こんにちは、はじめまして」、と挨拶をしてもぴくりともせず無言だった。着流しの和服姿で深々とソファーの背にもたれ、眠ったように眼を閉じている。丸顔の楽隠居といった風情である。後を継いで仕事をしている孫の順司さんが脇に座り、近一翁が手がけた各地の屋台の写真アルバムを見せてくださった。経歴についても、もっぱら順司さんが話し、翁は終始表情をかえず、相変らず眠っているかのように何の反応も示されない。ぼくに無関心なようにもみえた。ぼくは、本当に眠っているのではないかと疑った。ところが、そうではなかった。写真を撮りたいというと、むっくりと起きあがり、

「仕事してるところがええやろ」

そういって、すたすたと歩いて行かれた。意外な足取りの確かさに、一瞬あっけにとられてしまったが、あわててカメラを取って後を追った。

仕事場は、玄関脇の広い座敷だった。年配の女性が三人、大きな針を操っていた。近一翁（実は代表取締役、つまり社長だった）は、座敷の一角に据えられた大きな机の前に陣取って、婦人たちと同じように針を手にとると、一刺、また一刺、刺しかけの刺繍を縫いはじめた。それは唐獅子を浮き上がらせた、ひときわ大きな飾り幕だった。順司さんが翁の左に控えて重たげな幕をはった木枠を一緒に持ち上げて、裏から針を入れるのを助ける。その針が幕の表に出る。鋭利な針が、迷いためらうことなく獅子の身体を貫通してゆく。翁の顔には、先とはうってかわった気魄がみなぎっている。刺した針の出る先を鋭く見抜く眼差しに圧倒されて、ぼくはシャッターをきった。きり続けた。身体を安定させるために大きく開いているのに足がなえそうになった。厚ぼったい綿包を締めあげるよくコントロールされた力加減を、ぼく自身の指先にも感じているような気がした。

「だんじり作りに関係する職人は、全国にたくさんおりますな。刺繍屋だけでも全国で、そうですな、ざっと千人はおりますやろ。飛騨高山の彫刻、太鼓は大阪、金具なら大阪と姫路……。いろいろあります。刺繍にしても京都はやっぱり大きい産地ですな」

屋台一基を仕上げようとすれば、まず本体を作る大工がいる。狭間飾りや泥台（屋台の最下部、ふとんだいこの場合は、この中に太鼓を落とし込んでいる）の彫物などは木彫師の仕事となる。漆職人や飾り金具職人も欠くことができないし、近一翁のような刺繍職人も、屋台の造形美を高めるにあたっては、決定的な演出効果を果す

べく、役割を担っているのである。全国各地の屋台をみるなら、複雑な曲線で構成された建築美が主役になったものがあり、また打出金具の輝きに酔わされるものもある。同様に、金糸や種々の色糸を鮮やかにつづった総刺繍の飾り幕の豪華さに魅せられる場合もある。そして、それぞれの技術に磨きをかけた、他の追随を許さぬ誇りを持った名工たちが各地にあって、全国津々浦々の祭礼を華々しくそして賑しいものとするのに一役も二役もかっている。しかし、と、近一翁はいう。

淡路島の標準的なふとんだんじり（ふとんだいこ）とその部分呼称

「刺繍の幕だけとか、飾り金具だけとかいう部分品としてやなしに、一基の製品に完成させて納入することができるのは全国でも数軒、関西やとウチだけです」

梶内だんじり店は、当主がもともと刺繍に秀でていたこともあって、こと刺繍に関しては、ほぼ全国から製作依頼が寄せられている。なぜか。

それは、この店で作られる刺繍が、他に類例のない「浮きもの刺繍」だからである。

それは、レリーフの場合の、高浮彫りに相当する。従来の平面刺繍に対して立体刺繍なのだと説明される。生地よりもはるかに大きく翼をひろげた金色の鷲が、生地から生えた松樹の枝におり、今にも大空へはばたき離れようとしている。あるいは黄金色の御殿の大屋根が、文字通り屋根となって突き出している。モチーフの立体感を透視画法による絵のように、錯覚によって表現しているのではなく、立体そのものとしてつくりだしているのである。

「浮きもの刺繍は、普通の刺繍と違うて、カネザシで一尺五寸（約四十五センチ）まで盛り上げますんや。これでゴテンモノ（御殿物）や龍をつくると、ホンマ、見映えがしますな」

生地から五十センチ近くも盛り上げられた刺繍……！

これはもう、彫刻ではないか。糸による立体の造形、それが「浮きもの刺繍」というものなのである。

縫い細工の妙

「刺繍といっても、いろいろでしてな。普通、刺繍といったら着物の襟のところや裾模様を作るときの技術です。この他に、こまづかいといって、幟(のぼり)なんかに文字を描いていくような技術があります。これは駒に金糸など巻いたのを文字や紋様のかたちにあわせて転がしていくやり方ですな。わしらのとこでやってるのは、ぬいざいく、いいますのや。で、これは、肉入れ刺繍が主ですのや」

縫い細工。なるほどと思った。一枚の布の上に天翔ける龍を表現したいと思う。そのイメージを形象化しようとするとき、刺繍職人は、着物を着た人間のしぐさにつれて、生地に刺した紋様が揺らめき動くことで、躍動する龍の胴体の生命感あふれるうねりを感じさせようとするであろう。そのためには、生地の動きに逆らわず同化する絵画的な技法によって針を刺すのがふさわしい。

幟の文字や紋章などの図柄を、遠目の効くように大きく作るには、風にはためいても輪郭がくずれないように年輪状に糸を並べて板状にとめる平面的な表現の駒使いが適している。

だが、こうした平面的な装飾は、屋台のような趣向を凝らしたモニュメントを飾る場合には、どことなく頼りない思いが残るのである。その点、糸を重ねることによって生じる厚みとは比べものにならない、はるかに深い奥行を演出できる縫い細工であったなら、文句なしに見映えがし、屋台全体の印象を強烈なものにしてくれる。手のこんだ、こってりとした味わいが、競って風流をもてはやす祭礼時の神賑にはうってつけなのだ。そして、近一翁の手ずから針をとって仕上げられた縫い細工は、その立体化の度合といい、乱れよどむところのない糸の並び具合といい、断然、他を圧倒しているのだった。

■幼時体験・夢

近一翁の心の原風景

誰でも生きている限り、人間は心の原風景というものを持っていることとぼくは思う。これを心象風景と仮に呼んでおく。ある人はこの心象風景を実生活の理想・目標とし、またある人は喪失し果てた過去への憧憬から生じた浄らかな記憶の断章と理解する。それは心の内に生じた質量のない虚空間であって、現実ではない。現実の空間ではないからあこがれの感情をひき起こす。言いかえればポエジィの源泉がこうした心象風景なのである。そして、もしも作家の創作活動がポエジィの形象化作業であるのなら、彼の表現は、そうした虚空間を、絵画や彫刻といった視覚的な造形物や、詩・音楽などの情報に転移させて他者の感受性に働きかけ、共鳴させることを意図して行われるのだということができる。

その点に、喜怒哀楽の情緒伝達を無意識のうちに身体表現している常人との違いがある。心象風景が鮮明であればあるほど、他者が共鳴する度合は増幅されるが、これを意識的に伝達しようとする努力の継続が造形力を培うのであり、また素材の性を見抜き選び出す感覚に磨きをかける。ものを作る仕事は、だから決して簡単ではない。簡単ではないそんな仕事を、近一翁は八十年間続けてきたのだった。

これは、近一翁に確認したわけではない。あくまでぼくの想像だが、梶内近一という人格の内にある心象風景は、宵宮の屋台行列であろうと思う。翁の故郷は徳島県池田町である。その故郷の村でみた高張提灯や、辻々のぼんぼり灯籠に照らし出されたお旅の模様を、幼い純真な胸に鮮明に焼きつけられたのだ。その強烈なイメージがあることによって、糸の匠一筋の八十年が綴られてきた。ぼくにはそうとしか思えない。

大きぃなったら日本一の職人になるんや

「まだちいさい頃やった……。五社神社（徳島県池田町）のおまつり見に行ってな、だんじりを見たんや。キラキラと輝いて、えらいきれいなもんやった。お旅のある道筋に、大人も子どもも、ぎョオさん出とったがなァ。ワシはその人垣をかき分けて、一番前へとび出した。そうしたら、ほんまにきれいやった。一台また一台、威勢のええ若い衆にもうちょっとで突きとばされそうになってなッ、叱られたッけど、そんなことどないもあらへん。ケロッとしてだんじりに見とれてしもうてた。ようこんなすごいもんが作れる思うた。せやけん、よし、ワシ、大きぃなったらこんなだんじり作ってみたい、日本一の刺繍が出来るだんじり職人になりたい、そう思うたんや。日本一の職人になるんや、てな」

近一少年は、屋台を彩る豪華な飾り刺繍に魅せられて幼い心に大志を抱いた。この点に関しては、単にぼくの想像をたくましくしていうのではない。卓抜した技能の持ち主を対象とした国家表彰の授賞候補者として、近一翁を推薦するにあたり作成された功績調書・履歴書の中

「浮きもの刺繍」の名人だった生前の梶内近一翁と仕事場（梶内家所蔵写真）

に「少年期に見ただんじりの飾り刺しゅうの美しさに心を奪われ、日本一の刺しゅう工を目標に、十一歳の時にその道に入り、以来七十年間、新しい技法・工法の研究と製作に情熱を傾けた」旨が記されている。この文面に潤色（じゅんしょく）がないという保証はないかも知れない。しかし、ぼくは信じたい。日本一になろうとの野心は、人一倍強いものであったろう。それを貫徹しようとする並はずれた意志の強さがうかがわれる。この道一筋の職人である人の功名心を、誰が悪しざまに言うことが出来ようか。

高張提灯の光に照らされて、宵宮の屋台が近一少年の眼前を通り過ぎて行った。大人も子どももみとれていた。そう広くはない道筋に人があふれ、自警団の団員が呼子を鳴らして注意を促しながら、つい前へ出がちな群集を整理している。また一基、向うの角を回って来た屋台があった。人々がどよめく。少年の頭上で、大人の声がした。ほれ、見てみィ。今度のは加藤清正の虎退治や、また見事やないかァ、たいした凝りようや。

豪華な飾り幕におおわれた、あでやかな屋台を見上げて人々が嘆息する。いかにもどう猛そうな大虎を組み敷いて清正が槍をふるっている。赤地に金白緑等々の色糸を浮かびあがらせた幕が揺らめいて、幕の内にいる乗り子がちらと見えた。近一少年には、暗い妖しいかげりの

屋台を飾る「浮きもの刺繍」の製法

①原画をつくる

幕の絵柄を構想し、原画をつくる。これは近一翁が描く。「すじ絵」という描き方で、これは普通の画工に頼んでも出来上がった絵が使いものにならない。「すじ絵」は線のそりが普通でない。ひずみの絵になる。綿を詰めて立体的にみせる刺繍の各部分をつなぎ合わせてゆくことで作品が出来上る。その出来上がりを想定して、原画の分割のしかたを考えながら描かれてゆく。

だから、自分で描くしかない。翁は、絵は特に習っていないといいながら、「けど、割と好きやったな。」

筆は特に変わったところのない毛筆。紙は和紙。出来上がった原画（下絵）は、ひな型といって、とっておく。縫うときの型紙は、このひな型から写しとる。ひな型にする和紙には、特に種類が選ばれている様子はなく、実際に見せてもらったひな型の紙質は、画仙紙や美濃紙と思われた。日本画で使われる引き写しの紙と似たようなものだった。

②「すじ絵」をカンバリに糊付けする

ひな型である「すじ絵」を傘屋紙（宇多紙）に写しとる。そして台に貼る。台は幕などに合う横長と、掛け蒲団、高欄掛などの形に合わせた正方形の二種がある。この台は、「カンバリ（紙貼り）」という木枠で、ひな型は、このカンバリの大きさに合わせて分解され、写しとられた型が、和紙を貼ったカンバリの上にのりづけされてゆく。カンバリは、天板のない机のような刺繍台の上に置かれる。

③こよりでカタをつくる

型紙のひき写した線にそって、コヨリを置き、糸でとじてゆく。この作業を「こよりでカタをつくる」とか、「コヨリバリ」という。コヨリの芯にはイグサが使われていて、型の補強の意味がある。

④肉入れ

コヨリバリがすむと、型よ

りもひとまわり大きい布をあてて、中に綿を詰めてふくらみをつくりながら糸でとじてゆく。「肉入れ」といわれる作業である。

⑤金糸で縫い進める

肉入れした布の表面は、型の線を活かしながらレリーフ状になる。この表面に米糊をつけ、金糸をあててゆく（縫い進めてゆく）。縫い針は、普通の針の他に特別製のものも使う。糸が太く、またかなり厚みの出ることから、太く長い針が必要なのである。

⑥総肉入れ第一回

ひとまず刺繍が仕上ってくると、カンナクズを間につめ込みさらにふくらみをもたせる。第一回目の総肉入れである。これだけでも、刺繍を施された部分の盛り上がり方は相当のものになる。

九分通り仕上がった高欄掛け。ここまでにまる2カ月かかるとか

⑦総肉入れ第二回

しかし、さらに二度目の総肉入れが行われる。一回目の総肉入れにより、部分品として作られた刺繍がカンバリ（紙貼り）の枠から切り離されて集められる。生地の上に図面に合わせて仮とじし、なおカンナクズを詰め込みながらふくらみを強調してゆく。

⑧総仕上げ

最後は、総仕上げである。生地に刺繍された図柄をとじて完成となる。

◎必要な道具といっても、針とはさみと糸巻きくらいのもの。糸は絹・木綿・ナイロン糸といろいろである。

◎上の写真は、坂田金時を表わした高欄掛で、まだ九分通りの仕上りだが、ここまで縫い進めるのに二ヵ月かかっている。高欄掛は、ほぼ一メートル四方の大きさだが、香川県豊浜町の太鼓台には、高欄にもたせかけるカケブトンというものが取りつけられる。これはほぼ五尺角の大きさにつくる。

◎幕では、新居浜が凝っていて、新調するには二、三年かかる。それだけ凝っているし、ものが大きいためでもある。良いものは三年越しの注文を聞くといわれ、新居浜あたりへは、三年単位くらいの計画で受注し、順次納入しているといわれる。

屋台一基の製作は、ふとんだいこで、専念すればほぼ一年間くらいだろうという。彫刻なども多く複雑な構造になる曳きだんじりなら、どうしても二年以上かかってしまう。

◎浮きもの刺繍によって生じる厚みは、カネザシで一尺五寸（約四十五センチ）になると、翁が言われた。順司さんがモノサシを持ち出して来て、メートル法に換算してくださった。

◎特許は？

「そんなものとらんでも、真似しよう思て、真似出来るもんやない」

◎梶内家で刺繍に使われている針は、全部で十種類以上ある。主要なものは日本刺繍用のみす屋針で、これは京都市中の老舗であるみす屋からとりよせる手打ちの針である。長さ二〜二・五センチ、太さは一番太いものが一ミリ程度のもので、五種類あり、糸の太さに応じて使い分けられている。この他に、ツケアゲバリ・コチャボ・フトンバリなど、縫い合わせ・とじなどに使われる大小の針がある。

かわったところでは、傘の骨を細工した自家製の大針が使われている。長さは二十五〜三十センチに及ぶ。蒲団じめなど、肉の厚いものの組合せには、こうした針が必要となるのである。

金糸を刺してゆく。根気のいる仕事である

中にいる少年が、自分と同じ年頃のように思われた。白くつくって紅をさしたその顔は、現実のものではなかった。

■「まつり」の座標

まつりはなぜ、人々の心を浮きだたせるのだろうか

境内の露店で、昼飯替わりのお好み焼きをほおばっていると、樽神輿を担ぐ役の女の子たちがやってきて、となりの店でたこ焼きを食べはじめた。おそろいの半袖シャツにえび茶色の半パンツ姿の十歳過ぎぐらいの女の子たちだった。K君が、中に可愛らしい女の子をみつけてカメラを向けた。女の子も気がついたらしく、はずかしそうにしながら無視しようとする。そのとき、ぼくは、ふと、なぜ「まつり」は人の心を浮きたたせるのかと、そんなことを考えはじめてしまった。昼間っからビールを注いで、ふたりして多少おまつり気分に酔いかけていたのだが、一度気になりはじめると、ややシニカルに、傍観者としてこの祭礼の状況を観察しているぼく自身を意識するのがよくわかる。

物見高い見物人つまりヤジ馬といわれる類の連中は、まつりの参加者とはいうものの、いたって気楽なものである。彼らはまつりときいて遊びに来たのであり、別段、祭礼の進行にあたって何ら義務を負うものではない。深酒に身をまかせて威勢のよいヤジを飛ばし、しなくてもいい喧嘩をして翌日からの医者通いが始まるなど、そうまでなってはまるで落語だが、実際、そうした場合がないではない。

祭礼を執行する当事者の立場とすれば、必ずしも容易なことではなく、準備から当日の進行手配、後始末に至るまで、役割分担や取り決めごとの調整、また労働奉仕といった具合に裏方の仕事が多忙を極める。常日頃から、万事滞りなく務めあげるための根まわしもしておかなければならない。おはやし・だんじり唄の練習も、なおざりにはできない。氏子や地区住民の心をひとつにまとめ、同時に地区同士の競争心をあおり、まつりの当日に最高潮に到達すべく、しかも、対抗意識が高じて不祥事の起きることがないよう心配りをしておく必要もある。それは並大抵のことではない。

とはいうものの、そうしたマネジメントをあまり苦にせず、むしろ進んで引き受け駆けずり回る連中がひとりやふたり、やはりいるものらしい。こうした連中は、根っからまつりが好きなのだろうと思う。氏子や町内会の面々から祭礼の経費を集めて回ったり、難儀な問題に出会うと顔役などの有力者を上手に担ぎ出して何となく決着をつけてしまったりする。裏方として、したたかにお膳立てを整えておきながら、必ずしもまつりの執行にあたって重だった連中として名を連ねているというのでもない。むしろ、使い走り的な存在であったりする場合が多い。

「まつり」という非日常性の儀式に魅せられて、進んで宮と共同体とに奉仕し、率先して振舞う者たちがたしか

にいるのである。

ぼくのまつり観

「まつり」が社会の中で機能するに際しては、様々な要素と絡んで社会的に規制され、あるいは逆に共同体を制御してゆく。「まつり」を社会生活の中でどのように位置づけるのかという問題は、テーマとしては大変に興味深いものである。しかしながら、とても簡単に解決できる問題ではないことも明らかである。

今のぼくは「まつり」というものを莫然と考えているにすぎない。だから、断片的なとりとめもないことしか語れないのだが、現段階で整理すると、「まつり」に関してぼくが追ってみたいと思うテーマを設定するなら、次のふたつに分解してみることが出来る。

(一)「まつり」に参加する人間の参加のしかたの段階モデルを作成すれば、(二)「まつり」が果たす社会的機能が明らかにならないか。

(二)屋台に関して言うなら、「まつり」に登場する各地の屋台に、地域差が見られるが、これを、時空間的に整理して諸型式の発生順位と伝播過程を解明出来ないか。

(一)については、屋台職人という、非氏子分子の関与することを知って、「まつり」を宮座その他の祭礼組織内でのみ論じる立場を離れた幅広い視野をもって考えてみたら、どんな論考が展開できるだろうかということである。(二)は、いうまでもなく屋台型式の変遷の中に職人技術の系譜性が存在するだろうと想定しており、同時に、屋台という「モノ」を通して、「マチ」または「ムラ」といったものの状況などがある程度探れるのではないかと考えているのである。

松原八幡神社の喧嘩祭り

祭礼の執行には、参加者全員の協力が必要であり、また拒むわけにはいかない共同体の成員としての義務もあった。祭礼を維持することの責任は重く、神前に集い、神賑の一端を担って参加する者たちには、義務・責任感とともに誇りがあった。ひたすら浮かれ過ごしているだけでは統制を欠く。統制が行き届き、参加者全員が自己の役割に忠実である祭礼は、見事な盛りあがりをみせてくれる。そのとき見物人は見物人らしく振舞ってその盛りあがりを助けている。一介の見物人としてその場に居合わせているということだけでさえ、身の緊張を感じるときがあるのである。

スキのないこと。何よりもその点にぼくは祭礼の演出効果があると思っている。

姫路市白浜の松原八幡神社の秋祭りは、灘祭り・喧嘩祭りといわれ、豪壮なこと播磨随一を誇る。今でも十月なかばの祭礼当日には、氏子たちは勤め先の会社を休み、東京・大阪などの遠方からでも、律義に「まつり」に加わるために帰ってくる。休むといっても、地元の会社ならともかく、他地方の者たちはなかなか困る場合があるようで、まさか、「まつり」に行くからといって大事な接待ゴルフをキャンセルするわけにもいかない。だから、休暇の取り方に知恵を絞るようだ。特に祭礼役員などの当番が巡って来た家などでは苦肉の策を労する。

　この時期になると、毎年、身内の結婚式があるなどといって休みをとっている人もいると聞く。氏子が勢揃いして、盛大に執行されるのが灘祭りなのだ。そして、この日とばかり、日頃のうっぷんを晴らすかのように荒々しくエネルギーを発散し、ぜいを尽くした屋台を練って回り、神輿をぶつけ合い、もみあい、ころげあう。この祭礼を地域住民の結合力の強さの象徴として理解するのも、なるほどと思われてくる。

　七つの地区から、それぞれに華美を競った自慢の屋台を練り出し、くまなく町内を練り回る。お旅所となる山の中腹には、斜面を利用して大規模な桟敷席が築かれており、数万人の観衆が見守る中、熱気と歓声に包まれて豪華な屋台の練り合わせが展開される。また、雄壮な喧嘩神輿のぶつけ合いが時を忘れてくりひろげられる。横倒しになった神輿の上に、別の神輿が勢い余っておちかかる。ケガ人は絶えず、死者が出ることも少なくなかった。大阪府岸和田市のだんじり祭りも、荒々しく死傷者の絶えぬことでは有名だったが、まだぼくはどちらもそのような事故現場を実際に見たことはない。

　ただ、松原の屋台に関して興味深い話しを聞いており、それを紹介しておきたいと思う。このような派手な「まつり」をする人たちの財力・経済的な基盤、また気風ということを考えてみたいからである。

灘型の屋台が広い範囲に分布している

　播磨灘に面した灘地方は、播磨では屋台の導入が早く、文化年間（一八〇四～一八一七年）のことであるらしいが、さほど古い屋台が残されている形跡がない。普通、このあたりの屋台は、二、三十年も使ったら新調するといい、このとき、使い古した屋台を他の地方へ売り払っているのである。その主な先は播磨内陸部の宍粟郡方面であるというが、灘地方でみられる屋台と同じ型の屋台が但馬の生野町でも使われていたので、比較的広い範囲に同型屋台が分布する格好となっている。そして、それらの地域に残されている屋台の中には、もちろん新調されたものもなくはないはずだが、修理を重ねて使われてきている古い時期の屋台もまぎれていると思われる。各地の屋台の建造年代が確認されていないから、あまり無理なことは言えないが、灘地方から周辺に伝播してゆく波状展開の様子がうかがえるのである。

　今日、屋台を一基新調するとなれば、どれほどの金額を必要とするか。梶内家で教えてもらったところでは、標準的なつくりのもので見積って、淡路島内の主流となっているふとんだいこの場合、ざっと三～五千万円、灘方面の擬宝珠屋台もほぼ同様の額といい、地車系統の曳きだんじりはかなり高くて一億円程度とのことだった。屋台を注文した地元の方では、さらに高いことを言って自慢する。よしや新調とまでいわずとも、屋台は毎年「まつり」の終るたびに、すぐに明くる年の出番に備えて入念に手入れを施される。漆黒の屋根に金銅板の打出し細工による精巧な飾り金具と神紋を施し、高欄の要所要所にも打出しの龍や牡丹等々をまいた灘の屋台の場合など、これらの金具を取りはずして磨き、修理するわけだが、それだけでも大きな経費がかかる。屋台にはなお他にも極彩色としたり、黒檀などの素地を活かした高浮彫透彫りの、凝りに凝った狭間飾りをはめ込んでいる。張幕また水引などと呼ばれる刺繍細工の飾り幕がある。これらも、痛んだり汚れたりすれば、金具同様それぞれの職人に依頼して修理もし、部分的に新調もする。違った装いの幕にかえて、次の祭礼で観衆の意表をつくこともある。擬宝珠屋台の金具を全部取り替えると、それだけで二千万円近くになるだろうとさえいわれた。無論屋台にもよるだろうが……。主として灘目筋で使われる屋台の飾り金具を修理補充するだけでも、ほとんど仕事の切れ間がないほど忙しい金具職人が、この地方にはいる。刺繍職人である近一翁の店にも、幕だけを新調して欲しいという依頼が多い。新調に限らず、屋台一基を維持してゆくことは、結構もの入りなのだ。

これだけの金額を、せいぜい数百人から千人そこそこの町内でまかなうことになるのだから、氏子たちの経済的な負担は、かなりのものとなるであろう。ちょっと単純計算をしてその度合の目安を探ってみるなら、淡路島の場合、全島人口が約十七万人である。そこで何基の屋台が維持されているかというと、近一翁は、淡路は全部ふとんだいこ、ざっと三百はある、といわれる。実際にはふとんだいこ以外のものもあるのだが、仮にこの数字をもとに計算すると、一基当り人口が六百人足らずとなる。すると三千万円クラスのごく普通の屋台を新調したとして、ひとり当り五万円の出費では足りないわけである。世帯数で計算しているのではないから、一戸当りにすると実際には大変なもの入りになることが理解できるだろう。中堅サラリーマンのボーナスなど、軽く消えてしまいそうだ。

こうした金勘定をしておいて、中古屋台の転売という現象をみるなら、その背景に、ほぼ四半世紀ごとのサイクルで豪華な屋台を新調していけるだけの財力を持った旦那衆のいる土地と、そうではない土地との違いというものが、浮かびあがってくる。瀬戸内海に面して、明石・姫路などの城下町に近い沿岸地域には、海運業や塩田経営で財力を蓄えた有力者が多く輩出し、漁場を牛耳る網元の力も強かった。そして商業活動が活発で経済力を持ち得た沿岸地方と、わずかな現金収入を求めて出稼・行商を余儀なくされていた内陸農村地帯との経済力の差は明らかである。必然的に、祭礼の風流にかける熱の入り様もかわらざるを得ない。その差が、新調されたものでないと気のすまぬ、しかも他所に比べて見劣りのしない絢爛豪華なあでやかさを求める気風を培う上に、大きな作用を及ぼさずにはおかなかっただろう。

■荒れる屋台

河合寸翁（すんのう）の策謀

播磨地方、特に姫路藩領での祭礼が華やかなものになったのは、幕末に近く、名家老河合寸翁の策謀によっているともされる。藩財政の窮乏と一揆鎮静に悩む姫路藩が、その打開に寸翁の策を起用して、姫路木綿の専売制度を確立し、また財力を蓄えて勢力を結集しはじめた町衆ら領民の分断を狙った政策がとられたというのである。特に灘目筋の漁師町一帯の気風は荒く、事を構えるに際して民衆の団結力の強い点が政事の担当者には不隠なものに映り、彼らの政治的欲求を他にすり替えて鎮化する方策として、祭礼時に燃焼し尽すような演出を促した。民衆の不気味な底力を、政治に対決させることなく発散させようと目論見、そのために祭礼組織を細分化し、地区ごとの競争意識をあおり、相互に対立させて優劣の感情を抱かせる。そうすることによって、政治的社会的意識変革への欲求から目をそらせて行ったのだと。つまり、「まつり」が外的に仕掛けられた結果としての位置づけが、そこでは可能となる。

元来、祭礼や神事には、対立の構図が内在している例が多いのだから、外的要因だけで規定するのは危険である。祭礼の賑いが「おかみ」の押し着せ的な思惑だけで形づくられたとは思わないが、このような形での領民操作は、河合寸翁の事蹟として強調するまでもなく、大なり小なり当時の社会体制を維持し、人心を牛耳ろうとする立場の者にとっては、順当な判断であるといってよいのではないか。

民衆エネルギーの集中的な発散

我々日本人が特に近世以来培って来た村意識に認められる非拡大性・閉鎖的態度・排他性といった性行は、地区同士の対立感情となって「まつり」の構造と展開の内にも表われている。特に、水利のことなど、死活問題にかかわる利権が絡むと、それは複雑で抜きさしならぬ、子孫の代に至るまで長く反目し合うようなことともなりかねない。氏子域の何ヵ村かが一同に集いながら、その統制されたチームワークが対外的に力を発揮して社会の体制を変革してゆく市民革命のエネルギーとなることは、まずなかったといえるのではないだろうか。江戸時代も後半に至ると、経済情勢の変化に伴い、各地に大規模な一揆が起こるようにもなった。そして世直しを求める風潮が高まり、幕藩体制の存続をおびやかしかねないほどになっていった。それは確かに圧政に対する民衆の必死の抵抗であったに違いない。明治維新の後に生じた各地の騒動も、新政府の政策に反抗する形で行われた。しかし、それらはいずれも主として経済的に追いつめられた人びとの刹那的な反動であって、ついに政府の転覆、それに続く革命政権の樹立、さらには維持と発展を考慮した行動にまで徹底しなかった。そうした意識は未成熟であった。自分たちを閉じ込めている社会体制の作為性や、世情変化に対する分析的な視覚がなければ、反発し、攻撃して排除すべきとみなされた対象は、機構の中枢でなく、当面の、直接自分たちを苦しめている末端組織―代官所や郡役所など―や、権力に接近して利益を貯える高利貸・富豪などであった。これらを破壊してひとまず留飲を下げたのであった。だが、それは束の間の勝利でしかなかった。やがて幕末に至り、世直し一揆が活発化して、民衆も、理想と考える政治的要求を掲げるようになる。ようやく政治に自ら参加するのでなければ、体制を変革し、自分たちの主張が受け容れられないことを自覚しはじめたのであった。

しかし、一方では「ええじゃないか」が大流行して、新しい世の到来と救済の予感に夢中で踊り狂いはじめる。それは、世情の混乱・末期的徴候に情緒的に反応し、ひたすら救済を待ち望む民衆の受身の姿とみえるのである。

こうした社会の底辺に生じた大きな潮流は、倒幕を加速させる一方の力となったはずだが、次に政権を樹立してその中枢を担ったものは、反幕派の武士たちであって民衆の中から台頭してきた人びとではなかった。合理的・情緒的に強力なゆさぶりをかけた民衆の情熱は、別のところにいて情況を見極めていた政権交替劇の主役によって、巧妙に利用されていたのかもしれない。

民衆の眼は村の外を遠く展望するには、あまりに視野が狭かったのではあるまいか。

内輪の対抗・競争心の高揚は、優越感の充足というレベルで安定してしまう。その安定に至るために「まつり」が熱気を帯び、負けん気をむきだしにして神賑の度合が増大する。民衆のエネルギーの集中的な発散が、ここぞとばかりに行われる。しかしながらそれは「まつり」という非日常の世界へのエネルギーの放出であった。社会変革への実効という観点からすれば、それは巧妙にすり替えられたものであって、民衆の持てる力を操作した者は、やはり存在したのだとぼくは思う。

体制維持のためにはアース操置が必要であった。民衆が自らの意志によってのみ主体的に行動の方向を自問するということは、まずなかったものなのか。「まつり」に心浮かれ熱狂的に参加し、屋台を担ぐうちに燃えあがり、いつしか酔いしれてゆく者たちの心を、だからぼくは、はなやかさの対極におかれて然るべきかなしいものとして受けとめてみる。「まつり」のはかなさ、はなやかな虚構—まるで不条理そのものではないか。

そうだ、虚構なのだ。非日常的世界への自己解放なのだ。虚構の世界に魅せられて、全員が陶酔しているのだ。一度この深い爽快な感情を知ったら、憂き世の痛みを忘れて病みつきになってしまう。それほどに激しい陶酔なのだ。もう、逃げられなくなってしまう。

■屋台さまざま

淡路島の祭礼

伊弉諾神宮の例祭については、『淡路島の民俗』（和歌森太郎編）に詳しい。その中の「神社祭祀と儀礼」（萩原竜夫）をみると、島内の神社祭祀のスタイルが整理されていて興味深い点があるので少し紹介しておきたい。

昭和十年当時、淡路全島に二百二十三の神社があった（無格社を除く）。萩原氏は、近世後期以降の地誌・神社誌などから、このうち百三十七社の祭礼を抽出し、次のように整理している。

正月行事　67社　頭行事　29例
的矢行事（弓神事）　15例
初宮祭　9例

粥占神事　6例
牛王杖配布　3例
（以下略）

春祭　47社　渡御（神幸）　23例
頭行事　15例
（以下略）

田植神事　4社

夏祭　13社　湯立（湯神薬）　4例
なごし（六月祓）など（略）

秋祭　55社　渡御　18例
相撲　12例
流鏑馬・頭行事　各10例
（以下略）

霜月行事　15社　頭行事　8例
渡御　2例
（以下略）

萩原氏も断っているように、この統計はその後の状況と一致するものではないが、大筋においては信頼してよい妥当性を持っているであろう。そして萩原氏は頭行事の合計六十四例、渡御の合計四十四例という、他の行事と比べての圧倒的な割合に注目され、渡御について—当然その中心は移動神坐である神輿・屋台などが中心となっている—次のような記載がある。

神輿はどの地方にもあり、ダンジリも中央日本以西にはすこぶる広く分布するのであるが、このダンジリの発達について南淡町阿万では次のような興味ある話を聞いた。四月十五日の祭りに各部落から出す「練りダンジリ」十六台が海岸へ並んで「お浜出」をする。昔は十二台だったのが、参加する部落がふえて十六となった。もっとも新しい参加は昭和十四年頃の北阿万西山（現在の高原）である。最初のは東組部落のもので六十五年前のことである。これは「お迎えダンジリ」といって、神幸の列を森のところで出迎え、それから神幸の列の先導をしてお旅所まで行くというものであった。その後四台できたが、ある年その行列における先後について争論があり、鬮引きできめることになった。ダンジリが触れあうと部落間の喧嘩のもとなので、棒と棒との間は四間開くようにしている（略）。

氏子区域（阿万八幡宮の）は　阿万町・旧上阿万村の、合計千六百六十戸で、神輿二基の重い方を厄年の者が、軽い方を六十一才の者がかく。昔は神輿かきはシュウシンドウ（終身頭？）といわれる十二人の者に限られていた。

淡路島の屋台

伊弉諾神宮の氏子域は、一宮町井手、中村、下河合、上条、老の内、大木、西山、糸谷、郡家及び津名町大町上・下の千二百戸とされる（『郷土誌いちのみや』）。もう少し詳しく述べるなら、一宮町井手・中村・下河合はそのままで、上条・老の内・大木・西山・糸谷の五地区が大字多賀に属する。そして郡家は、小字里・浜・北山・撫の四地区に分かれており、これに津名町大町上・下二地区が加わるのである。なお、戸数千二百戸という

・各地の屋台いろいろ

兵庫県西宮市公智神社のふとん屋台

兵庫県朝来郡生野町　擬宝珠屋台

兵庫県多紀郡篠山町　祇園系の山車

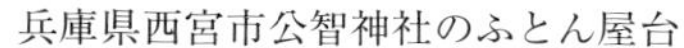

中地車（中型の屋台）渦巻きの浮き刺繍（梶内家所蔵写真）

完成したばかりの屋台。龍の浮き刺繍（梶内家所蔵写真）

京都祇園系の屋台。製作・撮影年代不明（梶内家所蔵写真）

先の数字は、昭和四十五年当時のものであって、現在では、過疎化現象のためもう少し減っている。一宮町の町勢要覧をみると、町内世帯数は昭和四十五年に三千二百戸であったが、昭和五十五年には三千七十世帯に減少している。人口は一万二千九百八十二人から一万一千三百八十五人に減った（住民基本台帳人口に基づく統計）。

そして、浜が船だんじり、里と上条が同じ型の曳きだんじりを所持しており、他の十一地区にそれぞれ一基のふとんだいこがある。ただし北山には別に子どものふとんだいこ一基があったといい、今は祭礼に子どものだんじりは出していないとのことだった。これら各地区から練り出される屋台の数は、年によって異なるものらしい。ぼくらが見に行った年（昭和五十七年）

小雨降る郡家の街中に置かれた屋台に乗って、子どもたちが太鼓を打って遊んでいた

は十基だったかと思う。そのときは、どの地区が屋台を出さなかったのか聞きもらしているが、ふとんだいこの他、船だんじりと重層唐破風屋根の屋形型式の曳きだんじりが一基ずつ宮入りした。神輿の渡御に浜の宮まで従ったものはなかった。

淡路島の屋台といえば、全島みなふとんだいこと思われている。近一翁からもそのように聞いたし、曳山研究をしている人や、屋台類に関心を持っている人の印象にも、淡路島はふとんだいこ屋台であるとして映じているようである。喜多慶治氏は、これを淡路系と呼んで、戦前、太田陸郎氏が屋台を構造上から浜手系と山狭系に分類した（「播磨の秋祭と屋台」『兵庫県民俗資料六』所収）ところの山狭系の原形に想定された。そして屋根の葺き型によって再分類し、灘系（浜手系）、山手系（山狭系）に加えて淡路系をあげられた（『兵庫県民俗芸能誌』）。兵庫県には、他に神戸市東灘区などに、重層唐破風屋根の屋形式の曳きだんじりや、京都祇園系統とみられる丹波篠山町あたりの外輪がつく屋台がある。また但馬地方の海岸部にも、素朴なつくりの移動歌舞伎屋台のようなまた違った型式の屋台が残っている地方がある。淡路島においても、全島ふとんだいこというイメージが強いものの、屋形風の屋台や、船形屋台が散見される。そして屋形スタイルの曳屋台が、ふとんだいこ登場に先立つものではなかったかと思われる。

萩原氏は『一宮御祭礼之儀御尋ニ付仕上ル帳面写』（元禄九年＝一六九六）に記載の郡家浦浜浦より出す屋台の構造を示すとともに、各地域より出す祭礼の練り物

兵庫県多可郡黒田庄町瀧尾神社の屋台。四隅が反りあがっているのが特徴である。
屋台が停止している間は子どもたちが集まってくる

を紹介された。それによれば浜の「引船」＝船形屋台の他に、多賀村のだんじり（踊狂言と旗がつく）北山村のだんじりがあって、その構造は

長弐間　端壱間　前壱間　両方ニ壱尺五寸之はつたり首　大竹にてらんかん有　はふニろくしゃうたんニて絵模様有　上ノ幕　木綿五端　こん　紋　丸之内ニ鷹羽　だんじり　屋根おほひ　あぜ木綿　花色すおう染　中下におき　見付のすたれ　長端五尺　中丸之内ニきく　たんろくしゃうニて書

であるという。

この記載は具体的にどのような型式の屋台を示すのか断定しがたいが、ぼく自身は地車型式の曳屋台の飾り付けを説明したものではないかと思う。少なくとも、はふ（破風）という屋根型に伴う構成物が示されている点などからすれば、ふとんだいこの形状を説明したものとは思えない。

島内のふとんだいこは、そう古い時代のものがないらしく思われる。浜岡きみ子氏によれば、淡路島に「ふとんだんじりが登場するのは、明治二十三年ごろらしい」（『淡路祭事記365日』）といわれた。

津名町生穂（いくほ）の賀茂神社に明治二十三年奉納の祭礼絵馬がある。様々な屋台が十数基、宮の鳥居をくぐるべく一列に連なっている光景を描いたものである。その中にはすでに数基のふとんだいこの姿をみることができるので、明治二十三年より以前、どの程度溯ることが出来るか興味深いところである。

なぜふとん屋台なのか

ところで、なぜ、屋台の屋根にふとんを積まなければならないのだろうか。ふとん屋台の形態に関するひとつの謎である。神輿や屋台が移動神坐であるとする解釈に基づくなら、幾重にも積み重ねた厚い蒲団は、神の降臨を象徴しているのであって、その機能を端的に物語っているのだと考えることができる。この見解は、大方の人たちに素直に受け容れられるものかと思う。だが、問題は、なぜ蒲団―それも正方形の蒲団が選ばれたのかという点にある。それも、イグサやスゲなどの植物を編んで作る古い形の円座でなく、木綿が普及して以後の、綿入方形の座蒲団が象られていることである。

それは、ふとん屋台の発生時期が、そう古い時代に溯るものでないことを形態において暗示しているとともに、座蒲団というものをある程度見慣れていながらも特別視していたことを物語っているのだろうとぼくは考えている。最も、座蒲団も木綿以前は中にガマの穂を入れたり、タタミを芯に使っていて、結構古い時代から上流社会には使われていた。今日でこそ、座蒲団といえば綿を詰めたものが連想されるのだが、ふとん屋台が登場するにあたって、確かに綿入りの座蒲団を模したものであったと断定するのは、現段階では控えておいた方がよいかもしれない。

屋台の起源を考える

今ひとつ、気になることをこの際だからついでに書きとめておきたい。これも、充分な根拠があっての話ではなく、だから少々ためらいもあるのだが、屋台というものの起源というか、その原形のイメージは、一体、何だったのだろうか。

船ではなかっただろうか。

日本中の神輿・屋台のすべてが船から発しているのだなどというつもりは、毛頭ない。主には淡路島での屋台の練りや、播磨地方沿岸の祭礼の状況から推して考えてみているのである。あるいは、逆に手荒く扱われる屋台の動きの中に、波風に揺られ漂う古代船のイメージが重なってゆく、単にそういうことであるにすぎないかも知れない。何ともいえない気もするが、神輿や屋台の発達が、果たして天空よりの神の降臨にのみ即して考えられるだけでよいのだろうかとの疑いも抱かれるのである。

神は、海上彼方の異界から来訪すると考えられていた場合も少なくなかった。伊弉諾神宮のお旅所となっているのは浜の宮であり、船だんじりを奉納することとなった由来について、海の男たちの信仰が語られている。また海上他界観を示すひとつの標本のごとく、淡路島南端には古代海人族の聖地とされ、古墳群の存在することで知られた沖の島という孤島が浮かんでいる。西浦の海岸道路を車で走ると、両墓制の色濃いこの島の処々に捨て墓が浜辺近くにあるのを見ることが出来る。南島の民俗ほどの明瞭さはみえないまでも、淡路島の人々にとって、海が精神生活面にも大きな存在感を持って作用を及ぼしていることは、まちがいないものと思われる。

かつての淡路島には、船だんじりが少なくなかっただろう。洲本市立文化史料館には、文化元年（一八〇四）

に製作されたという船だんじりが保存され、メインロビー中央に据えられてふとんだいこと共に展示されている。

（だんじりが―筆者註）淡路に最初に登場したのは、（略）元禄三年（一六九〇）とされている。当時、洲本の庄次郎または与次郎という船頭が交易のため日向の国へ行き、古物商から屋台を買って帰り、官府の許可を得て同年八月の洲本八幡神社の祭礼に出したのが起源だという。（浜岡きみ子『淡路祭事記365日』）

漁船の大漁旗や幟のはためく姿には、一種壮観な風情がある。淡路島をはじめとする瀬戸内海周辺のふとん屋台が、飾り刺繍を施した幕の豪華さを屋根の飾り金具や本体彫刻に優先させている背後にも、ぼくは飾りたてた漁船のイメージが、海に生きる人たちの無意識な選択が、ありはしないかと想像している。

屋台さまざま

屋台。ひとくちにそう呼んで来たが、それはそうでもしないと収拾がつかないからである。曳山というと、神輿のように担がれる舁き屋台の存在が無視されそうな気がした。山車・檀尻・地車などの言葉も、車輪付きの構造体を連想させる。ここで扱う多くが人に担がれる型式だったので、屋台の語を選んで使ってきた。しかし梶内さんの店は、「だんじりや」であり、ふとんだいこも「だんじり」と呼ばれる場合がある。しかし、ぼくが少年期を過ごした東大阪市あたりでは、地車型式の曳き屋台を「だんじり」といっており、ぼくのイメージにあるだんじりはそれであった。今は、屋台でも檀尻でもかまわないと思うが、各地のデータを照会する場合には、必ずしもこちらの思っている形態のイメージが先方に伝わらないので困る。屋台と神輿の区別がまたあいまいなところがある。屋台と概括して述べてきた諸形態のものが、それぞれに地元の呼び名をもつと、ヤッサ・チョウサ・ヤマ・ダンジリ・ヤッタイ・フナミコシ・ヒキヤマ等々、ちょっと知っている範囲でもぞろぞろ出てくる。しかし、所変われば同じ呼び名で似ても似つかぬ形態を示す場合があった。これでは、土地と名前と形態を、ちゃんと押さえた上で比べてゆかないと、うかつなことが言えないし、分布図を作ることもむずかしい。

今のところ、兵庫県内では先に述べたような状況で屋台類が分布しており、摂津、播磨東・西、丹波、但馬、淡路の旧国域ごとにほぼ大きな形態差が把握できるにすぎない。そしてふとんだいこの形式をとるものが、中国・四国地方の瀬戸内沿岸部と大阪府下・和歌山県・京都府下山城地方にかけての、ほぼ瀬戸内海周辺地域に分布するといった程度のことしか言えない。そしてこの型ひとつをとってみても、それぞれに形態の地域差がみられる。

近一翁の話では、ふとんだいこも四国では香川県三豊郡、新居浜市あたりのものの原形はこれで、蒲団が九段である。飾り物が全部刺繍でおおわれた豪華なものである。そして四国のふとん屋台は、淡路のものと似ているが、ふとんの上に「ていさいかくし」がのっている。竹カゴに布をかぶせて伏せたようになっていて、中に何人かが入り、電線など払いのけるサオを持つ。最近はこの者たちが紙吹雪や鳩を飛ばして宮入りするようになった。

香川県三豊郡豊浜のふとん屋台は、高欄に大きな「かけぶとん」を幕のかわりにつける。播磨には二系統あって、三木市では淡路から買って帰って以来真似はじめた。加西市の北条は「すみあがり」といって、ふとんの四隅が極端に反り上がっている。明石市二見あたりのものも、わずかにではあるが、四隅がはねている。

大阪府下には、石切や額田あたりに曳きだんじりとふとんだいこと両方があって、これら東大阪市域のふとんだいこは「トンボ」という白いキレを丸く結んだものを四隅につけている。堺市方面も同じで小さなフサもつく。新居浜市ではこのトンボを「ククリ」と呼んでいる。神戸市灘区の御影から石屋方面は曳きだんじりが主で、外河内・岸和田・泉南地方にも曳きだんじりが多い。そして堺・貝塚にふとん屋台がある。和歌山（粉河）は、曳きだんじりの簡単なもののような形をしている。ざっとそういうことだった。

西宮市北部でも、ふとんだいこが使われている。神戸市西区もそうで、いずれもふとんは三段。淡路島のものは今は五段重ねである。神戸市西区岩岡在住の松井良祐君はぼくの同僚だが、面白い写真をみせてくれた。岩岡神社（祭神牛頭天王）の秋祭りにくり出される屋台は、八台あり「たいこ」という。もとはふとんをつけない太鼓台が別に一基あって、これを「おさき」といっていた。露払いとしての役を担って、神輿同様村廻りとされていたが、昭和五十二年頃に「おさき」が廃止され、かわりに「たいこ」の上に、「おさき」同様の四本竹を立て、注連縄を張って出る（これも村廻りとなる）ようにかわったということだった。

興味深いのは、こうした「たいこ」の中に、紀州だいこ・淡路だいこの呼び分けが行われていることである。播磨一円のふとんだいこは「すみあがり」であるか否かを問わず三段重ねで西宮市のものもそうだった。淡路は五段重ねである。そして、岩岡神社の祭礼の紀州だいこは三段重ね・井桁組の高欄であって六台。他の二台は淡路だいこで、五段重ね・擬宝珠付高欄となっている。彼は、兵庫県高砂市の曽根天満宮の「そり屋台」だといって、新居浜市あたりの屋台にみられる「ていさいかくし」のようなものが施されたすみあがりふとんだいこの写真をみせてくれた。民俗学を専攻してきたわけではなかったが、「おまつりが好きなんです」と言って笑う。

滋賀県水口町の米田実さんからは、滋賀県内に大津型・長浜型・水口型・日野型の四型式があると教えられた。ふとん屋台型式は見当らないともいわれた。そして、長浜型の近縁タイプと考えられるものが石川県など北陸方面にみられ、湖東・湖南方面に水口型・日野型が分布するということだったが、これらの四型式は、いずれも大分類としては、屋形風の曳山として同じ一筋の系統から分枝しているものなのである。関東地方の秩父市・川越市あたりの屋台などとも近しい。

イラストマップさながらに、屋台類の分布図を作ってみたい。今回は敬遠したものの、未練は残っているのである。

新調した屋台の前で記念撮影。姫路市網干区大江島にて。撮影年代不明（梶内家所蔵写真）

■修業時代、そして独立

再び梶内だんじり店で

梶内だんじり店は、近一翁が開業して以来、息子の嘉蔵（かぞう）さん、孫の順司さんと三代続いてきた。現在は資本金六百万円の株式会社組織にしていて、刺繍職人五名、大工六名の従業員がおり、梶内一家の人とともに働いている。大阪市内と明石市内にも店を構え、年商約三億円の企業体としての体制は、いわゆる家内生産的な職人仕事のイメージから遠いように思えるが、それでも、社長である近一翁や順司さんたちが、従業員である女性たちと一緒に、ひとつ広間で針を操っているところは、やはり手仕事のわざを伝承してゆく工房の在り方そのものであった。決して殺風景な工場や、事務的なオフィスのふんい気ではない。敷地はどれほどの広さだろうか、南西隅に社屋兼居室の三階建のビルがあり、向い合って北側に、大きなスレート葺きの倉庫風の工場がある。ビルの一階が、東に開口部をもった刺繍工房となっている大広間である。屋台本体の格納庫兼木工・組立作業場となっている工場内では、電動のこぎりやノミを扱う大工仕事がすすめられる。東には木造校舎のような平屋の作業場があって、そこは漆職人の工房と、小物といわれる神仏具類の造作を主に受け持つ作業場などがある。

この店で作られるものは、屋台や神輿だけではない。小型の社（やしろ）や神棚、獅子頭、また祭礼衣装等々、さらには結婚式場の設計施工も受け請っている。おまつり関連の必要な品々は、たいてい調達できる経営体制を整えている。とはいえ、本領が豪華な屋台の飾り刺繡製作にあることは言うまでもない。

「ウチは、ふとんだいこの注文が多いですな。曳きだんじりも年に数台修理するし、販売もします。けど、高価なもんやから、新調するところは少ないです。今のところ、生産台数は年間二、三十台というところですな。この中には屋台でなしに、太鼓台もありますけど、小細工の仕事は別にして、それくらいになりますやろ」

「いろんな職人がおります。この淡路にも古くからだんじり大工がいて、志筑に多かった。三原郡にはおらんかったと思う。志筑が、交通便利やったせいかと思てます。ワシが来た頃には、五人くらい大工がいて、一緒に作りましたんや。刺繡の方も、この土地にもいたし、徳島からも来てやっていた。大阪の職人も来てました。けど、その後は志筑の人が多なりましたなあ。
二、三十代の若いモンもいて、たいていマツリモン（祭礼用品）やってました。糸や木材は大阪方面、金糸は京都から仕入れました。金具職人をおいていたこともありましたけど、これはあんまり出んかった。今はウチにはおいてません」
「マツリモンは、別にウチに限らんでも、全国にいろいろとあるけど、昔から、ひとつのもんだけゆうのが多かった。（屋台一基を）そっくり仕上げて納めることができるのはウチだけです。刺繡屋というもんは、全国で千人ぐらいはありまっしゃろけど、ウチのように縫い細工は、他所では出来ません。京都に刺繡屋は多いけど、衣裳のと違うて、マツリモンはありません」

近一翁の歩んできた道

近一翁がこの道に入ったのは、明治四十年、十一歳の夏だった。徳島県三好郡池田町の山下刺繡店に、九年間の年季奉公に入ったのである。そこは十人くらいの奉公人をおいてだんじりの幕を作っていた。師匠は四国の産で、京都で修業して来た人だった。弟子入り後間もなく、明治四十二年に店は伊予の方に移った。伊予の方が、仕事が多かったからである。

弟子入りするとすぐに針を持たされた。そして簡単なジビキなどの基本のあげおろしをさせられた。朝は七時からはじまって、夜の十時まで、毎日十五時間働いた。修業時代はきびしくて、食うものもろくにもらえなかった。店は二代続いた古い店だったのだが、金もなく貧乏していたので、奉公人には盆暮れのオシキセをくれるという約束だったにもかかわらず、くれたことがなかった。結局この店には十二年住み込みで働いたが、つぶれてしまった。

「職人ちゅうもんは、一生が勉強や。ワシは五年ほどでいい仕事ができるようになって、奉公中はふとんしばりの仕事をした。これは屋台のふとんを締めるもので、ふとんじめともいうて、飾りっ気が多くなってしだいに大げさなもんになってきました。修業中は、上達していったらええ仕事をまわしてもらえる。ワシは上達が早かったから、普通の人の半分くらいの期間で一人前近くなったけど、それからあとは、やっぱり、なかなか手があが

金色の八岐大蛇（やまたのおろち）の浮きもの刺繍をする生前の梶内近一翁。翁は優れた刺繍の技能を認められ、昭和53年に労働大臣卓越技能賞を受賞した

らんと叱られたもんです」

　年季の明けるのは、だいたい二十一歳だった。徴兵検査で年季明けとなるからで、早く入っても、年長けてから遅くに弟子入りしていても同じだった。当時、弟子は十五人ほどになっていたが、年季が明けても多くは親方の飼い殺しで終わったものらしい。独立することは、親方の思惑は別にしても、容易なことではなかったという。資金面の問題が、なんといっても大きかった。

「そら、しんどいことやった。人のしないようなことをしないと独立できん。年季があいて結婚したけど、奉公時代にはほとんど収入がないから、独立できるような資金なんて、そんなもん作れんかった。見本こしらえて、幕を売り込んでみせてから注文とって仕上げる、そんな状態でなんとか暮らしてゆくようなことやった」

　近一翁が淡路島に渡ってきたのは、シノミヤという縫い屋を頼ってのことだった。仕事があるというので職人として雇われた。そこが志筑という町だった。シノミヤは大阪の人で、これも土地のアベという者を頼って来てやがて独立したのだった。アベ、シノミヤとも十年くらいは仕事をしていたろうか。

　淡路に来てまもなく、頼って来たシノミヤが廃業してしまった。それで独立する他なくなった。二十五歳のときだった。しかし、金も仕事もなかった。嘉蔵という息子も生まれていた。

　六年後、育波村（北淡町育波）のだんじりを作ったのが独立後の初仕事になった。淡路で初めてのゴテンモノを作ったのだが、それまでなかった図柄に人気があつまり、好評を得たのが幸いした。それから、ぽつぽつと、注文がつきはじめたのである。以来、今日まで手がけた屋台は八百基を数えるという。

すじ絵。これは近一翁自筆のひな型。須佐之男命の大蛇退治の図

●梶内近一年譜

明治２９年	徳島県三好郡池田町馬場に生まれる
３７年	母、父と相次ぎ死別
４０年	白地小学校卒業。地元の金糸刺繍業者山下繍店へ弟子入り
４２年	山下繍店の愛媛県移転に伴い郷里を去る
大正　５年	年季があく
７年	長男嘉蔵生まれる。この頃、仕事を求めて淡路島に渡る
９年	兵庫県津名郡津名町士筑に金糸刺繍業・梶内だんじり店創業
１５年	初仕事。同郡北淡町育波のだんじりに御殿物の飾り幕を製作し好評を博す
昭和１５年	立体的な「浮きもの刺繍」を考案する
２５年	明石市大蔵町に支店を開く
２６年	大阪市天王寺区逢坂に支店を開く
２８年	梶内だんじり株式会社に改組、代表取締役就任
４３年	兵庫県・ワシントン州姉妹都市提携に際し、県の依頼を受けて製作したミニだんじりが完成。のちにワシントン州立博物館で記念陳列される
４５年	大阪仏壇店・多宝堂（逢坂）開店
４６年	兵庫県技能顕功賞受賞
４８年	兵庫県商工会大会表彰
５３年	津名町表彰。労働大臣卓越技能章受賞
５６年	本社社屋完成

「簡単には、いかん」

吸っていた煙草を揉み消しながら、ぽつりといわれた。そして眼を閉じ、腕を組んで、ぼくの質問を待つようすだった。

この仕事は、時期的にムラがあるという。そうだろうと思う。秋祭りなどの四、五ヵ月前になると、季節的に縫い子を雇った。「どんな人、渡り職人ですか」と聞くと、そうだ、という。昔は、職人は阿波から雇った。徳島には多くの縫い屋があった。蜂須賀の家来がよく内職にしていたのだという。家臣の妻子というのでなく、男が、つまり下級のさむらいが針を持ったのだと。

「阿波で刺繍が盛んやったのは、これが貿易品やったからです。ワシがしはじめる以前には、それでもうかっていたらしい。で、阿波の刺繍は、もとは着物の糸刺繍からはじまってきておりますんや。人形芝居の着物の刺繍なんかもしてましたなあ」

瀬戸内海沿岸に多い得意先

スレート葺きの工場の中に、何台もの屋台が青い防塵シートをかぶせて並んでいた。ほとんど完成間近なものもあるという。「シートを取りましょうか」と順司さんが言ってくださったのを、それには及びませんからと固辞して工場内を見渡した。角材にホゾ穴を彫っている大工さんがひとり、円ノコに角材をあてている人も奥の方にいた。天井が高いのでガランとした印象を受けたが、東半分に二階フロアーがあって、そこにも製作中の屋台がいくつも並んでいた。その奥の方は、木材など積み上げた資材置場だった。概して製作やが修理の依頼が多いのは、香川県、愛媛県、兵庫県の播磨地方一帯であるという。大阪府・京都府方面からも依頼があるが、和歌山県方面はほとんどない。一応瀬戸内海周辺の各地が得意先ということになる。しかし、幕だけとか、獅子頭などの小物類だけとなると、全国各地から注文が来ていて、近年も、北海道へ獅子頭を納めたことがある。

ひとつ気になることがあって、案内していただいた順司さんに聞いてみた。

「これまで、こうして仕事をして来られて、いろんな屋台があったと思いますけど、古い屋台を修理されたときなどに、製造年などの銘文が入っていませんでしたか」

しばらく考えてから順司さんが言った。

「いろいろ書いてますねえ。修理で来ただんじりの中では、大阪の方のもので、文政何年かの年号のものがありました。それが一番古かったと思います。あとはしかし、あっても明治前後というのが古い方ですねえ。ふとんだんじりは、回転が早いから、あんまり古いものはないし……。修理の年号やら何やらの書いたものは、結構ありますよ」

曳き屋台の泥台に彫刻を施す。屋形風の大きな曳き屋台は、構造も複雑で彫刻も多く、他の屋台に比べてかなり高価なものとなる

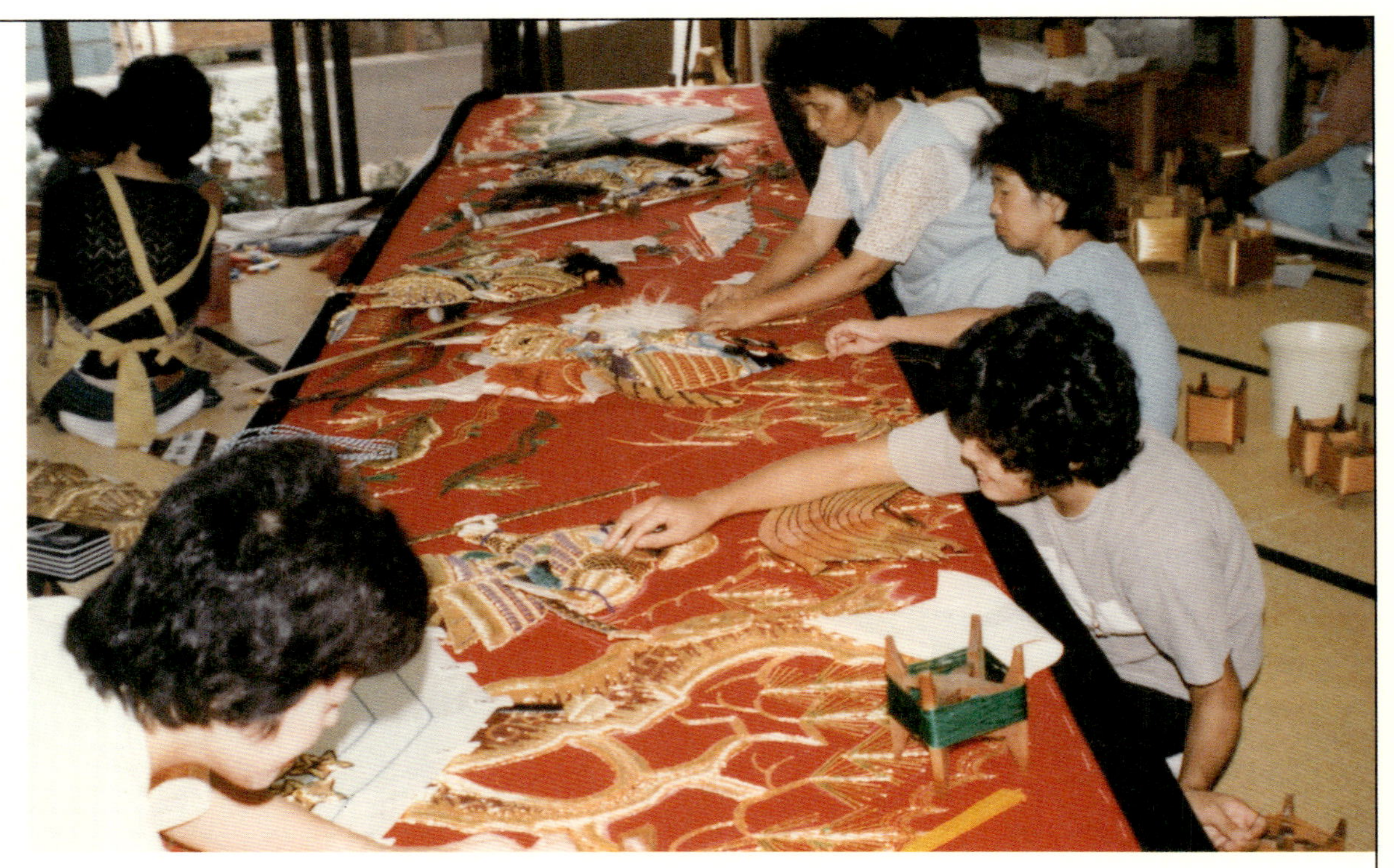

左上　金糸をふんだんに使って完成した高欄掛け

左中　寝せているのでわかりにくいが、楼閣の屋根の部分の浮き刺繍のせり出し具合。刺繍とは思えない立体感の表現

左下　「御殿物」と呼ばれる浮き刺繍。塔や御殿などの楼閣が刺される。梶内近一翁の得意としたテーマである

右上　大幕を製作する梶内だんじり店の職人たち

右下　淡路一の宮・伊弉諾神宮の屋台の浮きもの刺繍。平清盛が扇で夕陽を招いている図柄

＊ 写真はいずれも梶内家所蔵・提供

淡路島では古風な屋台とされる曳きだんじりの宮入り

「引船」と古い記録に見える淡路一の宮伊弉諾神宮の船だんじり
撮影・神戸佳文

渡御（とぎょ）

船だんじりの登場

伊弉諾神宮の宮入りの最後を飾る浜組の船だんじりが登場した。拝殿の前に横づけすると、ひともみ、ふたもみ大きく揺れ出した。青年団の若者たちが、倒さんばかりに荒々しく練りはじめたのである。日の丸の小旗を帆柱から四方へにぎやかに飾りたて、依り代（よりしろ）とみられる葉つきの竹にハナをたくさん飾りつけたものを、それぞれ手にしたふたりの青年が、派手な襦袢（じゅばん）姿で女装して乗り込んでいる。ひとりは、色濃いサングラスをかけている。

ひとしきり荒れ狂ってからしずまると、サングラスの青年が「サァサゲェマショー」と叫ぶ。するとまた荒波にもみくちゃにされるかの如く、船が踊り、揺られ傾く。こわれやしないかとこっちがハラハラするが、乗っているふたりは、うまく身をひるがえしてバランスをとり、平気な顔をしている。荒々しい船だんじりの奉納練りは、際限なく続くようであった。

この船だんじり、次のようないわれを持っている。元禄五年のこと、郡家浦の人十二人が江戸下りの廻船に乗り組んでいて途中嵐に逢った。蝦夷（えぞ）あるいは三宅島へと流されたが、そこで立願の甲斐あって、四年後、全員無事に帰郷することが出来た。それを喜び、村をあげて「引船」を奉納し、宮の祭礼に曳き出すことになったというのである。

また別の伝承として、昔、イザナギ・イザナミ二神が淡路へ渡るにあたり、播磨の鹿の瀬（しかせ）から舟に乗って来られたことに因むのだとする話がある。鹿の瀬は、明石沖の好漁場の名である。

淡路には、当地こそ、くにうみ神話に登場するオノコロ島であるとする場所がいくつか名告りをあげている。現在の、伊弉諾神宮の本殿も、もとの伊弉諾命の御陵であった石積みの塚を整地した上に建てたものであるといわれている。

海人（あま）族の伝説を秘める淡路島らしい話だが、今のぼくはそういった神話や伝説の中に深入りする気にはならない。「サァサゲェマショー」の掛け声を合図に荒れ狂う船だんじりの躍動は、海に生きる人たちの象徴として、淡路島での祭礼には最もふさわしい気がする。

それで充分ではないか。眼前にくりひろげられている光景こそ、もっとも素朴に海洋のイメージを形象化している。

神輿の渡御はしずしずと行われた

揃いのハッピに鉢巻き姿の少年たちが、腰に水平に結えつけた太鼓をポンポコポンと打ち鳴らした。その音に誘われて一頭の獅子が舞う。ひょっとこの面をつけ、カルサンの腰の割れ目から、太股と白いブリーフをのぞかせた若者がひとり、扇子をかざして踊り出す。その獅子を撮ろうと石灯籠にかじりついて構えたカメラのファインダーに、太鼓打ちの少年たちがとびこんできた。太鼓をたたくポーズをしてみせる。自分たちを撮れというの

女の子たちがかつぐ樽神輿が出発。「うちらもかつぐんや。男の子に負けへんで！」伊弉諾神宮の春祭りの一コマ

である。

「よっしゃ、撮ったろ、並べ！」

憎めない少年たちだった。結局、獅子の写真をぼくは撮れなかった。

本殿にもっとも近く、拝殿脇に神輿がすえられていた。朝からその場所に置かれ、一緒に樽神輿が三台並べてあった。供奉する厄年の男たちが白丁となって現われ、半そでトレーナーにえび茶色の半パンツの少女たちも勢揃いした。鼻高面をつけた露払い（天狗＝猿田彦）の姿もあった。神輿の渡御がはじまるのだった。ぼくとK君は大鳥居の先に走った。やがて、引き上げはじめる屋台の前に、扇子をかざして踊るひょっとこが登場した。二頭の獅子が、これにたわむれかける。少年たちの太鼓、幟・お先太鼓などが後に続く。神輿はまだ見えない。

渡御はしずしずと行われた。長い行列が浜の宮へ向う。途中、櫛笥神社で小休止となり、神主たちがこの社にのりとを奉る。日が傾きはじめる頃合に、さらに先の浜の宮へお旅をするのだが、すでにこのとき付き従う屋台の姿はなかった。先ほどまでの賑いとはほど遠い、しずかな、夕暮れ間近の神幸式だった。櫛笥神社での休憩が長いので、ぼくらはまた浜の宮へ先回りすることにした。

浜の宮は、海のみえる小高い地に祀られている小さな社だった。公園になっている境内では、子どもたちが数人、砂遊びをしていた。まもなくお旅の行列が着くというのに、他には誰も待つ者がいない。しばらくして子どもたちも「もう遅いから帰りや」と呼びに来た母親とと

上　「サァサゲマショー」の掛け声を合図に、郡家浜の若者たちがひく船だんじりが伊弉諾神宮の境内を荒々しく練り歩く。大波に揺れる船を演出しているのか、船だんじりが大きく傾いた
右　練り終わったふとんだんじりが神宮の境内で休んでいた

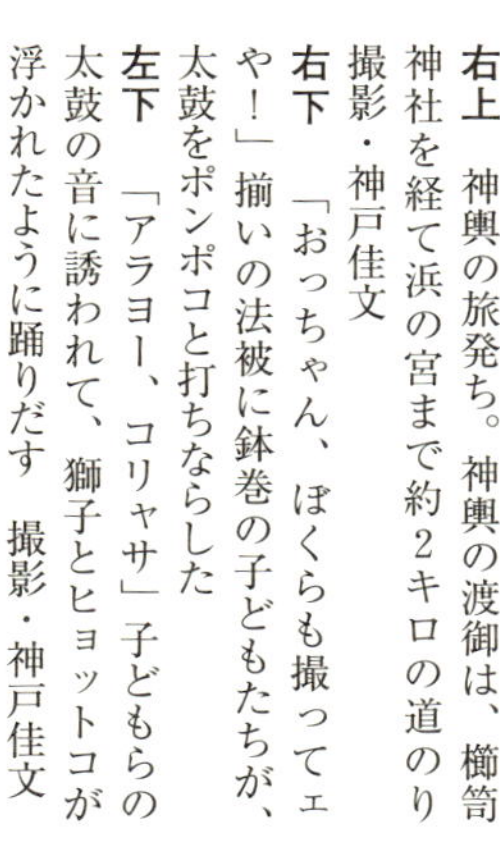

右上 神輿の旅発ち。神輿の渡御は、櫛笥神社を経て浜の宮まで約2キロの道のり　撮影・神戸佳文

右下 「おっちゃん、ぼくらも撮ってェや！」揃いの法被に鉢巻の子どもたちが、太鼓をポンポコと打ちならした

左下 「アラヨー、コリヤサ」子どもらの太鼓の音に誘われて、獅子とヒョットコが浮かれたように踊りだす　撮影・神戸佳文

郡家の街の坂道を浜の宮へと神輿の行列は進む

浜の宮で祭られた後、神輿は伊弉諾神宮へ還御する

神輿の到着した浜の宮のひととき

もに帰ってしまった。ぼくは、誰もいなくなった境内の一角にあるジャングルジムに登り、腰をおろして煙草に火をつけた。神輿が上って来るであろうゆるやかな坂道の上に、夕日があった。

「逆光ですねえ、撮れるかなあ」とK君は腕組みをし、「そろそろ来てくれないと、露出も足りないなあ」、と気をもんでいる。

しばらくして、軽快な太鼓の音が聞こえて来た。坂の下に、獅子たちが踊っているのがみえた。あとに神輿も続いている。ゆっくりと、行列は近づいて来た。夕照りの神輿が美しかった。

■終章

「まつり」は終わった。まもなく還御となる。最後まで見届けたいが、帰るバスの時刻も気がかりだった。

「そろそろ帰りませんか」

K君が言った。

「今なら、八時迄には明石に渡れます」

淡路島の北端にある岩屋港から、播淡汽船に乗り、明石港へ向う。所要時間は三十分足らずである。波は穏やかだった。船底の二等船室は二十畳足らずで、四、五人の釣客と工員風の若者が寝転んでいる程度だった。K君も壁にもたれて腕組みし、眼をとじている。

床に置かれた洗面器の中で煙草をもみ消して、甲板に出た。朧月夜だった。しめった空気が心地良く感じられた。今頃は、直会の宴もたけなわだろうか。宮当番の家々に声高な笑いが響いているに違いない。ふと、還御の後の宮の姿が脳裏をかすめた。

それは無人の宮だった。広い境内、社殿の庇に霞がかかっている。物音ひとつなくしずまりかえっている。それはぼくの心象風景と見事に重なっていった。神さびて、神の眠りを象徴する虚空間が生じたのである。印象的な、実に鮮やかなイメージだった。いつか、タブロー（Tableau）〔絵〕にしてみたい、そう思った。

蒲団屋台覚書

文・図・近藤雅樹

蒲団屋台は、瀬戸内海地方に分布する特有の型式とされている。ここに示した分布図も、概ね従来の見解に一致するものであるが、やや離れて九州北西部と丹後地方に存在するのはなぜであろうか。また、ぼく自身は未確認だが、山陰地方沿岸部にも少しは蒲団屋台といえるものがあると聞いた。であるから、従来の見解は一応是認してよいとは思うものの、なお慎重に事例収集を続けてみたいと思う。この分布図は、何らかの手段でその形状を確認出来たものを示しているが、多分に泥縄式の急ごしらえであり、大雑把な情況を示すものでしかない。今は空白の府県域に、新たなマークシートが貼り込まれる確率は、かなり高いと思われる。

和歌山県日高郡川辺町の丹生神社の神輿は、蒲団屋台とは言えないが、四人乗りの太鼓台には違いなく、上部が一重の蒲団屋台と錯覚しかねない深紅の天幕でおおわれている。神戸市西区岩岡神社の祭礼に「紀州太鼓」「淡路太鼓」があることと伴せ、和歌山県下の状況にも期待を寄せている。

香川県下を中心に、蒲団屋台をチョウサというが、この型式以外の屋台を操る際にチョウサ系の掛け声を発する土地がいくつか知られている。種子島のチョッサー、姫路市辺りのチョウヤッサなどである。そして神輿風の擬宝珠屋台をヤッサと呼ぶ例もあり、チョウサという掛け声が屋台名になったとする推理に問題はないのかもしれない。しかし、チョウサとはどういう意味を持つ言葉だったのかという疑問は残る。この掛け声を行う土地に、必ず蒲団屋台があったと強弁するつもりはない。ただ、今では調子をとる以外、さほど意味があるとは思えないような掛け声にも、もとは何らかの具体的なイメージを伝達する威力があったのではないか。

次に、蒲団屋台の型式は、いつ頃、なぜ発生し、ひろまっていったのかという問題がある。この点に関して、古くは「みこしだんじり」であって近世初期に発生したという説もある。福山市鞆では渡守神社の蒲団屋台（チョウサイという）は、文化七年（一八一〇）以来と伝え（『広島県史民俗編』）、貝塚市感田神社の蒲団太鼓は元文六年（一七四一）以来のもので泉州では一番早いという（『日本の祭り』6）。渡辺良正氏は「瀬戸内周辺の山車・屋台は、太鼓台から発展したものが多い。みこし太鼓と呼ばれるように、神輿の巡業に従って祭りに参加していたものが、装いを新たにして、豪華な山車へ発展した」、または「豪華な太鼓台も、もとは石の運搬船石やぐら太鼓から発達した」とされた（『日本の祭り　山車と屋台』）。『日本祭礼地図』Ⅴでは「太鼓台・神楽台など呼ぶ太鼓を中心にした屋台は、触れ太鼓や神楽を屋台仕立にしたもの」と解している。

太鼓を乗せて打ち鳴らしながらゆく造作物を一括してその分布をみるなら、それはほぼ全国的な展開になるであろう。『日本祭礼地図』は、そうした分布状況を表わしている。したがって、蒲団屋台と他の太鼓台の型式差・分布区域の把握には、都合がよくない。

蒲団が重要か、太鼓が主役かといった着眼点の相違は、その

蒲団屋台分布図

1 · 京都府相楽郡木津町　岡田国神社　御霊神社
2 · 京都府竹野郡丹後町　竹野神社
3 · 京都府与謝郡伊根町　未確認
4 · 京都府竹野郡丹後町　三柱神社
5 · 奈良県吉野郡吉野町　蔵王堂
6 · 大阪市東区博労町　難波神社
7 · 大阪府東大阪市額田　枚岡神社
8 · 大阪府堺市百舌鳥　百舌鳥八幡神社　開口神社　菅原神社　方違神社
9 · 大阪府貝塚市中　感田神社
10 · 兵庫県西宮市山口町　公智神社
11 · 神戸市垂水区　海神社
12 · 兵庫県明石市東二見　御厨神社　住吉神社　岩屋神社
13 · 神戸市西区岩岡　岩岡神社
14 · 兵庫県高砂市曽根　曽根天満宮
15 · 兵庫県多可郡黒田庄町　瀧尾神社
16 · 兵庫県加西市北条　住吉神社
17 · 兵庫県揖保郡新宮町　河内神社
18 · 兵庫県津名郡一宮町　伊弉諾神宮
19 · 岡山県倉敷市連島町　八幡神社
20 · 岡山県浅口郡寄島町　大浦神社
21 · 広島県福山市鞆　渡守神社
22 · 広島県三原市幸崎町　常盤神社　佐江崎神社
23 · 広島県竹原市竹原町　弓崎神社　城宮八幡宮
24 · 徳島県海部郡日和佐町　八幡神社
25 · 香川県小豆郡池田町　亀山八幡神社
26 · 香川県小豆郡内海町　八幡神社
27 · 香川県小豆郡土庄町　八幡神社
28 · 香川県木田郡庵治町　皇子神社
29 · 香川県高松市宮脇町　石清尾八幡神社
30 · 香川県観音寺市観音寺　琴弾八幡宮　境八幡神社
31 · 香川県三豊郡豊浜町　八幡神社
32 · 愛媛県新居浜市一宮町　一宮神社
33 · 愛媛県西条市下島山　飯積神社
34 · 佐賀県伊万里市立花町　香橘神社　戸渡島神社　伊万里神社
35 · 長崎県長崎市上西山町　諏訪神社

※太字の神社名は蒲団屋台の形態、段数を確認している例。細字は蒲団屋台であることははっきりしているが、形態が未確認の例

後に続くべき事象解釈に微妙な不整合を来たすのではないかという気もする。

本文中に触れた屋台の転売は、決して播磨地方に限られた現象ではない。各地に認められることであろうが、こうした現象が永く続いた結果もあって一定型式の屋台分布域が拡大していったと思われる。分布域形成過程において、ある時ガラリと変わった型式の屋台が導入され、それがまた転売されていったとすれば、屋台の型式差を伴う分布状況は、あるいは周圏論的に解釈可能な部分も生じるであろう。

分布図上には、各地の蒲団屋台について、蒲団部分だけをとり出して形態差を示してみたが、広範に見られるものは紅色の五段重ねの形であり、これを今日における標準型と想定してよいように思われる。三段とする例もかなりあるが、素朴に考えるなら、時代が下るにつれて重ねる蒲団の数が増したのであろう。が、では、たとえば播磨地方の三段は淡路の五段より古風であるから淡路の方が後発かというと、そうでもなく、三木市などでは淡路から買ってきて以来のことという。岩岡神社の「淡路太鼓」も、淡路の先行性を物語っている。つまり、古い形態の三段重ねの蒲団太鼓を売却した後に、五段重ねを導入したのが淡路だったとの解釈が成り立つのである。淡路島の蒲団屋台に、古くは三段のものがあったことは、後に触れる二面の祭礼絵馬によっても証明出来るであろう。

瀬戸内海を中心に展開している蒲団屋台の分布が、その発生から今日の状況に至る過程を明らかにしてゆく作業は、しかし、容易なことではない。この水路に発達した海上交通、また漁場を共有する漁民の相互交流など、そうした経済的また文化的な民衆の営みの一表象として、蒲団屋台の分布状況も推移しながら形成されて来たはずである。

播磨地方の祭礼絵馬

播磨地方は祭りの盛んな土地柄である。それもあってか、各所に祭礼絵馬が残っている。それらの絵馬に描かれた屋台を注意してみると、現行の屋台が擬宝珠型である神社にあっても、かつ

右上　淡路島津名町生穂の賀茂神社の絵馬（部分）のふとんだんじり
左上　同、魚のつくりもの
左下　同、二股大根のつくりもの（部分）

右頁　兵庫県龍野市阿宗神社のふとんだんじりの板絵馬。５段重ねのふとんを頂いただんじり２基と神輿型の太鼓台、それを担ぐ群衆が描かれている

ては必ずしもそうではなかったことが指摘できる。現在、姫路市を中心とした西播磨地方の平野部で蒲団屋台の登場する祭礼は、恐らくないと思われるのだが、以前はこの辺り一帯にも蒲団屋台が使われていたことを、いくつかの祭礼絵馬が教えてくれる。たとえば姫路市林田の八幡神社の祭礼絵馬は二面あり、嘉永元年（一八四八）と明治十四年の奉納銘がある。前者には、赤白赤三段の蒲団屋台が二基、後者には、赤白緑三段と、赤一色で三段の蒲団屋台が二基ずつそれぞれ描かれている。隣接する龍野市にも、小宅・阿宗両社に蒲団屋台の登場する祭礼絵馬各一枚が残っている。ともに年紀はないが、小宅神社のものは明治期の奉納であろうか。阿宗神社のものは幕末頃と推定されている。太田陸郎氏が播磨地方の祭礼屋台を内陸部の蒲団屋台と沿岸部の擬宝珠屋台に区分してみせたのは、昭和七年であった。当時は、まだ姫路市内にも船津に蒲団屋台があり、擬宝珠屋台とともに同じ祭りの庭に練り出していた。小宅神社の蒲団屋台も、昭和初年頃まで使われていたという。

魚吹八幡神社の祭礼絵馬は、横二間に及ぶ長大なもので天保（一八四〇）十一年の奉納である。これには蒲団屋台がなく、屋形風の屋台が曳き出されている。しかし、この神社の氏子域のひとつである姫路市網干区大江島には、現在、祭礼当日の擬宝珠屋台の他に練習用の古い屋台があって、それは昔使っていた蒲団屋台であるという。

ヤッサ系の呼び名を持つ擬宝珠屋台も、チョウサ系の蒲団屋台も、上部構造をはずしてみれば同じ太鼓台である。基本的な扱い方に変わりはなく、モデルチェンジの際に問題となったのは、主として経済力と江戸好みといったような当時の風潮であったかと思う。

淡路では、津名町志筑の八幡神社と同町生穂の賀茂神社で、それぞれ一面の祭礼行列図絵馬を見た。前者は年代が不明だが、後者は明治二十年の奉納である。共に蒲団屋台が描かれてはいるが、その形態は、今日淡路島内に行われている五段重ね深紅のそれではない。

津名町志筑八幡神社のふとんだんじり（右下）、上部に船だんじりもみえる

興味深く考えさせられたのは、明治二十年の銘のある賀茂神社の絵馬であった。様々な屋台が十数基、整然と列をなして宮入りする光景を描いている。画面隅に打ち上げ花火の絵があるところをみると、宵宮の情景だろう。この行列に加わる蒲団屋台は二基。船屋台その他も若干あるが、多くは曳き屋台であって、しかも比較的簡単な構造をしている。そしてこうした曳き屋台を飾るものは、兎や龍・牛など干支に因んだ動物や、鯛と覚しき巨大な魚、葉つきのこれも巨大な二股大根などの造り物である。かつての淡路島における祭礼屋台・神賑の在り様は、今とはよほど違ったものであったのだろうとの思いに充たされる。

年ごとの祭りに、趣向をこらした造り物を考案し、皆で造って屋台に飾り付ける。その出来映えを誇らかに、参集した者たちのため息に内心ほくそ笑みながら、神前に屋台を曳いて行く。それは、どれほど心はずむ喜びだったかと思う。こうした曳き物もいつか知らず蒲団屋台へと切り替えられていったのだったが、それは、村民の経済力が全般に向上してきたことを示すものであるのかもしれない。祭礼を豪華に演出する上での効果も大きかったであろう。しかし、一方では、村人たちの創意工夫は失われ、手づから造る楽しみやそれによって得られる満足感、共同作業を通して形成されてきた連帯感・親密感といった、様々な無形の財産（社会的機能としての）が相殺された部分が少なくなかったかも知れない。

新しく何かが登場した時、かわりに何物かが消えてゆく。それは歴史の宿命、文化の新陳代謝といえばいえるであろう。それを人々は充分に吟味し、納得した上で受けとめて来たのかどうか。我々は、ときに埋めがたい淋しさ、空虚感をもてあますことがある。それは単純にモノが入れ替るだけの事件ではなかったと思うのだが……。すでにかなりの歳月を経た。屋台を練る人たちの心の在り様も、少なからず変わらざるを得なかったであろう。

灘五郷の桶と樽

文・写真　須藤 護

甑（こしき）の輪替え。造酒屋で過酷な使われ方をする甑は、竹輪を毎年替えねばならなかった

酒蔵で用いられる半切桶の修理は、特に入念に行われる

吉野川を下る筏

吉野町で行われている樽用の板の樽丸づくり

昭和五七年から三年間ほど、奈良県吉野地方に足繁く通った時期がある。当時、私は吉野の山中で樽丸（酒樽の側板材）、杓子、曲げ物、箸などの木製品をつくってきた職人の技術と生活、また吉野林業にたずさわってきた人々の生活について関心をもち、追いつづけていたのである。

吉野で育てられた杉は、口径が正円に近く、年輪が緻密である。その上、根元と末の太さがあまり変わらず、真っすぐに伸びているのが特徴である。この杉は樽丸だけでなく、桶榑（桶の側板材）や底板の原木として、計画的に生産されてきたものであった。

このうち、主に八〇年生から一二〇年生のものが大桶の榑（側板）に、六〇年生から八〇年生のものが、樽丸に使われたという。それ以下のものは建築材になった。私は吉野に通っていた当初から、この桶榑および樽丸の行方が気にかかっていた。

樽丸は主に現地で加工され、吉野川流域の上市（吉野町）、下市（下市町）、五條（五條市）等に送られる。険しい山道は人の背で、牛が通れるほどの道は牛の背につけて運ばれたという。

これらの町はいずれも、奈良盆地と山深い吉野の村々を結ぶ中継地であった。ここから奈良盆地を縦断して、京都、大阪、兵庫などの酒造地帯へ運ばれたのである。トラック輸送がはじまる昭和初期までは、主に牛が使われたという。

山中から町までの、原木の輸送手段が人力や畜力に頼らざるをえなかった時代は、山で加工できるものは、製品もしくは半製品にして降ろしてくる方法がとられていた。樽丸にかぎらず、屋根板、曲げ物、杓子なども同じ方法によっていた。

一方、桶榑や建築材は現地で加工されたものもあるが、多くは原木のまま筏に絡んで吉野川を流したようである。

吉野川は、日本でも最も雨量が多いといわれている大台ヶ原山に、その源流を発している。吉野杉の主生産地である吉野郡川上村、東吉野村をへて吉野町に至り、その後は紀伊半島を東西に横断する中央構造線の断層に沿って、西へゆったりと流れていく。

和歌山県に入ると、紀ノ川と名を変え、相変らず西に流路をとり、紀伊水道に注ぐ。

この吉野川（紀ノ川）は、吉野の山中と紀伊水道を結ぶ重要な交易路であった。現在吉野材はトラックで運ばれるが、昭和二〇年代までは筏に絡み、川を下って和歌山に運ばれた。吉野町上市のあたりまでは、川幅が狭く、大きく蛇行するところもあったので、筏の幅も狭かった。しかし和歌山県との県境に近い五條市のあたりまでくると、危険な箇所も少なくなり、比較的安全に筏を流すことができた。そのため筏も大きくなる。

筏に絡むための木材の長さは、二間ものと三間ものに決まっていた。二間といえば本来は一二尺の長さであるが、筏にする場合は、両端にそれぞれ一尺ずつノビをつけたので、一四尺ものともいった。ノビをつけるのは、筏を絡むときに、両端に幅三寸、深さ三寸ほどの刻みをいれるからである。これを「メガを切る」といい、筏と筏を連結するための藤蔓を、しっかりと固定するためのものであった。

また筏で流すときは、どうしても木材の両端がいたむために、ある程度のノビが必要であった。三間ものの場合も同じことで、二一尺の長さをもって三間ものといった。

筏の幅の基本的な単位を二分五厘床という。これは幅が二尺二寸前後のものをいい、木材の太さによって、絡む本数が異なっていた。たとえば直径が五・五寸の丸太であれば四本で、七寸のものであれば三本で二分五厘床になる。

二分五厘床の倍の幅を一床、一床の倍の幅を本床（九尺ほど）という。直径が二尺以上の丸太は、はじめから一床になるようにして組みあげた。

一方、筏の長さは二間ものの場合は、一床幅のものを縦に一五連結して一筋という。その全長は三〇～三一間（約六五メートル）ほどになった。細い枝沢や流れの速いところは別として、ふつう吉野町上市までは、一筋の筏でやってくる。ここまでは一人の乗夫があやつる。

上市からは、一筋の筏を二列並べた一鼻という単位の、さらに幅の広い筏に組み替えられた。この筏には二人ないし三人の乗夫が乗り込んだ。

上市から和歌山までは、途中順調にいけば四日を要したという。大淀町六田、五條、粉川（和歌山県粉川町）でそれぞれ一泊して、四日目に河口の和歌山に到着した。しかしながら、なにぶん川の流れにまかせる旅であり、いつも同じところに泊まるとはかぎらない。そのため紀ノ川流域には、何か所かの乗夫を泊める宿があったという。

和歌山に着いた筏は、河口の水天浜にいったんつなぎ留め、郷中支配人が検分したうえで、材木問屋にひきわたされる。ここで材木の取引がされたので、吉野材問屋浜ともよばれていたようである。郷中支配人は、山元の大荷主が和歌山に派遣しているもので、時の相場をにらみながら、荷主が損をしないように差配をした。

材木問屋はあらかじめ大体の値段を定めておき、入札によって仲買人に販売する。明治時代後期の話であるが、当時吉野地方から和歌山へは、年間一五〇万本あまりの木材が入荷しており、ほとんどは船積みされて、近畿地方や中国地方に送られていたようである。その中で直径一尺五寸あまりのものが、主に桶樽の原木になった。

和歌山からの木材の積み出しは、古くから船運によっていたようである。海上の筏輸送は、想像するよりも困難な作業であっただろうし、酒造用桶の原木は、塩分を含むことを嫌ったからだと思われる。

桶樽や樽丸を追いかける私の旅も、自然にこのコースをたどることになった。

水田をほとんどみることのなかった吉野の山中から、和歌山の平野部に下りてくると、まるで別世界にきたような印象をうけた。大阪府との境である和泉山脈の南面のなだらかな裾野には、果樹園がつづき、平野部には水田がひろがっている。太陽の光もいくぶん強く、気候が温暖な地方特有の、ゆったりとした、ある豊かさを感ずるのである。

平地がほとんどない吉野では、南面の急な斜面に畑を拓いていた。土がずり落ちないように、およそ一間間隔に横木をわたし、この横木が耕作のときに足場の役割も果たした。北面の斜面には、密植された杉がびっしりと植わっている。山を畑として開墾し、そこで杉や作物を栽培して生活をたててきたのである。この杉の美林をみていると、豊かな気持ちになるのだが、それよりも厳しさの方が先にたってしまう。

そして紀ノ国、紀ノ川といった名称は、「木の国」吉野あって故の名称であることを、実感として感ずることができた。

和歌山市は、北に川幅が六〇〇メートルあまりもある雄大な紀ノ川が流れ、西と南は紀伊水道である。また東側は紀ノ川の上流から分かれた和歌川が南北に流れ、市の中心部は四方が水に囲まれている。和歌山城を中心に、防御を目的とした江戸時代の町割りを、今日なお残している。

城は紀ノ川に近い、やや北部に位置していた。城と紀ノ川との間には、江戸時代初期に開削されたという市堀川が東西に、真田堀川が南北に通っている。当初は防御が目的であったと思われるが、これらの堀が材木の保管や輸送に、大きな役割を果たしていたようである。

市堀川は城の東側を流れる和歌川から水を分け、紀ノ川河口に流している。この市堀川と紀ノ川との合流地点が、吉野からやってくる筏の終着地の水天浜である。吉野材を扱う四軒の問屋と三軒の仲買商は、水天浜に隣接する湊本町と湊北町に、ほかの二一軒の仲買商も、水天浜に近い材木丁、網屋町、西河岸町、真田堀川沿いの北新町、そして市堀川と通ずる和歌川沿いの南材木町、北休賀町、新雑賀町などに店を構えていたという。

仲買商の多いこれらの町の近くには、木挽町、桶屋町、大工町、舟大工町といった木材を扱う職人の町が配置されている。

現在の和歌山の町に、城下町時代の面影を求めて歩いてみたが、町の様子はすっかり変っているようであった。これらの町が市の中心部にあるためか、洗練されたデザインの商店や飲食店がならぶ、繁華街に変っていた。

ただ紀ノ川河口の海岸地帯は埋め立てられて、その先に和歌山港がつくられている。港の近くに貯木場が二か所あった。町の中心部から移ってきたとみられる製材所が操業していたが、長引いている木材不況が影響しているようで、材木の量も少なく、人もまばらで活気づいてはいなかった。

灘の樽職人

吉野杉の主な供給先であった近畿地方の酒造地帯は、中世末期から近世初期には堺（大阪府）が中心であったという。近世初期から中期には伊丹（兵庫県）、池田（大阪府）が、さらに近世中期以降になると伏見（京都府）兵庫県灘地方が、新たな産地として大きく伸びてきた。これらの地方でつくられた酒の多くは、江戸に送られて「下り酒」とよばれ、江戸ッ子に大変喜ばれたという。

この度の調査の対象地は、灘地方にしぼった。その理由は単純であった。吉野を歩いていたときに、吉野町で樽丸を製造していた栗山晴昇さんに出会い、樽丸について教えてもらったことがきっかけであった。

昭和五八年六月に、ようやく栗山さんの工場を探しあてたときは、陽が西に傾きかけていた。しかし栗山さんは職人さんと二人で、日が暮れてからも懸命に仕事をつづけていた。その姿がつよく印象にのこっている。以後二日間私は、玉切りした杉の丸太を、年輪にそってワリナタで割るという、単純な樽丸づくりの作業を、飽きることなくみつめていた。

樽の外面をセンで仕上げる

この栗山さんが灘地方の製樽会社と取引があり、その取引先を紹介してくれたのである。何のあてもなかった灘地方に、細いながら一本のパイプが通じた。

次いで昭和五九年に、栗山さんの取引先である神戸市東灘区御影町の庄樽製作所を訪ね、樽づくりの工程をみ

灘五郷周辺図

せてもらった（本書一一六、一一七ページ掲載）。吉野を歩いていたころからの念願であった樽づくりを、初めてみることができたのである。これが私の灘通いのはじまりになった。

かつて、酒造りには多様な桶と、大量の樽は欠かすことのできないものであった。そのために酒造地帯には、桶や樽を製造する職人が多数集まっていた。

庄樽製作所もそのひとつで、栗山さんの紹介があったためか、庄さんは私の調査に快く協力してくれた。幸い庄さん宅では、明治時代から昭和初期にかけて、桶材を扱う材木商を営んでおり、その後樽製造を主力にするようになってからは、摂州酒樽製造業組合の役員をしていたので、当時の古い書類を保存されていた。

その中のひとつに「酒樽・樽木聯合会々員名簿（昭和一二年）」という小冊子があった。そこには兵庫県（尼崎市、伊丹町、西宮市、魚崎町、住吉村、御影町、神戸市灘区、明石郡）、大阪府堺市、大阪市、和歌山市、京都府伏見区、京都市の酒樽製造業者、木取り業者、および樽木商の名簿が載っていた。このうち灘五郷とよばれ、今日なお五六社（昭和五九年調べ）もの酒造会社が集中している神戸市灘区、東灘区（旧魚崎町、住吉村、御影町）、そして西宮市（西宮、今津）に酒樽製造関係の業者が集中している。

樽木商は、吉野から送られてきた樽丸を買い入れて、酒樽製造業者に供給していた業者で、樽底や蓋、および樽丸の原木を売る材木商でもあった。また桶樽も扱っていたという。木取り業は、酒樽の底と蓋を専門につくる業者である。

庄樽製作所は、明治期の取引帳によれば、製樽業と主に桶木を扱う材木商を兼ねていた。そして、この地方の他の樽木商や製樽業者と同様に、後に述べるような多くの職人を抱えることによって、親方層の一角を占めていたのである。

この地方の樽屋の親方は、資本力を背景にして、大きな力をもっていたようである。たとえば灘地方で一般に使われていた、清酒を貯蔵するための囲い桶は、三三石入りであった。この清酒を出荷することになると、八〇本あまりの四斗樽が必要である。その四斗樽の注文が、酒屋から急にやってくることが少なくなかった。そのような注文がきたら、ただちに樽丸、底、蓋、竹輪を調達して、翌日には八〇本の樽を仕上げて納入するだけの力をもっていた。というよりも、そういう親方でなければ、この地方の樽屋はつとまらなかったといっていい。

酒屋も消費者も、木の香りがほんのりと漂い、目にしみるような青竹のタガのかかった樽を、好んだからである。毎日少しずつつくって、在庫を増やしていくという類の仕事ではなかったのである。

樽の注文の六割方は秋から冬に集中した。酒の本格的な出荷が秋からはじまり、輪竹の伐り旬も、ちょうどその時期にあたる。忙しいときは猛烈に忙しく、暇なときはまったく暇になってしまう。そのようなときでも職人を抱え、大量の材料を寝かせておけるだけの資本力が必要であった。

この一冊の小冊子は、まだまだいろいろなことを教えてくれる。樽丸は吉野の山中で加工され、酒造地帯に送られてきたが、樽の底や蓋は酒造地帯で加工されることが多かったのである。そのため桶榑と同様に、原木のまま取引された。そして灘五郷を中心にした地域には、一七軒もの樽木商が店をかまえ、二一軒の木取り業者が、酒樽製造業者に材料を供給していたのである。

表によってわかるように、酒樽製造も灘五郷が圧倒的に多く、兵庫県内と大阪府内の業者一一四軒のうち、灘五郷で九九軒（うち製樽業七八軒、木取り業二一軒）を数えている。

時代は少々古くなるが、関西学院大学の柚木学氏が作成された統計資料によると、安政三年（一八五六）には兵庫県灘地方と、やはり大阪府内の酒造地帯には、四三三人の酒樽職人がいたことがわかっている。その七四パーセント近くの三一九人の樽職人が灘五郷に集まっていた。

この、江戸時代後期と昭和初期の二つの資料によれば、とくに、灘五郷に樽職人が集中していたことがわかる。

さらに明治三五年に、摂州酒樽製造業組合が作成した「組合職工及見習人統計表」によれば、この時期に兵庫県内で一九〇軒の業者が、組合員として登録されている。昭和一二年の倍近くの業者数である。そしてそこで働いていた職人は五五八人にのぼり、その上当時休職中の職人が一三四人あった。合計すると六九二人になる。さらに見習い中の者が四六三人（うち休職中が六二人）で、総合計は一一五五人である。灘五郷の狭い範囲に、実に多くの職人が働いていたのである。

摂州酒樽製造業組合は、樽木商、製樽業、木取り業のほかに、輪竹業、樽栓（たるせん）製造業など、樽の製造に関係のある業種の事業主で構成されていた。事業主は親方と言いかえてもいい。役員は組長、副組長以下、行事長（世話役）、副行事長、会計役、参議員の合計一〇名からなり、尼崎市から明石市江井島（えいがしま）までの間を一七の支部に分けている。各支部には正行事、副行事の世話役をおき、製品の検査、価格の協定、生産調整、取引先の指定、労使の紛争の調停、そして職人使用上の取り締まりや、給与の協定等をおこなっていた。

組合による職人管理は厳しいものであった。一人前の樽職人として働くためには、職工適任證書（しょうしょ）が必要だった。この證書は親方である事業主が組合に提出し、組合が承認した者に対して交付される。そして證書をもたない職人は、雇うことができなかった。

さらに、先にみてきた統計表のうしろに、二八人の職人と見習い者が、仕事の停止を命ぜられている。組合は、素行の悪い職人を解雇する力をもっていたのである。そのほかに、どのような理由によるものかわからないが、一〇〇人の者が未調査となっている。

明治三五年には一六通の決議書が組合から出ている。その中に会計報告、役員改選などの報告に混じって、雇入停止通告と雇入停止解除の通告がみえる。

「右八名ノ者ハ雇入停止通告請求相成候ニ付キ組合規約ニ基キ三ヶ年間雇入停止候也」といった文面である。

このころは製樽業者にとって、景気のいい時代であったに違いない。樽職人になる者が相次ぎ、職人が余りぎみであったかと思われる。そこで合格証というべき職工適任證書を発行して、良質な職人の確保につとめ、素行のよくない職人は、しばらくの間反省をする期間をおいたのであろう。

酒造地帯に集まっていたのは、樽職人だけではなかった。桶や樽用の材木を扱う材木屋、樽丸屋のほかに、竹を扱う輪竹屋があり、刃物をつくる鍛冶屋、さらに米や薪の仲買人、酒樽をつつむ菰や縄を扱う雑貨屋、銘柄のマークを刷る印屋、運送業者なども、酒造地帯には不可欠な業種であった。宮水という酒造りに適した水に恵まれた西宮には、水を売る水屋もあったという。

このように酒造地帯には、造酒屋を中心にしてその関連する業種が集まり、一大工業地帯を形成していたのである。

御影町を訪れた当初は、次々に紹介してもらうことによって、酒造、桶、そしてその関連業種へと展開していくだろうと楽観していた。庄さんのおかげで樽のことはだんだんわかりはじめてきた。ところが、桶のことになると、ほとんど表面には出てこない。あとでわかったことであるが、樽屋と桶屋との交流はあまりなかったようである。それは仕事上の性質と深い関係があるようだった。桶については一から出直さざるをえなかった。

今年（昭和六二年）の六月に、西宮市にある白鹿記念酒造博物館を見にいった。たまたま展示場で団体客を案内していた博物館の吉村博臣さんの説明を聞かせてもらったことが縁になって、酒造用具について深くたちいることができるようになった。

酒樽・樽木連合会々員数（昭和12年現在）

（輪竹業、樽栓業は昭和17年度の資料を用いた）

組合名		酒樽業	木取業	輪竹業	樽栓業	樽木商
摂州組合（※印は灘五郷に含まず）	※尼ケ崎	1				
	※伊丹	5	1	2		
	今津	6	3	1	1	1
	西宮	18	5	3		6
	魚崎	10		2	1	
	呉田	3	4			2
	御影東町	7	2			2
	御影弓町	2	2			
	御影中町	4	1	1		
	御影西町	7				2
	御影石屋	3	1		2	
	御影東明	4	3	3		2
	新在家	10		2		
	大石	3		1		1
	岩屋	1				1
	※兵庫	2				
	※江井ケ島	4		2		1
合計		90	22	17	4	18
堺組合		16	2			9
和歌山組合		4	10			4
大阪組合		1	4			4
伏見組合		未調査	未調査	未調査	未調査	3
京都組合		3				
総合計		114	38	17	4	38

吉村さんは私を事務室に招き入れてくれて、今ではもう見ることのできない大桶の製作工程を撮った写真や、一時代前の酒造工程の写真など、いろいろな資料を見せてくれた。そればかりでなく、桶師、輪竹屋などの紹介をしてくださった。

吉村さんご自身が酒造関係の資料収集に一生懸命であり、よき研究者であり、よき話者でもあった。

桶師三代

桶の輪替え。尻輪を入れる

何度か灘通いをしているうちに、西宮市と東灘区の御影町近辺が、だんだん身近な町として感じられるようになってきた。少しずつ顔見知りの人が増えてきたのである。

昔の造酒屋が近代的な酒造会社に生まれ変わったとはいえ、外観は古い面影を残している蔵も少なくない。とくに御影や魚崎にそういう蔵が多く残っているので、暇をみてはカメラをかついで歩くことにしていた。

御影と魚崎には、数は少なくなっているが、現在数人の桶師が仕事をしていることを、西宮で聞いていたからでもあった。

一般には桶づくりの職人を桶屋と呼んでいるが、灘地方では桶師という。後に述べるように、造酒屋の桶類は多種多様である。小さな柄杓（ひしゃく）から、底の直径も高さも六尺以上もある大きな桶まで手がけることができなければ、酒造地帯の桶師はつとまらない。そのような自負があったからであろう、桶屋よりも桶師のほうが腕がたつのだという。

桶師岩城好一さん（明治三六年生）との出会いは、まったくの偶然であった。あてもなく写真を撮り歩いていたら、塀の内側に竹の輪がちらりとみえた。中をのぞくと、つい今しがたまで細工をしていたらしい様子がうかがえた。前庭をはさんで作業小屋がある。その脇に桶が積んであった。

声をかけても返事はない。留守かなと思いつつ小屋の中をのぞいたら、片手に包丁をもった、いかにも元気そうなおじいさんが顔を出した。留守だと思い込んでいたので、私の方がびっくりした。昼食の味噌汁をつくっていたのである。この人が岩城好一さんで、八四歳とは思えないほどしゃきっとしている。まだ現役バリバリの桶師である。

この日の二日後に、底の直径が六尺、高さが四尺ほどの大甑（こしき）の輪替えをみせてもらったが、その手さばきは実に見事なものであった。二時間はかかるだろうという輪替えの作業を、一時間半で片付けてしまったのである。

「淡路にいたころは家族が多かったもんだから、麦飯ばっかり食べてました。それに鱗（うろこ）をとるような大きな魚は、よう買うて食べれんもんだから、イワシだとかコアジだとかね、骨のある魚をごし食べとるからね、今でもこうして元気なんですよ。カルシュウムが多いんでしょうな、ああいう魚には」

と、話しながら近くに積んであった桶を裏返しにして、イスとテーブルをつくり、わざわざ座布団もだしてくれた。ちょっと話をうかがって、すぐおいとまするつもりであったが、昼すぎから夕方まで仕事の手を休ませてしまう結果になってしまった。

岩城好一さんと長男の豊一さん。大物の桶を手がけるときは豊一さんが手伝いに来る

長い経験を積んでいるだけに、岩城さんの話は興味のあることばかりであった。その中でとくに、桶師の親方の名前を次から次へと思いだしてくれたのは、大変ありがたかった。これまで、まったく聞きだせなかった桶師の数がようやく浮かび上がってきたのである。岩城さんが記憶していたのは、神戸市灘区岩屋から東灘区魚崎までの間で、もとは灘三郷と呼ばれていた地域である。灘三郷には西宮市は含まれていない。

結論からいってしまえば、灘三郷には一〇軒の桶師の親方がいて、小さいところでは二、三人、大きいところで、一〇人ほどの桶師を常時おいていたという。この限られた地域に五〇人ほどの桶師が、年間を通して働いていたのではないかと思われる。

そのほかに、出稼ぎの桶師が多かった。灘三郷の桶師は、お櫃や盥などの家庭用品もつくりはしたが、主な得意先は造酒屋であった。造酒屋が忙しくなるのは冬の寒い間である。それにつれて、桶師の仕事も忙しくなり、灘の桶師の数も数倍にふくれ上がるのである。その多くは地方からの出稼ぎによるものであった。

桶師の出稼ぎ者を多くだした地域は、兵庫県の農村部である但馬、丹波地方と、播磨灘に浮かぶ淡路島であった。但馬、丹波地方は、杜氏を頭にした酒造りの技術者集団も多く出している。杜氏の出稼ぎは兵庫県全域にわたっているが、桶師の場合は但馬、丹波の出身者は西宮に多く、淡路島の出身者は灘三郷に多かったようである。

岩城さんご自身が淡路島（津名郡一宮町江井）の出身で、祖父も父も灘通いの桶師であったという。一五歳の年（大正五年）に父親に連れられて、魚崎の「桶松」に弟子入りをしている。兄弟が六人あって、そのうち長男の岩城さんを筆頭に、四人が桶師になった。

郷里の江井には一〇軒ほどの岩城姓があって、それがほとんど桶師であったという。造酒屋の仕事が忙しい一〇月から翌年の二月ころまで灘で仕事をして、江井に帰ってからは農業に従事する人が多かった。そして農業のあいまをみては、道具箱をかついで大体二キロメートルの範囲の村むらを桶つくりや修理にまわって歩いたという。当時はまだ担い桶、水桶、肥桶、柄杓、お櫃、盥などが日常生活用品として多用されていたので、桶の需要は多かったのである。

江井では農家の人が桶師の出稼ぎをしたが、同じ一宮町の尾崎からは漁師が灘へ出稼ぎにきていたという。夏の間は漁師をして、冬は西風が強く吹くために漁を休み、造酒屋の桶づくりや修理をしていたのである。

岩城さんは一九歳で年季があき、二〇歳から「桶松」の職人として働いた。郷里に帰っても兄弟が多く、田畑が少なかったこともあって、ずっと灘に残り桶師として仕事をつづけた。そしてその腕を認められ、昭和一三年に「桶丑（おけうし）」の親方として迎えられ、今日に至っている。「桶丑」は父親が職人として入っていたところであった。

造酒屋の仕事がつづいていた昭和一四、五年のころまでは、常に一〇人ほどの職人を置き、冬期間になると、淡路島からやってくる二〇人ほどの出稼ぎ職人を抱えたという。桶師の親方の中では大きい方にあたる。

灘の桶師は造酒屋が主要な得意先であった。一軒の桶師が数軒の造酒屋に出入りして、桶の新造や修理にたずさわる。その関係は慣例的に縄張りがあり、古くからのつながりが優先された。また資本の蓄積も必要である。中には造酒屋にくい込むことができず、大桶以外の小物の桶を専門に扱う桶師もあった。岩城さんが職人として仕上がった「桶松」はそのような店であった。

出稼ぎの桶師が親方になって店をはるのは、並大抵のことではなかったにちがいない。腕がいいばかりでなく職人を束ねていく能力も問われる。その中から運のいい者が、後継ぎのない親方の後に入ることができた。桶師として一大出世をしたといっていい。

岩城さんと同様、この度大変お世話になった桶師に、常峰（つねみね）巌さん（大正一三年生）がいる。常峰さんは東灘区魚崎に工場をもっている。ちょうど体調をくずしていた時期であったので、仕事をみせてもらうことはできなかったが、いつおじゃましても快く応対してくれた。

常峰さんは桶師三代目であった。祖父を喜蔵といい、兵庫県加東郡滝野町高岡の出身である。いわゆる播磨とよばれている地方で、淡路島の出身者が多い灘三郷では、めずらしい存在であったという。祖父の代にすでに、高岡の家屋敷は弟にゆずって、魚崎に出てきていたようである。

常峰さんの父親は岩太郎といった。この人がかなり腕のいい職人で、「樽喜（ますき）」という屋号の店に修業に入った。「樽喜」は樽と桶の職人をたくさん抱えた大きな店であったという。そして年季があけると同時に、桶の方の親方をまかされることになった。弱冠一九歳であった。

今日、常峰さんは「桶喜（おけき）」という屋号を名のっているが、その屋号が祖父の喜蔵の名をとったたか、「樽喜」の一字をもらったのかは、わからないという。

岩太郎の兄弟は三人あり、三人とも桶師になった。岩太郎が独立すると、祖父の喜蔵は弟二人を連れて西宮にでて、やはり桶師として店をはったという。

桶仙の三代目千代吉さん（明治40年生）

「桶喜」も灘三郷では大きな店であった。菊正宗、桜正宗、松竹梅といった大手の造酒屋に出入りし、その蔵の仕事を請け負っていたからである。親方の出身地の関係で但馬、丹波地方の職人を抱えることが多く、常に五、六人の職人がいた。それが冬期間になると三〇人あまりもの人数にふくれあがり、工場の中は若い衆の活気に充ちていたという。

「今はまったくあきまへんな。私はちょうど、桶の仕事が下火になったころに、習いはじめたさかい、あまりええ思いはしてませんねん。桶師でやっていくんでしたら、もうちょっと早ように生まれたかったですわ」

「古い話やったら、私よりもよく知っている若い者が近くにおりまっさかい、呼んでみましょうか」

常峰さんの誘いで、秋の夜長を一緒に話に加わってくれた上田三男さん（大正六年生）は、京都丹波（京都府船井郡瑞穂町）の出身で、岩太郎時代の「桶喜」の桶師として仕事をしてきた人であった。常峰さんより七歳年長である。古い話をよく知っている若い者、とは不思議な響きをもった言葉であった。時代は新しくなり、実際には機能していないのであるが、意識の上では親方と職人の関係がまだ生きていることを感じた。

大桶業売買帳から

仕込のシーズンを迎えた灘の街角

先に述べたように、御影町の庄さんのお宅には、明治四五年から昭和四年までの一九年間にわたって記録した、吉野材の取引帳が保存されていた。「大桶業売買帳・並引賃支払控」という表書きがある。

昭和四年で取引が終わっているのは、このころから大桶の新造が少なくなってきたからだと思われる。

西宮市ではただ一軒の桶師である、名川隆義さん（昭和一一年生）の話では、現在各造酒屋に残っている大桶の製作年代は、大正時代から昭和の初期のものが最も新しく、それ以後につくられた大桶はほとんど見ていないという。名川さんは、西宮の主だった造酒屋のほとんどを、輪替えや修理でまわっているので、すこぶる信憑性の高い言葉である。

昭和初期というと、日本にも不況の波がおし寄せてきた時代であり、昭和一四年ごろから戦時体制に入っていく。米が国の統制下におかれ、酒造量の制限も次第に厳しくなっていった。中小の造酒屋は大手に吸収され、しかも酒造量を減らされたために、大桶が余りはじめたのである。新しい桶をつくらなくとも古い桶を改造することで、造酒屋は充分酒を仕込むことができた。

このような情況の中で庄さんは桶木を扱う材木商をやめて、樽の製造に一本化したのではないかと思われる。

さて、この「大桶業売買帳」は材木の買入れの部、木挽賃、売上の部の三部門に分かれている。買入れの部には材木代金のほかに、手数料、運賃、仲仕賃金が記入され、その合計が材木の実質的な価格になる。手数料の意味がよく理解できていないが、これは木場（きば）立ての手数料ではないかと思われる。

すでに述べたように、吉野から和歌山に着いた材木は、まず問屋の手にわたり、入札によって、問屋の見積りに近い価格をだした仲買商に落札される仕組みになっていた。荷主と問屋との間では、すでに仕切券（注文書）がとりかわされており、大体の価格は了解ずみであった。そして入札は水天浜の木場で行なわれ、これを木場立てといった。現在の材木市の前身である。

清酒の囲い桶や甑などの桶材は、少しでも良質の材を必要としたので、酒造地帯の材木を扱う人々は、この木場立てに立会うことが多かったようである。あらかじめ自らの目で材を選んでおき、現地の仲買商に落札してもらうのである。このとき落札した価格のほかに、仲買商に定められた手数料を支払うことになっていた。灘地方に桶木を扱う材木商が姿を消した昭和二〇年以降は、桶師が直接木場立てに立会うことがあったが、やはり同じ方法で材木を入手していたという。

一般の材木取引は売買が成立すると、その価格を問屋が仲買商に請求する。仲買商は三日以内に代金を支払い、問屋はその代金から問屋口銭を差引いて、吉野材木組合事務所に納める。組合事務所では筏乗下賃、木材流下税などを差引いて、荷主にわたすことになっていた。したがって、ふつう和歌山の仲買商が京阪地方の業者に販売するときは、材木の価格の中に手数料が含まれているとみた方が自然であろう。

手数料のほかに項目としてあがっている運賃は、和歌山から灘までの船積みの運賃であり、仲仕賃金は陸揚げの人夫賃である。これらの経費は材木の購買者が負担することになっていた。陸揚げされた材木は、木挽が木取りをして、板材に挽き上げ、製品にする。

このとき桶木の注文者である桶師が立会って、指図をすることがあり、また桶師自身が木取りをすることもあったという。大桶の多くは、年輪にそって鋸をいれ、板に挽いていく。これを板目どりというが、このとき年輪を切断することなく、鋸をいれていかなければならない。年輪を切断すると材が弱くなり、竹輪で締めあげていくときに板が割れる可能性があった。

一部の造酒屋をのぞいて、桶類の製作は桶師の請負制であった。つまり材料は酒屋から支給されるのではなく、桶師が材料を吟味して調達し、製品にして納入するのである。だから入念な桶師は、木取りに立会うだけでなく、木場立てまでついていって、気にいった材木を指定して、材木商に落札してもらうこともあったのである。

大桶のこしらい

センや鉋(かんな)が並んだ桶師の仕事場

桶師の仕事の中で最も技術と体力を要するのは、三三石入り大桶の製作であろう。大桶は自分の背丈よりも高く、梯子をかけなければ登り降りができないほど大きい。いわば酒桶の王様である。

しかもその作業は三、四人の桶師の共同作業になるために、互いの腕のみせどころであった。また若い桶師は兄弟子の技術を盗みとる絶好の機会でもある。それだけに、きつい仕事ではあったが、桶師としてやりがいのある仕事であったと思う。

新調したばかりの三三石入り大桶の寸法は、底の直径と背の高さが六尺五寸（一九七センチ）に決まっていた。材木屋に入る桶材の寸法が二間もの（丸太材で一四尺、角材で一三尺二寸）であったからで、それを二つ切りにしたものが底板と側板の高さの寸法になった。また

上　カマをあてて側板の角度を測り、正直鉋で補正する
中　ひと棚を単位にして側板をそろえ、竹針で結い合わせる
下　柱の太さほどもある板を結い合わせて頑丈な底をつくる

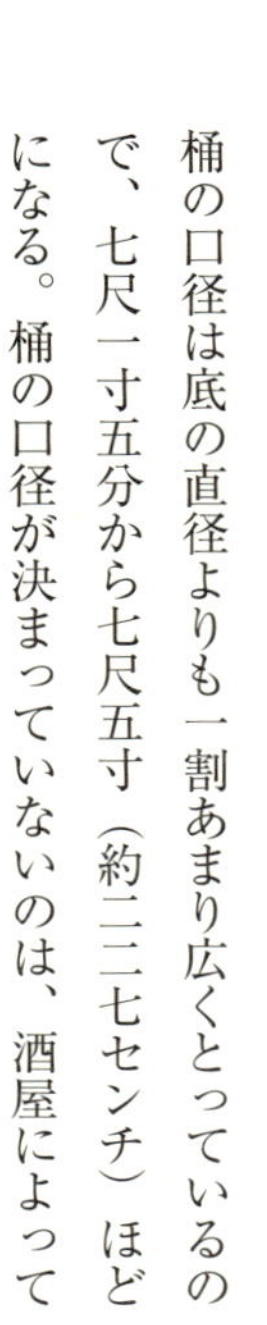

桶の口径は底の直径よりも一割あまり広くとっているので、七尺一寸五分から七尺五寸（約二二七センチ）ほどになる。桶の口径が決まっていないのは、酒屋によって希望する桶の容量が異なるためであるという。

側板の厚みは一寸五分、底板の厚みは三寸五分である。三寸五分といえば、ちょっとした建売り住宅の柱の太さほどもある板の厚みである。三三石の桶が満量になると、六トンあまりの荷重がかかるために、それほどの厚みが必要であった。

実をいって初めて大桶を見たときは、さほど大きな驚きはなかった。それに近い大きさの桶を何度か見ていたからであろう。また数十本もの大桶がならぶ酒蔵の姿は、もうすでにない。

ところが、解体した大桶の部材をある造酒屋が保存していた。それを見たときは、大げさな言い方をすれば、度肝をぬかれるほど驚いた、というのが正直な感想であった。柱の太さほどもある板がふんだんに使われていたとは、思ってもみなかったのである。

桶の製作については一つの基準のようなものがあった。たとえば三尺桶は一本三人役（こしらい二日、かため一日）、酛卸桶（もとおろし）は一本二人半役、半切は一〇枚二人役、そして大桶はこしらい四人で一本、かため四人で二本、というのが一人前の職人の標準的な作業工程であった。こしらいは、組立てまでの準備作業であり、かためは、桶の組立てである。

昭和初期の話であるが、三尺桶は一本で七円五〇銭ほどの手間であったという。ところが熟練した桶師は、こしらいを含めて一人で一日一本の三尺桶をたてる。した

がって一日の手間が七円五〇銭になる。米が一俵五円、大工手間が三円五〇銭の時代であった。

手際よい仕事は手間だけの問題ではなく、一人前の職人としての自負心がつよく働いていたのである。規定の期間内で仕上げるだけでなく、人よりも一分でも早く仕上げる。そして道具をかたづけて、ぷらりと遊びに出る、というのがいっぱしの職人の粋な姿であった。見習い中の若い弟子たちは、そういう姿にあこがれ、神様のようにみえたという。

さて、こしらいは、木挽が挽いた板をセンという刃物で削って、台鉋（だいがんな）で仕上げ、桶の側板をつくる作業である。内側は側板のアール（丸味）と同じアールの刃をつけたウチゼンで削り、外側は平たいヒラゼンで板の角を落とす。ヒラゼンはソトゼンともいった。

次に鉋がけして仕上げるのであるが、この鉋にも桶の内側用と外側用とがあった。内側用はウチゼンと同様、桶の内側のアールに合わせた刃をつけている。鉋の台も刃に合わせて丸く削ったもので、ウチマルという。また桶の外側を仕上げる鉋は、ウチマルとは逆に、刃の中央部が凹んだ鉋で、ソトマルといった。このようなセンと鉋を使うことで、アールのついた桶の内側も外側も、正確に削ることができる。

このウチゼンと鉋は、桶の大きさに合わせてつくる。直径一尺の桶をつくる鉋を、二尺の桶には使うことができないからである。大きな桶は側板の枚数が多くなるので、一枚一枚の板のアールがゆるやかになる。逆に小さな桶は板の枚数が少なくなり、アールがきつくなる。そのため、どのような桶の注文がきても、それをこなしていくためには、多くの種類のアールをもったセンと鉋が必要であった。ウチマルとソトマルをあわせて一五〇丁ほどを揃えていた桶師もあったという。直径が五寸ほどの柄杓から七尺五寸ほどの大桶まで、微妙な段階では、桶の直径にして五分（一・五センチ）刻みに揃えていたという。

桶の側板づくりでもう一つ大事なことは、板と板とが合わさる面（側面）を、ぴったりと接触させることである。そのためには、側板の面と側面とが一定の角度で揃っていなければならない。その角度を揃えるために、カマとよばれる定規と正直台を用いた。側板の角度をカマであたり、正直台で板の側面を削りながら、一枚一枚の角度を合わせていく。カマも鉋と同じ数が必要であった。

正直台は大きな台鉋を逆さまにしたようなもので、台の幅が七寸、厚みも七寸ほどあり、そのほぼ中央に上にむけて刃がついている。この台の上に側板の側面をのせて、平らになるように側面を削る。桶師は正直台で板を削ることを「押す」という。台を固定しておいて、板の方を押して使うからである。

背丈が六尺五寸もある大桶の側板を押す場合は、手前に六尺五寸、先に六尺五寸の長さが必要なので、台の全長は最低一三尺（約三九四センチ）になる。台がすり減らないように材質の堅い欅（けやき）を使っているが、それでもしばらく使っていると中央部が凹状になるという。そうすると角度に狂いがでてくるので、水平になるように削り直さなければならなかった。大変細かい神経を使う仕事であった。

桶は口径よりも底の径が一割ほど小さい。さらにわずかではあるが、底に近い部分が微妙に絞りこまれている。つまり、多少胴が張っているのである。その理由は衝撃をやわらげることと、底をしっかりと固定するためといわれている。

口径と底の径の割合を決めるには一定の基準があった。正直台で側板の側面を押すときに、口径部分の側板の内側の長さと、底の径の外側の長さを同じくする。そうすると、ほぼ底の径が一割ほど小さくなるという。また底を絞るときは、底から三分の一ほどまでの側面をわずかに削る。桶師は三、四回押す、という。これも正直台という道具の果たす大事な役割である。

このように、側板のアールと角度を合わせ、微妙な板の幅を調節することが、桶の最も大事な部分であり、それに用いるウチゼン、ウチマル、ソトマル、カマ、正直台などが桶師の特徴的な道具である。

側板のこしらいは、棚(たな)を単位にして行なわれた。棚は三、四枚の側板を一組にしたもので、その構成にも一定の基準があった。大桶の場合は一〇棚で一つの桶が組み上げられた。口径七尺五寸の大桶の円周は二三・五尺あるので、一〇分割した大桶の一棚の幅は二尺三寸五分になる。

ふつう大桶は四〇枚ほどの側板で構成されているので、一枚の板幅は六寸弱になる。しかしながら実際は一枚一枚の板幅が揃ってはいないので、幅の広い板と狭い板を組合せて、一棚の幅になるように揃えた。


三尺桶は円周の七分割、酛卸桶は五分割を一棚にしたという。大きな桶を組立てる場合、桶師はこの単位の中で口径と底の径の割合を決め、底の絞りを決める。その後に全体を合わせていくのである。

次いで底の円周と側板の円周を合わせてみる。側板の円周はあらかじめ小さめに揃えておいて、最後に調節用の側板を一枚はめ込んで、きっちりと合わせる。そして底が入る部分に、ヨコグリという鉋で、側板の内側をグルリと回して溝を切る。底を安定させるためであった。

大桶の底板は六尺五寸が標準の長さで、厚みが三寸五分であった。この底は一〇枚から一一枚を竹釘で結い合わせて、一枚の板状にする。底板の側面にキリで穴をあけ、竹でつくった釘を差し込み、板と板を固定するのである。

そして、ガンドウという大型の鋸(のこぎり)で直径六尺五寸の円形の底板に挽き上げる。板が分厚いために、この作業も大変きついものであった。パンツ一枚で仕事をしていても滝のような汗が流れるので、背中に水をかけつつガンドウを挽いたという。

それればかりでなく、桶は底にいくにしたがってすぼんでいるので、底板の側面も、その角度に合わせて挽いていかなければならない。側板と底の側面がぴしっと合わなければ、中の液体が漏れやすいからである。

円形に挽き上げてから、表面を鉋で荒削りをする。この側板と底板を仕上げるまでを、桶のこしらいといった。

桶師をたくさん抱えている店では一〇本分の大桶のこしらいを、まとめて行なうことが多かった。側板と底板

酛卸桶のこしらい。側板の経と底板の経を合わせていく。この作業がこしらいの最後に慎重に行なわれる

のこしらいが一〇日間もつづくのである。ふつう熟練した桶師が側板にまわり、若い桶師が底板にまわる。四人のチームで仕事を進めていくために、その手間賃も四人で分けることになる。したがって、一人のミスによって一日分の仕事がその日に終わらないと、全員の手間賃が差引かれてしまう。若い桶師は兄弟子に迷惑をかけないように必死で働いたのである。

酒桶づくりが全盛であった時代の仕事場の活気がひしひしと伝わってくるようであった。

大桶をたてる

酒造蔵の前庭に置かれた大桶

桶を組立てることを、桶師は「かため」、もしくは「桶をたてる」という。大桶のこしらいは、四人で一日一本、かための方は、四人で一日二本が標準の作業であったことは、すでに述べた。あの大きな桶を一日に二本もたてるとは、信じられないほどの早さである。

大桶のこしらいについて話を聞いていて感ずるのは、桶は一種のユニット工法であったことである。各用途別に桶の寸法が決まっており、それを加工するための定規も道具も、見事に規格化されている。そして定規や道具を使いこなす技術を習得し、ある手順をふんでいけば、決められた寸法の桶ができるというシステムが完成されているのである。

もちろんすべてが手仕事であるから、熟練した技術と勘にたよる部分が少なくない。そこが桶師の腕のみせどころであるのだが、こしらいの作業全体がシステム化されていることが、スムースに仕事を進めていく上で大きな力になっているように思える。

一棚単位で揃えた側板は、まず桶を伏せた状態にして、底板と同様に竹釘で結い合わせて円形をつくる。大桶の場合は五ヵ所、三尺桶は三ヵ所結うのが標準であった。また側板の側面の底に近い方は、三分の一ほどよけいに正直鉋で押しているから幅が狭くなっている。そのため底部をぴったりとくっつけると、口の方は板と板と

鉄製の輪は大正時代から使いはじめている

4

組輪の製作行程

大桶の輪は六本の竹で組んだ組輪が使われる

1. 大体の寸法を計り二本の割竹をねじって輪をつくる

2. 輪を入れる位置にあてて、正確な寸法をとる

3. 二本のねじ輪の中に別の二本の割竹を差し込んで、四本の組輪をつくる

4. 5. あとから入れた割竹を左右に出して、次のねじりのまん中に差し込む。輪がきつくなると矢をかませて穴をこじあけながら入れる

6. 五本目、六本目の割竹を同じように差し込んで合計六本の組輪にする

7. 竹に縄を巻きつけた芯を入れる

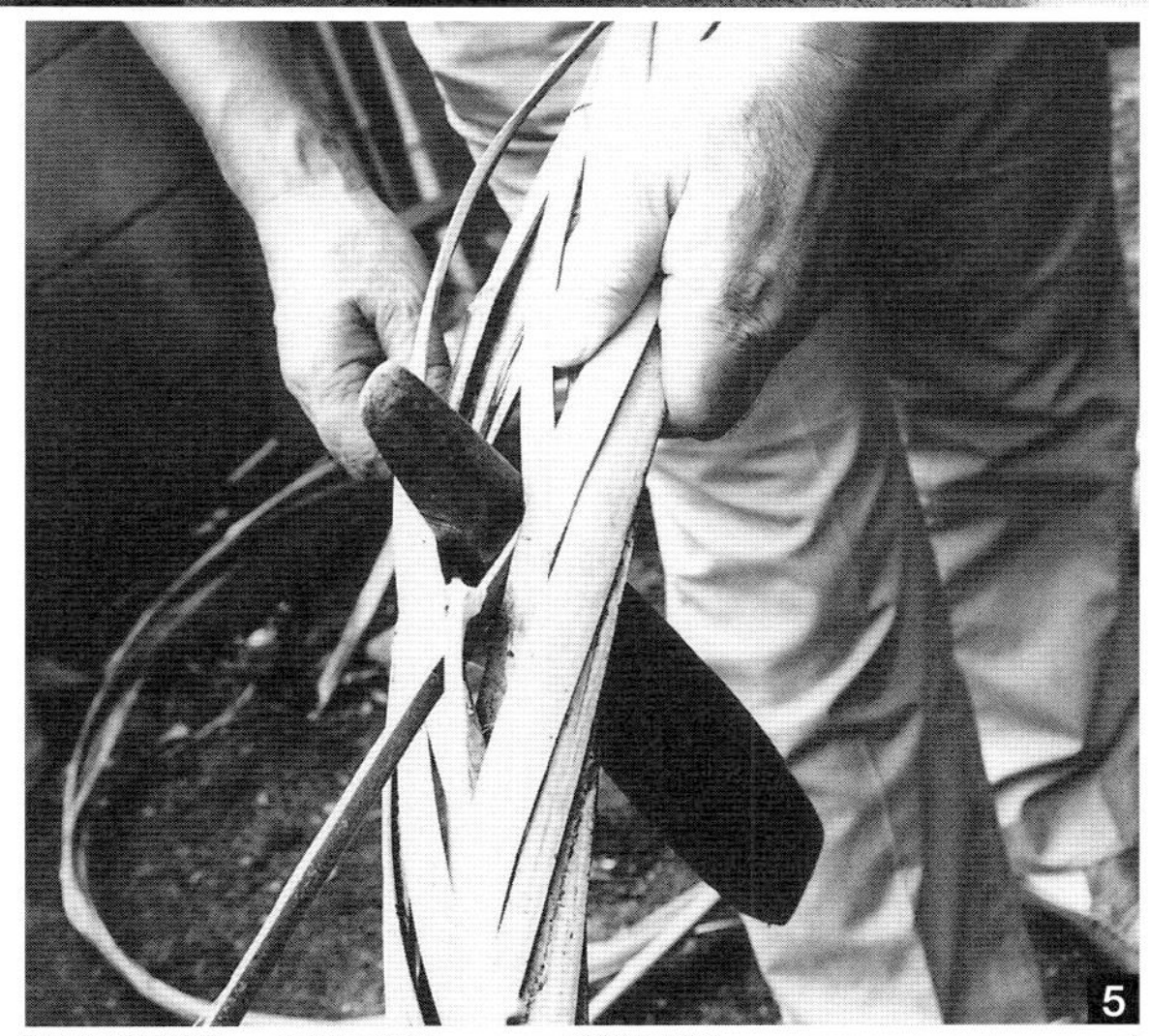

5

1

6

2

7

3

にそれぞれ一寸五分ほど隙間ができる。そこで板がばらけないように、仮輪をいれておく。

仮輪は竹の輪に縄を巻きつけたもので、作業が進むにつれて口径の小さいものに変えつつ、徐々に締めていくのである。縄を巻きつけているのは、桶をいためないための配慮である。

大桶の輪は合計八本入っている。上から鉢巻き、口輪、大中、小中、四番、三番、二番、尻輪とよばれ、鉢巻きと口輪の二本は、桶の口に近い方にあるが、あとの六本は底に近い方に集中している。

また、大桶の輪は組み輪が使われている。組み輪は二本でねじった割竹の輪の中に、別の二本の割竹を差し込みながら組みあげていく輪である。小型の桶であれば二本で組みあげるが、桶が大きくなるにしたがって、四本、六本と割竹の数を増やし、丈夫な輪をつくるのである。

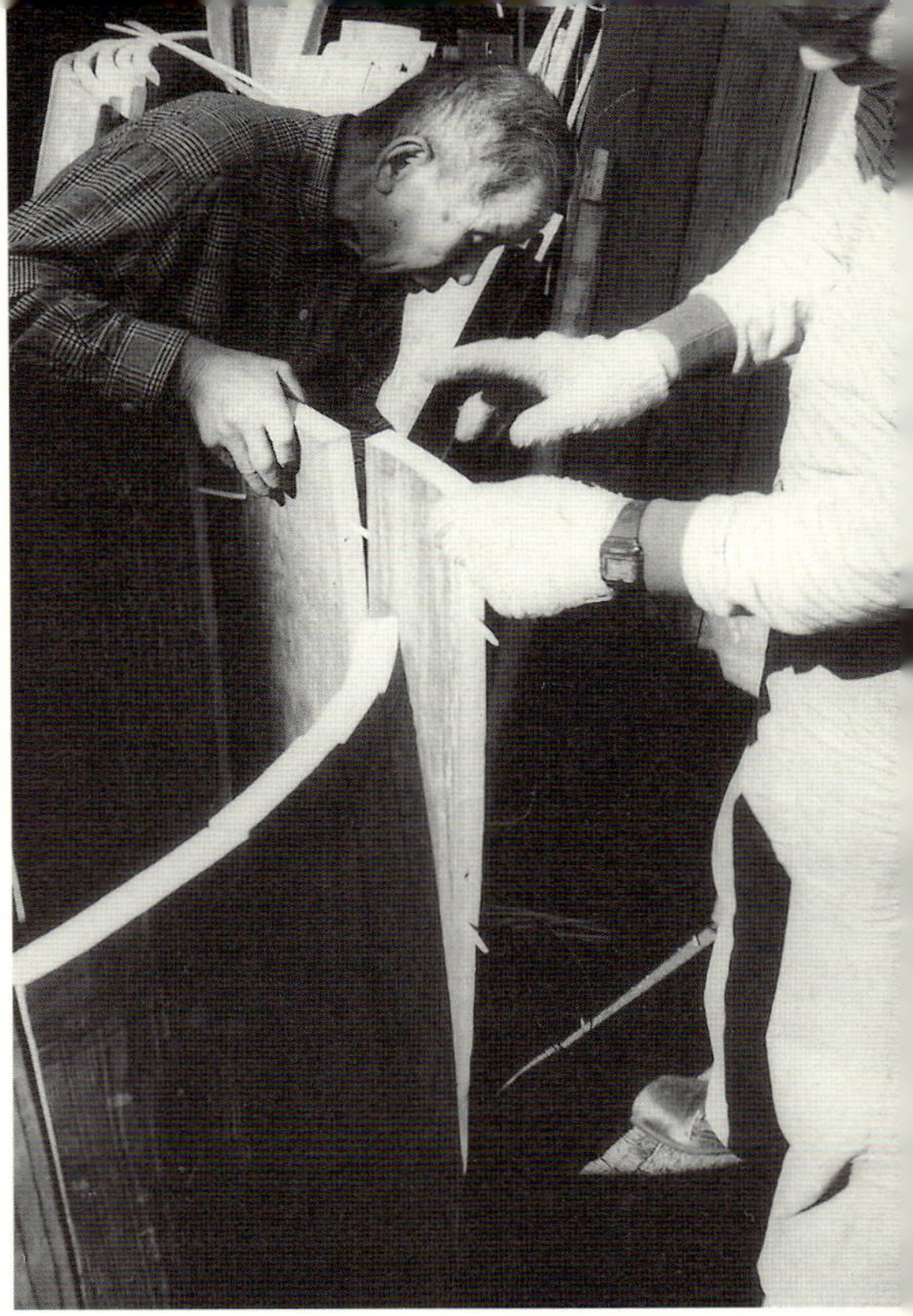

ひと棚単位の側板を合わせて、円形を作る

大桶の場合、主要な輪は六本の組み輪が使われた。幅が一寸三分ほどもある割竹を、差し込んで組みあげた豪快な輪である。輪の幅だけでも三寸あまりはある。

通常組み輪に使われる割竹は、桶の円周の二廻り半まわすといわれている。大桶の一番太い部分の円周は二三・五尺（約七メートル）であるから、それよりやや下に締める輪には八間半（一五メートルあまり）の長さが必要になる。このような竹は京都府の山城や嵯峨野地方で育った真竹を、灘まで輸送していたという。

輪締めは桶を伏せた状態で、まず大中からはじめる。桶の胴まわりを計って、それよりも小さめの輪に組み上げて胴にはめ、木槌で叩きながら下へ下げていくのである。

この作業を見ていて気がついたことは、輪がきつくてなかなか下がらないことが多かった。そういうときは、

仮輪をはめる。底を締めると口経の側に板が離れる

桶の細い部分に尻輪を入れ込む。難しい作業だ

輪を少しずつゆるめながら少しずつ下げていく。そうすることによって、所定の位置にぴったりとはまるようになる。竹輪には二廻り半の余裕があり、しかも柔軟性があるから、このような調節が可能であった。

組み輪の中には、別の細い割竹に藁縄を巻きつけた芯をはさみ込む。藁縄が側板にくい込んで、輪がゆるむのを止めるためであった。どんなにきつく締めても、乾燥してくると輪がゆるんでくることがあった。また芯を入れておくと、竹輪のいたみが少なく長持ちするという。しかも輪がさらに盛り上がり、いかにも豪快で頑丈な桶に仕上がる。

この輪の盛り上がりがまた、作業の効率をよくした。輪を締めるときは、樫の木の板をあて、その上から木槌で叩いて下げていく。この板を締め木といった。小型の桶はこのようにして輪を締めていくが、大桶の輪は盛り上がっているために、輪に直接木槌をあてることができる。頭も柄の長さも二尺ほどある木槌を、思い切り振りあげて輪を叩いていかなければならないから、締め木など使っていたら効率がわるいのである。

輪締めは技術と力のいる作業であった。底に近い部分の輪を締めるときは足場をつくり、その上に乗っての作業である。桶のまわりに三、四人を配置し、同時に叩いていく。しかも輪の真上を叩かないと効率がわるいばかりでなく、桶の側板をいためたり、木槌がすべって足場から落ちる危険性もあった。

大中の次に小中、四番、三番を締める。四番、三番は桶の底を支える重要な輪である。次いで二番、尻輪を入れる。

木槌で竹輪を叩いて下げて側板を締める

尻輪は桶の一番細い部分に入る輪であるから、きちんと締めるのは至難の技であったという。この輪ばかりは、輪を下げることによって締めあげていくことができない。最初からぴったりはまる輪をはめなければならなかった。職人泣かせの輪であったために、泣き輪とよんでいたと、樽職人から聞いたことがある。そのためか比較的新しい大桶には、この尻輪と三番、二番には鉄輪が使われている例が多い。

大中以降の輪を締め終わると、底入れの作業になる。桶を横に倒して底板を仮入れしておく。そして正常な位置にもどして底板を下げていくのである。このときドウツキという、幅七寸、厚みが三寸五分、長さが九尺あまりもある角材を用いた。ドウツキの頭の方には綱をつけ、桶の縁に二人が乗って綱を引き上げる。底にはドウツキの下部を持つ人が一人いて、持ち上げては落して、桶の中を廻っていくのである。

この作業は一時間ほどを要したという。ある程度締まっているものを、さらにきつく締めながら、あらかじめヨコグリで掘っておいた溝にはめ込んでいく。中に酒を入れたときに一番圧力がかかるところであるから、作業も慎重にならざるをえなかった。

底板は一〇枚から一一枚の板を竹釘で結い合わせ、円形に挽いたものである。縦方向に繊維が通った一番長い板を中心にして、端にいくほど短くなり、一番端は三日月型になる。ここの部分の木質が柔らかいために強くは叩けない。何度も何度も叩いて先に沈めておく。そして最後に中心の板の先端部を思いっきり叩いておさめるのが、底入れのコツであるという。

ドウツキのときに桶師が唄う歌があった。あるとき、岩城さんが突然唄いはじめた。残念ながら文句がよく聞

上　桶底の仮入れ。尻輪を入れ終わると桶を倒して底の仮入れをする
下　ドウツキをついて底入れをする。桶の中の職人が歌を歌いながら叩く位置を上の職人に伝える

き取れなかったが、六甲山をならしてしまえば、三田も、唐櫃も、兵庫も、神戸も一目で見えるようになる、というような意味で、大桶の縁はいかに高いかを、強調しているような文句である。

　底が固くてなかなか下がらない桶は、田舎の娘のようだという。見かけは親切で柔らかいようだが、心底は固いという意味である。

　また三日月の部分を、何回も叩かなければならなかったので、それを芝居小屋の幕引係にたとえたり、ドウツキの綱を引くことと、女郎が客の袖を引くことにたとえた文句もあった。このような歌を唄うことで、桶の中に入っている人が、叩きたい場所、叩いていく方向と回数、綱を引く間合い等を綱の引き手に指示するのである。

大桶の中で杉葉を燃やし、側板のアクを消す（写真提供・白鹿記念酒造博物館）

　底入れが終わると、もう一度桶をひっくり返して、鉢巻き、口輪の順に口に近い方の輪を入れる。あらかじめ入れておいた仮輪は、下の輪が締まるたびに徐々に小さな輪に替えていき、本輪である鉢巻き、口輪を締めて、大桶のかための作業が終わる。

　最後に桶を横倒しにして、その中に杉の葉をこんもりと積み重ね、火をつける。火は桶の中を巻くようにして、いっとき燃えあがる。表面をこがす程度に焼いて、その後きれいに洗浄する。側板のアクを消すためであった。

寒仕込みにそなえて

洗米作業（写真提供・白鹿記念酒造博物館）

　九月中旬というと寒仕込みに備えて、桶師が造酒屋の桶の修理をしている時期である。この時期に灘を訪れたことがあった。仕込み用や貯蔵用の大桶は、ホーロータンクに替わっているが、運搬用の試桶や担い桶、柄杓などの小物の桶類は、まだ現役で働いている造酒屋もある。

　また、もろみ仕込み用で、大量の米を蒸すための大甑（約一八石入り）、酛仕込みの期間に使用する酛甑（約一二石入り）、酛仕込みに使う半切など、酒造りの重要な工程で使う桶は、今日なお使っている造酒屋もある。伝統的な製法の一部分を残し、酒の品質の維持につとめるとともに、会社のイメージアップをはかっているのである。

そのような会社に頼まれて桶師が桶の修理に行く。このとき私がめざしていた人は、名川隆義さんで、白鹿記念酒造博物館の吉村さんが紹介してくれた職人さんであった。名川さんはこの年の八月初めから、辰馬本家酒造（白鹿）の作業場で桶を修理していた。

「この蔵は一一月六日がイリコミですさかい、早ようから準備をしておかんと間に合わんですわ。百日（ひゃくにち）さんが来はったら、桶は即使いまっしゃろ。即でっさかいな」

名川さんの第一声である。イリコミというのは、杜氏を頂点にした酒造技術者の集団が、丹波や但馬から造酒屋にやってくる日である。また百日さんは蔵人（くらうど）とも呼ばれているこの集団のことで、イリコミの日から百日ほど造酒屋で仕事をするので、このような呼び方をする。

「百日さんが来はったら、すぐ甑の修理をします。甑はわし一人では動かせません。皆に手伝うてもろて蔵から出して、悪いところを取り換えて、輪がえしをします。そうですな、一一月八日ごろになりますやろな。甑だけでも大、中、小と三つありますさかい、修理に三日かかるとして、一一月中旬には、ぼちぼち百日さんは甑を炊きはじめますわ」

「毎年、今ごろの時期になると桶の修理に来ます。べつに契約をしているわけではなくて、酒屋さんのほうから、そろそろ来とくれなはるか、と言うてくれますしな、こっちからも、そろそろ行きましょうか、というようなもんです。昔から酒屋と付きおうていたらこんなもんです」

名川さんは現在西宮ではただ一軒の桶師で、「桶仙（おけせん）」という屋号をもっている。名川家は四代前に本家から分かれ、分家初代の仙太郎の名をとって「桶仙」と名のった。本家も「桶繁」という桶師であった。

名川さんは生粋の職人らしく歯切れのいい口調で話をつづけた。ちょうど辰馬本家の仕事が一段落つき、道具をかたづけているところであった。翌日は一日休んで、また別の蔵に行くという。緊張感から解放されていたからであろうか、私が知りたいと思っていることを察しているかのように、次から次へと話が展開していく。

桶師の仕事は桶づくりだけでなく、古い桶の修理も大事な仕事であった。その都度修理をすれば、長い間使えるのが桶の特徴のひとつである。

桶は何枚もの側板を結い合わせることによって、全体の形ができている。だからどこか一部分がいたんだときは、その部分だけ取り換えれば、また充分使うことができるのである。それが一木でつくられているくり物や、一枚の側板でつくられている曲げ物との大きな違いである。

造酒屋で桶を使う時期は冬期間に集中していて、一年の約三分の二は蔵に保管しておくものがかなりある。年間の使い方の差が激しいために、いたみも早いのである。

木の性質として狂いがでることと、縮むことがあげられる。酒造用の桶類のほとんどは充分乾燥させた良質の吉野杉を使っているために、狂いがでることは少ないというが、年を経るごとに木が縮む。別な言い方をすれば、木が痩せるという。木を使っているかぎりは避けて通れないことなのである。そのために、とくに小物の桶類は毎年輪がえをする必要があった。同時に、破損したり腐食した部分を取り換える。

ここ一五年ほど前までは、一〇月ごろになると五、六人の桶師が一つの造酒屋に入り、修理にあたる光景がみられたという。そしてイリコミの日に間にあうように、いくつかの造酒屋を順番にまわるのである。今日では桶師の数が少なくなったために、早い時期から蔵に入り、一軒の蔵での修理の時期も長くかかる。

11月中旬にはどこの造酒屋でも百日さんの姿が見られる。近年は百日さんの数が少なくなり、百日以上仕事を続ける人が多い

かつての酛仕込みの作業風景（写真提供・白鹿記念酒造博物館）

小物の桶にもまして、もろみの仕込み用や、酒の貯蔵用大桶の手入れや保管は、やっかいな仕事であった。その年に使った桶はきれいに洗浄して殺菌し、次の年の仕込みに備えなければならない。品質のいい酒を造るために、そして桶を長持ちさせるために、酒造り同様に手を抜いてはならない仕事であった。そのため春と秋の最低二回は蔵から出して手入れをする。

春の手入れを春洗い、秋の手入れを秋洗いといった。仕込み桶の春洗いは、熟成したもろみを圧搾にまわし、桶が空になりしだい行ない、秋洗いは酒造りに先だって、春洗い同様本式に行なう手入れである。貯蔵用大桶の場合も、秋に本式の手入れをしたのちに、春に酒を貯蔵する前に再度洗浄する。杜氏はとくに仕込み前の秋洗いを重視していたようで、七、八人の人工（にんく）をかけて一〇日を要したという。

一つの造酒屋で使う大桶の数は一定していない。実際はこれほど単純ではないが、かりにひと冬に三三石入りの桶に五〇本仕込むとして、大桶が一五〇本必要にな

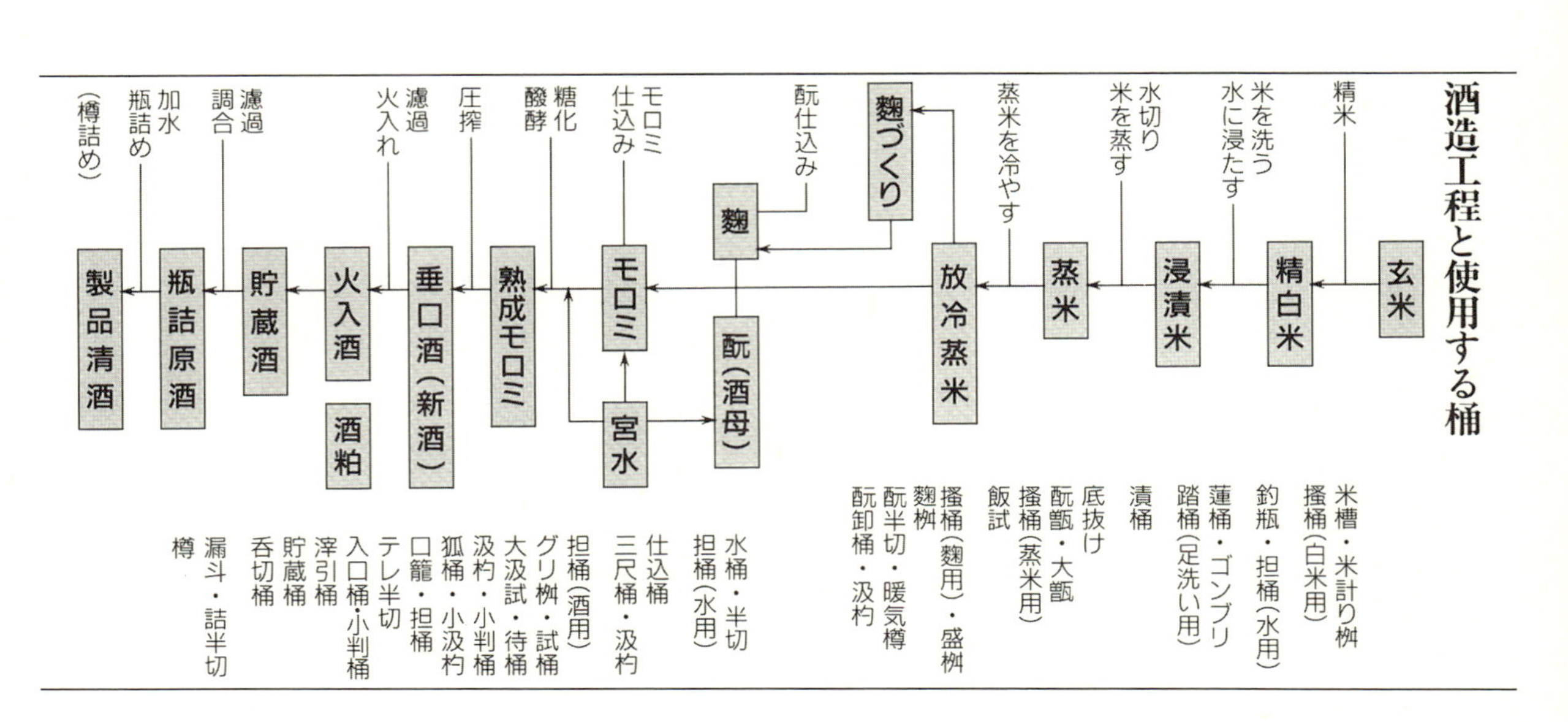

る。一回の醸造に仕込み用、入口用、貯蔵用の三種類の大桶が必要だからである。入口桶は圧搾した清酒の滓を沈澱させるための桶である。

　実際は桶をやりくりして、もう少し少ない数であったようであるが、それにしても桶を洗浄する回数は一五〇回をみておかなければならない。

　洗浄は念入りであった。蔵から桶を出して広い前庭に立ててならべ、桶の底から一尺のあたりまで、熱湯をそそぎこみ、蓋をして蒸気を充満させる。背丈が六尺あまりもある大桶に踏み板を架け、そこを熱湯の入った担い桶を担いでのぼっていくのであるから、大変危険な作業であった。

　洗浄に用いる熱湯は五石から六石入る計算になる。担い桶一本に一・五斗ほどを運べるとして、一荷で三斗。熱湯の入った重い桶を担って、一〇〇回往復しなければならないわけである。大桶に入る酒の量は常識をはずれている。桶の縁から一尺二寸ほど下にかけてある口輪から上は、一寸の深さにつき、約八斗の酒が入るという。一升瓶で八〇本分である。底の方はすぼまっているにせよ、大変な量であることには変わりがない。

　大桶のなかに熱湯を入れ、蒸気で充満させることを湯籠(ゆこも)りといった。これを一つの桶に三回ほどくりかえした。一度入れた湯を下の呑み口から出して、また入れるのである。その後に桶を横転させて、再度熱湯をかける。次いで竹製のササラで桶の内側をしごいた。これも熱湯をかけつつ八回ほどくりかえす。その後、水洗いをして、日光で乾燥させるというのが本式の手入れであった。そのため酒蔵の前には広い庭が必要であった。

　このように大桶の場合は一年に最低二回は蔵から外に出し、前庭までゴロゴロころがし、何回も横転させ、またゴロゴロころがして蔵に納めるという作業をくりかえさなければならない。何分大きいので丁寧に持ち運ぶことができないから、竹の輪もいたみ、ゆるみもする。木の痩せ方も激しいということになる。そこで五年に一度、管理の厳しい造酒屋では、三年に一度は大桶の輪替えや部分的な修理をし、甑、水桶などは毎年輪替えをしたという。

　甑は酒米を蒸すための容器で、桶の範疇に入れるのはちょっと奇妙な気もするが、そのつくり方はまったく桶と同じである。底には直径一寸五分ほどの穴があいている。これを口径、深さとも四尺五寸ほどもある大釜の上に据え、大釜から吹き出てくる蒸気を通して、中の米を蒸すのである。一度に四〇石もの米を蒸すことのできる大甑もあり、米が蒸しあがるのに四〇分から一時間を要するという。この間、百度前後の高温に耐え、約二ヶ月間毎日使われる。酒造用桶の中では最も苛酷な条件の中で使われる桶である。したがって側板や底板の縮みが激しく、ひと冬使用した後は必ず竹の輪を締めなおして、次の冬に備えたのである。

　水桶は仕込み用の水を貯蔵、冷却するための大桶である。灘地方では西宮市の限られた一角から涌出している宮水を、仕込み用の水として使用している。宮水はリン酸とカリウムを多く含み、醸造用仕込み水に適しているという。うまい酒の代名詞としての灘や西宮の酒の評価

酒造用の桶一覧表

この表は一日に仕込む米の総量が一五石（二二五〇キログラム）の場合に使用する桶の種類及び所要個数である。灘ではひと冬（約一〇〇日間）に、ひと蔵で千石の酒を醸造するのが標準であったが、この蔵の場合は千五百石ほどの醸造が可能であったと思われる。

表作成にあたっては首藤長敏著『醸造大辞典』（昭和六年）、灘酒研究会編『灘の酒用語集』（昭和五四年）を引用させていただいた。

一石＝一八〇ℓ＝一〇斗＝一〇〇升

名称		主な用途	容量 石斗升	口径 尺寸分	深さ 尺寸分	個数
大桶	仕込桶	モロミ仕込用	三二〇〇	七四二	五三八	二四
	入口桶	圧搾した清酒滓の沈澱用				二〇
	滓引桶	本格的貯蔵前に一時的貯蔵				一一
	水桶	水の貯蔵・冷却用	二一七	六三三	四八五	二
	貯蔵桶	火入れ後の清酒貯蔵用	三五(三三)	七六二	五四五	四〇
三尺桶		モロミの小分け用	八〇〇	四五五	三五〇	四〇
酛卸桶		酛醸成用　待桶にも転用	三五〇	三三七	二七七	四二
半切桶	酛半切	酛の仕込み・酛の小分け用	七五	二四八	一〇九	一五〇
	水半切	水桶の下に据える	一六八	三五三	一一五	二
	テレ半切	圧搾に移すモロミを漏斗の下で受ける		二四一	七三	一
	詰半切	樽詰め時に桶下に据える	二四四	四〇三	一二九	二
	洗半切	酒造用小道具を洗う				
	雑半切	雑物を洗う		三九九	一二五	一
甑	大甑	モロミ仕込用の大量の米を蒸す	一八五〇	六四四	三七六	一
	酛甑	酛仕込用の米を蒸す	一一八一	五五一	三五〇	一
	底抜け	大甑で小量の米を蒸すのに使用	三七六	三三七	三一七	一

◎仕込桶

◎貯蔵桶（囲桶）

◎酛卸桶

◎酛半切

◎甑

◎甑（仕上り）

◎担桶

名称		用途				
担桶	水用	水や湯の運搬用	一七	一〇六	一一六	四
担桶	酒用	モロミや清酒の運搬用	一七	一〇六	一一六	八
試桶	飯試	蒸米冷却時の運搬用	一六	一一二	一一三	四
試桶	大汲試	仕込桶から熟成モロミを待桶に汲み出す	一三	一〇二	一一二	一
試桶	水用	仕込水を仕込桶まで運ぶ	一七	一〇六	一二九	一七
試桶	酒用	モロミを仕込桶から三尺桶に小分け	一七			三
揺桶	白米用	米を槽から出す　漬桶から甑へ移す		一三	一一三	一
揺桶	蒸米用	蒸米を甑から飯試に移す		一三	一一八	一
揺桶	麹室用	室の中で蒸米を集積		一二	八三	一
蓮桶		足洗い洗米時の水桶	三三六	四三九	二二一	一
漬桶	大	洗米を浸漬	一九〇四	六九〇	三六三	二
漬桶	小	洗米を浸漬	三八六	三三三	二八四	一
踏桶		足洗い洗米用	三二	一五五	一一五	二
グリ桝		仕込水を飯試に汲む	五	八三	六三	一
ゴンブリ		洗米時に蓮桶の水を踏桶に汲む	一一	一〇二	九二	二
釣瓶		井戸水を汲み上げる	一五	一二五	九六	一
米計桝		精白米の計量用	一一	一〇二	九二	二
盛桝		麹米を麹蓋に分配する時の計量用		五三	六三	一
麹桝		酛仕込時に麹を計量	四	八六	四六	一
狐桶		圧搾時にモロミを酒袋に注ぐ	五	一二五	八三	二
壺漏斗		圧搾時に酒槽から漏れる酒を受ける	一	七三	一八	一
口籠		品質の違う酒の混合を防ぐ	四	八九	六〇	一
小判桶		入口桶に沈澱した滓の抜き取り	八	一六二	四〇	二
香切桶		検査用の酒を瓶に採る	四	八三	七六	一
漏斗		樽詰め時に清酒を注ぎ込む	九	一〇六	七三	二
暖気樽		熱湯を入れて栓をした樽で酛の加温用	三〇	一三二	一七五	一六

◎飯試(めしだめ)

◎蓮桶

◎暖気樽

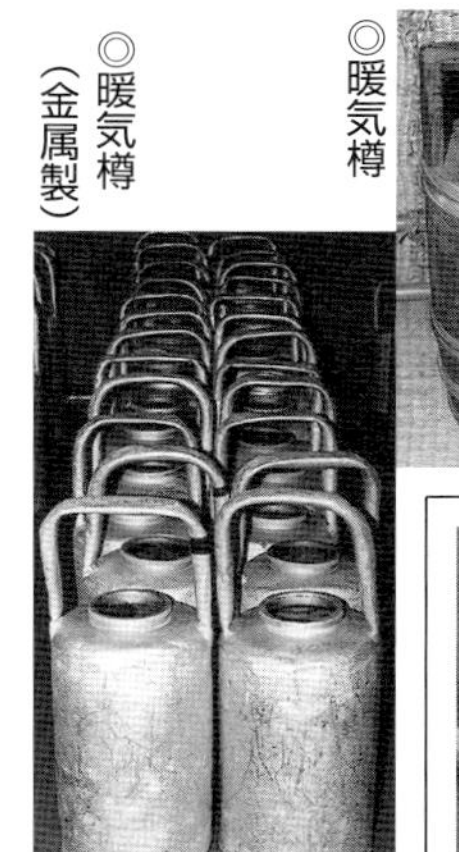
◎暖気樽（金属製）

◎試桶（金属製）

◎試桶

◎狐桶

◎小判桶

を、今日まで保ちつづけてきた理由の一つは宮水にあった。灘地方ではこの水を、わざわざ西宮から水樽に入れて運び込み水桶に貯えておいた。だからこの水桶が仕込みの期間中に漏るようなことがあっては困るのである。水桶の輪替えを毎年行なう理由はそこにあった。

そのほか、三尺桶や酛卸桶は三年に一度輪替えをするという。三尺桶は底の直径も高さも四尺、口径が四尺五寸ほどの桶で、酛の枯らしや、もろみ仕込みの際の枝桶として使われる。また酛卸桶は、酛（酒母）を育てるための桶である。

大桶の寿命は五〇年といわれている。新調したての大桶は、まず貯蔵用として用い、木の香りが失われるころには、仕込み用にまわされる。そのときは何回か輪替えをしているので、少々小さくなっている。

次に仕込み用として充分使い、輪替えや修理をしても漏るようになったら、解体して三尺桶や酛卸桶につくりなおす。三尺桶の板の厚みは一寸二分が標準である。新調したばかりの大桶の板の厚みは一寸五分あるので、三尺桶につくりかえるときには、板の縮みや鉋がけ等で、三分（一センチ）ほど薄くなっていることになる。

そして三尺桶として使った後は、側板を半分に切って半切桶を二枚分とったという。半切として使えなくなった桶は、ようやくその役目を終えることになる。

これまで桶の修理や輪替えばかり述べてきたが、桶の新造ももちろん、重要な仕事であった。灘地方の大手の造酒屋は、二〇から三〇棟の仕込み蔵をもっている例も少なくなかった。三〇棟の仕込み蔵をフルに回転させるためには、二〇六～二〇七ページの表に示したような種類と数の桶を、三〇組揃えておかなければならない。杜氏の集団も三〇組入ることになり、年間の酒造量は、ひと蔵千石として三万石ということになる。

大正時代のころまでと思われるが、そのような造酒屋では、毎年桶の修理や輪替えが大量に出るばかりでなく、春になると毎年、桶の新造も大量に発注された。たとえば、三三石入り大桶一〇〇本、三尺桶と酛卸桶を合せて一二〇本、水や酒を運ぶ担い桶八〇荷（一六〇本）、蒸米を移動する飯試（めしだめ）五〇本、もろみや酒を移動する試桶七〇～八〇本、暖気（だんき）樽一五〇～一六〇本、半切五〇〇枚、そのほかにもろもろの桶も加わっての注文であったという。大桶一本の値段で、小さな家であれば一軒建ったという時代であった。

これだけの量の桶を何軒かの桶師が分担してつくるのであるが、一方では一軒の桶師が何軒もの造酒屋に出入りしているので、年間を通して仕事をつづけることができたのである。

ところが昭和二〇年代に木造の大桶からホーロータンクに代わり、小型の桶類もステンレスやポリバケツに代わるにつれ、桶師の仕事も少なくなっていった。ホーロータンクは一本で、木製の大桶三本分の役割を果たした。もろみ仕込み、澄まし、貯蔵の三役を一本のタンクでこなすことができるのである。タンクの容量も大きくなり、洗浄、消毒も楽になった。わざわざ蔵の前庭に出さなくとも、蔵の中でできたからである。

木の桶は輪替えをする度に小さくなるだけでなく、貯蔵中に毎年一割ほども酒を吸ってしまうという欠点もあり、造酒屋にとってみれば大きな損失になっていた。

便利なホーロータンクの出現は、木製の桶の欠点を目立たせることになり、その結果、次第に桶師の仕事を奪うようになっていった。そして今日では一部の造酒屋が伝統的な酒造りを部分的に残しているにすぎない。後でわかったことであるが、灘五郷には私がお会いできた三人の桶師しか残ってはいなかった。つまり、三人で扱うことのできる量の桶しか使っていないのが現状である。しかも彼らには今のところ弟子がいない。

大桶の蓋がほされた灘の街角

酒造業を支えた桶と樽

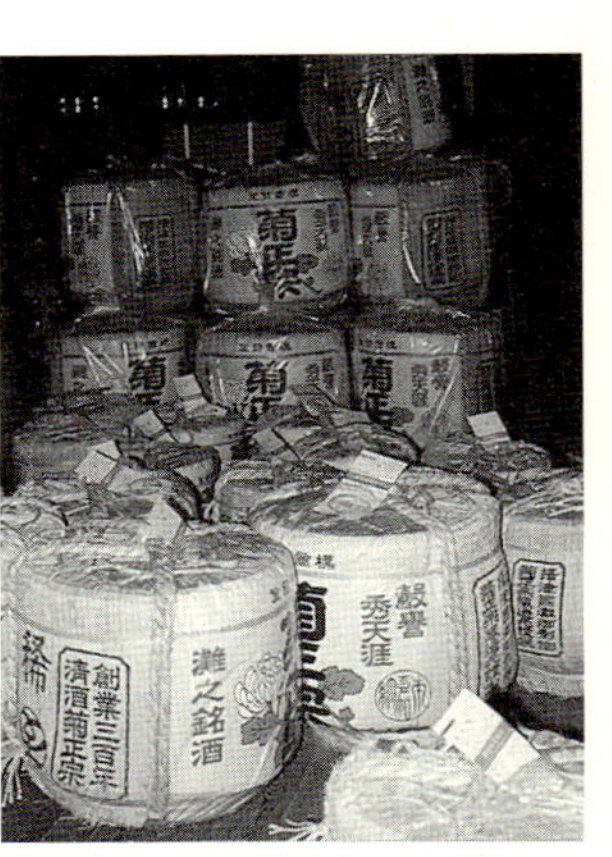

菰に包まれ出荷を待つ酒樽

灘の酒造業地帯のみならず、日本の醸造業、漁業、家庭用など、一般的には貯蔵、運搬などに使われる木製の容器として、桶と樽の果たしてきた役割は大きかった。なかでも醸造業においては、大桶の出現によって、酒、味噌、醤油などの大量生産が可能になり、産地の形成が進んでいった。江戸積みの清酒を主に醸造してきた灘の酒造地帯は、その代表であろう。

古代の末から中世に描かれた絵巻物を見ていると、容器としての曲げ物が数多く確認できる。その用途の主なものは手桶、水桶、釣瓶桶、盥など、桶と同じ用途のもののほかに、盆、櫃、弁当箱、蒸籠、篩の側などである。

ところが、曲げ物は板を薄く剥いで曲げ、桜の皮で縫い合わせて底をつけた容器であるから、それほど大きなものをつくることができない。板が薄い上に柾目でできているので、水分や塩分を通しやすい欠点もあり、酒や醤油、また味噌、漬物などの貯蔵にも適していない。

私が今まで見たことのある最も大きな曲げ物は、横三尺あまり、縦も深さも二尺ほどの折櫃であるが、これは家財道具や衣類を収納するためのものであった。

一方、焼物である甕や壺も古くから使用されていたが、これらは液体を貯蔵するには適した容器である。事実、醸造用の大桶が考え出される以前は、酒の醸造には壺が、貯蔵には甕が使われていたことが知られる。

ところが、壺や甕は曲げ物と同様に、大きいものをつくるには限度があった。今日残っている壺や甕で、胴まわりが三尺、高さが五尺をこえるものは、少ないのではないだろうか。その容量はせいぜい一石位のもので、二石以上入るものは少なかったと思われる。

これに対して桶は、比較にならないほど大きなものがつくられた。『多聞院日記』（文明一〇＝一四七八年～元和四＝一六一八年）という書物には、近世初期の段階で、一〇石入りの大桶で酒が醸造されていたことが書かれている。そして時代が下がるにつれて、二〇石入り、三〇石入りの、さらに大きな桶が現れてくるのである。数十枚の側板を合わせてつくる大桶の出現は、板と板を密着させる精密な技術の体系の完成と関係があるだろう。

「おけ」ということばは、『万葉集』の巻一四に「麻苧らを麻笥に多に績まずとも……」とみえ、紡いだ麻糸を入れておく器であったようだ。福島県南会津地方では同じ用途の器を「おぼけ」といい、多くは曲げ物である。万葉集の時代のそれも、曲げ物であったと思われる。

ところが中世の絵巻物の中には小型の結い桶が散見で

きるようになる。しかしそれは数点であり、依然として曲げ物が圧倒的に多い。小型の桶で、しかも大量生産の必要がなければ、先に述べたような精巧な技術がなくとも製作は可能である。後に述べる樽づくりの方法を使えばいい。しかし描かれた曲げ物には、その上端と底に近い部分に板を二重に巻いて、補強しているものが出てくる。これは今日見られる桶の輪とつながるものではないか、と思われる。

つまり輪のかかった桶の発想は、曲げ物を多用した時代からのもので、結い桶はそれを受け継いだもの、と考えられるのである。ようやく大桶が出現し、種々の容器が曲げ物から結い桶に代っていく時代が、このころであろうと思われるのである。

こうした中世の絵巻物の中に出てくる桶の製作を準備期間として、製作用具に裏付けられた、現在のような桶づくりの技術体系が完成していくのは、中世末から近世初期であったように思われる。

ところで、桶の製作でもう一つ大事なことは、側板を締める竹の使用であろう。これを灘地方の桶師は竹輪といい、タガとはいわない。この竹輪にはねじ輪と組み輪とがあるが、ねじ輪は二本の割竹をねじって巻いていくだけのものであり、長期間使っているとゆるんでくる。組み輪は二～六本の割竹を編組みしながら巻いていく。従って強度は組み輪の方がはるかに高い。

大桶の出現と竹輪、とくに組み輪の技術の開発は密接に関係しているであろう。大桶が満量になったときの圧力に耐えられるのは、側板を密着させる技術と、組み輪とがセットになってのことであると断言してもよいように思う。

近畿地方の酒造地帯の近くには竹の産地が多い。京都の伏見には長岡京市、向日市（むこうし）という、よい竹の産地をひかえている。京都から大阪に向かう途中の丘陵には、電車の中からでも竹林がつづく風景をまだ見ることができる。

伊丹と池田は、伊丹から猪名川流域にかけて、かなり大きな竹藪がつづいていたし、万国博覧会の会場になった千里丘陵も、もとは竹藪であったという。伊丹からは灘地方にも竹が送られていた。背丈が短いために大桶の輪竹にはむかなかったが、竹の質はかなりよかったという。

堺では、どこが竹を供給していたか、確かめていないが、背後の和泉丘陵にも竹が多かったように記憶している。

そして灘地方は但馬と丹波の竹林をひかえているが、主な竹の供給先は京都府の山城地方と嵯峨野であった。山城からは木津川から淀川に入って大阪湾に、

絵巻物に描かれた曲げ物の桶。上部と下部を補強しているものが多い。『日本常民生活絵引』

嵯峨野からは桂川から、やはり淀川に入って大阪湾まで筏で流した。大阪・灘間も筏輸送であったが、西風が吹いているときは、なかなか灘まで着かなかったという。山城や嵯峨野の竹が大阪まで出てくれれば、堺までの輸送も可能である。

嵯峨野を歩いてみて興味深かったのは、竹林のまわりに樫の木を植えていることであった。樫の木は年中葉をつけているので、竹に直射日光があたることがなく、竹はいつも青々としており商品価値が高い。また竹も日光を求めて、樫の木よりも上へのびようとするため、背丈の高い竹に育つのだという。相当太い樫の本もみられたので、嵯峨野の竹の歴史も古そうであった。

ちょうど吉野杉が、密植によって元と末の太さがあまり変わらず、背丈の高い杉に育つ、という理屈とよく似ている。背丈の高い竹は桶の大型化には不可欠のものであった。

話が最後になってしまったが、酒樽の存在を忘れることはできない。清酒の輸送には、おびただしい数の樽が使われたからで、とくに遠隔地への輸送に樽は欠かせないものであった。

桶と樽の違いはわかりにくいものであるが、鏡（かがみ）（樽の蓋）がついているものが樽で、鏡のないものが桶である。鏡は一度はめてしまったら、叩き割らないと中のものを取り出すことができないようになっている。いいかえれば、本体と蓋が一体化しているものが樽で、本体と蓋が分かれているか、もしくは蓋のないものが桶といえる。単純なことではあるが、この違いが桶と樽を決定的に分けている。

上・中・下　輪竹屋は酒造地帯ならではの桶、樽の割竹をつくる専門の業者。割竹は放っておくと変色するので、この仕事も時間との競争である

京都市嵯峨野の竹林。竹林の周囲に樫の木を植えているので竹が目立たないが、まっすぐ伸びた背の高い竹が多い

樽は本来、輸送用の容器としてつくられたとみてさしつかえないと思う。中のものを無事目的地に送り届けるためには、鏡はどうしても必要なものであった。

さらに輸送用容器として重要なのは、容量が一定していることである。それは樽をつくる場合、さほど難しいことではない。鏡と底板の直径と樽丸の高さを決めておけば、中の容量はおのずから決まるわけである。要するに樽は最初から計量用の枡の役割も兼ねているわけで、鏡はその容量を決める上でも、大事な役割を果たしている。

桶もまた、各部材の寸法が決まっているので、新しい桶であれば容量は一定している。しかし輪替えや修理するたびに、だんだん小さくなっていくために、枡の役割を果たさなくなる。

鏡にはもう一つの役割がある。酒や醤油がしみ出るのを防ぐために、樽は板目取りの板を使っているのがほとんどである。板目取りは年輪にそって割ったもので、そういう板は、年輪が木の芯に向かって曲がろうとする性質をもっている。これを職人はキクになるという。樽の縁が菊のように曲線を描くからであろう。ところが鏡をしっかり固定することで、キクになることを止めることができる。

一方桶の場合は、ふつう柾目の板を使い、側板の側面と角度を、正直鉋でぴしっと合わせているので、キクになることは少ない。桶が比較的長い間正円を保ち、鏡を必要としないのはこのためで、部分的な修理をすることで、長い間使うことができるのもこのためである。

桶と比較しながら樽の性格をみていくと、側板のつくり方と組み合わせ方に、特徴的に現れてくる。

吉野から送られてきた樽丸（側板材）は、内面と外面をセンで削り、側面を正直鉋で押して仕上げる。その中から樽一本分の側板をパズルのように組み合わせながら集める。四斗樽の場合二〇枚前後の側板でつくられるが、その中には先がとがった「矢」とよばれる板が四、五枚入っている。樽の側板は口も底も大体同じ幅なので、この矢で底の絞りを調節するのである。側板の円周と底の円周が合わなければ、別の適当な板ととりかえて合わせていく。その勘とスピードは、熟練した職人ほど早い。

側板の面と側面の角度は、九〇度に近い角度で押す。そうすれば側板が円を描いたときに、少なくとも内側はぴったり接触するからである。外側は少々隙間があいていても、竹輪で締めつければ中の液体が漏ることは少ない。

さらに側板の側面の、両端に近い部分をわずかに押しておく。板と板の中央部が接触し、両端がわずかにはなれるという状態である。こうしておくと、口輪と頭（口輪の下に締める輪）、そして底のあたりの三番、二番、尻輪を締めれば、木と木がくい込んで中央部は自然に締まることになる。三番の上の大中、小中は、側板を保護するための輪で、いわば飾りに近い。

こうしてみていくと、樽はいかに数多くのものを手早くつくり上げるかを念頭において工夫されてきたもので、正確さや緻密な加工はあまり問題にはしていない。だから樽の製造用具の中には、桶づくりでは、最も数多く揃えておかなければならない道具であるウチマル、ソトマル、カマといった道具類は含まれていない。

極端ないい方をすれば、底板の円周に対して側板の円周が、大小一センチほどのズレがあっても、その調節は可能であり、竹輪を締めることで少なくとも漏らない状態にはなるという。だから樽づくりにとって、輪を締める作業がとくに重要で、作業の六、七割方は、それに費やすという。

木はそれだけ柔軟な性質をもっており、樽はその性質を充分利用してつくられているのである。

板を一枚一枚加工してつくる桶にくらべて、樽はその製作スピードにおいてはるかにまさっている。桶の場合は小型のものでも、一人で一日二本つくれば、一人前といわれている。これに対して樽は、四斗樽で一日八本はつくる。注文が殺到する秋から冬にかけては、その倍の一六本つくる職人もあった。側板のこしらいをしておけば、一本につき二〇分から三〇分でつくり上げる職人もあったという。桶とは比較にならない早さであった。

このスピード仕上げが樽の生命であったといっていい。突然八〇本の注文が入っても、五人の職人を抱えていれば一日で仕上げることができる。そして秋から冬にかけて大量に出荷される清酒の輸送にも対応できたのである。

『西宮市史』によると、江戸時代後期にあたる文化・文政（一八〇四〜二九）のころに、関西の酒造地帯から江戸に輸送された酒樽の数は年間一〇〇万樽ほどをかぞえ、そのうちの六割方が灘五郷から出ていたようである。灘地方に樽職人が多く、また樽職人をめざす者が跡を断たなかったのもうなずけよう。

江戸に着いた酒樽が、再び上方に送り返されてくるということはなかった。それは、樽は解体して組み直さないと鏡を入れることができないから、いわば使い捨ての容器に近いものであったことが、大きな理由であったよ

桶屋から届けられた、目にしむ竹の緑と木の香漂う真新しい樽に、醸造元のマークを刷る。型紙を替えながら顔料を刷り込んでいく。かつては印屋という専門業者がいたものだ

竹輪をかけて樽に締めるのは輪竹屋の仕事のひとつ

樽は菰包みされて、各地の酒屋に送られる

灘五郷を歩いていると古い酒造蔵が見られる。酒造蔵にはモロミ仕込み、貯蔵をする大蔵と、酒米の洗米、蒸しなどが行なわれる前蔵がある

うに思う。またつくり方が簡便であったために、一度水物を入れた樽は漏ってしまうのである。そういう樽を送り返すよりは、新たな樽をつくった方が効率がよかったし、新しい木の香の漂う樽に入った酒が、消費者に好まれもする。そして樽の大量生産を支えていたのが、吉野の山中で計画的に育てられてきた杉であり、京都、大阪の豊かな竹林であったのである。

かつて宮本常一先生がお元気であったころ、吉野杉と樽丸の話をうかがって、大きな感動を覚えたことがある。今度の旅はその感動を自分の足と目で、どれほど具体化できるかを試みる旅でもあった。

先生の話はつづく。江戸に送られてきた樽は、空樽になると野田（千葉県野田市）や、当時江戸の郊外であった練馬に送られた。その空樽をつくり直して、醤油や漬物の輸送に使ったという。良質な杉と竹に恵まれなかった関東地方で、醤油業や漬物業が発達したのは、空樽のおかげであったのである。次は関東周辺に、目を向けてみたいと思っている。

宮本常一が撮った 写真は語る

京都市

京の町を行く物売りの女性連れ。大原、白川、梅ヶ畑などから漬物、花、野菜などの行商が、京の町の暮らしの一端を支えていた

宮本常一が最初に京都を訪れた年は明らかではないが、大正十三年のころに知恩院に参詣している。叔母が亡くなったとき、叔父に連れられて供養のために参ったという。次いで訪れたのが大正十五年で、この旅行に誘ったのは金子実英先生であった。宮本はこの年の四月に天王寺師範学校に入学しており、金子先生は師範学校の恩師であった。先生の知遇を得て、京都博物館、三十三間堂、豊国神社、方広寺、鳥辺野、清水寺、高台寺、円山公園、八坂神社、西本願寺などに足を

抹茶用の茶せんと、おうすを売る露店

東本願寺付近の京都市電の停車場。市電が昭和53年に全廃された後、古都も車社会に移行する

運び、それぞれの場所で目を輝かせ、感動し、興奮した。そのときの様子が『私の日本地図―京都』（同友館）の行間から伝わってくる。

宮本の京都にたいする一貫した姿勢はこのときに養われたと思われ、先の『私の日本地図』に次のように記されている。

「お上りさんにとって京都の町は有難い神や仏の世界であり、京都に行くと言わないで京参りといったものである。私もまたお上りさんの一人であり、京参りをした一人である。したがってこの記録は一人の田舎者が京参り

本願寺詣での門徒の多くが利用した西本願寺前の旅館街

西本願寺前正面通りの仏具屋街。西欧風のレンガ造りの建物は明治45年に建てられた本願寺修道院

をした見聞記とうけとってもらってよい」

今回掲載した六枚の写真のうち二枚が西本願寺関係、一枚が六角堂で撮った写真で、京参りと関係が深い。西本願寺は浄土真宗本願寺派の総本山であるが、宮本は、西本願寺前の数珠屋と本願寺伝導院、そして本願寺前の宿屋の風景を写真におさめている。本願寺は近世初期に西と東に分割され、西は西日本、東は東日本に多くの信者を抱えている。つまり総本山は京都にあるが、この寺を支えてきたのは地方の人々であった。

「本願寺という寺は不思議な寺である。京都の町中に周囲を圧した規模でたてられておりつつ、京都の市民にはさほど親しまれていない。（中略）ただ西本願寺の前には早くから門前町が発達した。門前町には仏具屋が多い。宿屋もある。また本願寺に勤める僧の家が、寺号をかかげているものも見られる」

本願寺の最大の行事は、開祖親鸞を供養する報恩講である。東本願寺は十一月、西本願寺は一月に行われ、地方から観光バスを連ねて多くの信者がやって来る。このとき寺や参拝客への奉仕をするのが門前の仏具屋や旅館の主人たちであった。お上りさんたちは門前町で仏具を買い求め、また京見物を楽しみにしている。京都の町には真宗の信者が少ないけれども、本願寺を中心にして全国の信者たちと京都の町がつながっているのである。

六角堂は西国三十三番の十八番目の札所であり、ここも京都以外からやって来る多くの人々を迎える霊場である。宮本の郷里である周防大島からも西国三十三番を巡礼する人も少なくなかったという。身内や先祖の供養が目的であったが、広い世間をみてくることがさらに主要な目的であったという。しかもさほど費用は必要としなかった。「巡礼の旅をさかんにしたのは、金がかからず、人も親切であり、その上疑いの目で見られることがなかったからだ」と述べている。このような信仰の場は京都の人々にとっても心が安らぐところであり、六角堂の境内でハトと遊ぶ親子の姿を写真に収めている。

ここに掲げた写真のうち、二枚は京都を支える人々の写真である。その一枚は「畑のオバ、大原女、白川女」のいずれかなのであろう。郊外から京の街に行商に来る物売りを撮ったものだが、右京区梅ヶ畑からくる物売りの女性は畑のオバとよばれていた。そして北の大原から来る物売りの女性を大原女、銀閣寺付近の白川から来る物売りは白川女と呼ばれた。宮本の『私の日本地図』には、「白川の女たちは手拭を姉さんかぶりにかぶり紺の手甲をし、袂付の着物をタスキがけにし、三幅前垂をつけ、着物の裾を端折り、その下から白い腰巻を出し、白い脚絆をつけ、草履をはいていた」と記している。もとは荷を頭にのせて畑で収穫したものや花を持って来たというが、写真の物売りの女性は、背中に荷を背負い、手には鍋のようなものを抱えている。もう一枚は小さな屋台のような店を出し、その中では職人が茶せんを製作中である。茶道が普及している京都らしい風景である。

宮本は乗物に乗らず、可能なかぎり自らの足で京都を歩き、景観や人との出会いの中からこの都を支えてきた人々について観察し、考察した。そして京都在住の人々はもちろんであるが、とりわけ外からやってきた人々にたいして温かなまなざしを向けていた。その結果、京都と民衆社会はかなり密接に結びついていた、という考えにいたった。政権が武家に移ることにより京都は権力から遠ざかるが、天皇家や貴族、信仰の拠点である神社仏閣は京都に残り古代以来の権威を保ち続けた。民衆社会は権力よりも権威にたいしてより多くの魅力を感じていたからではないか、という見解を見出している。

（須藤　護）

写真協力・周防大島文化交流センター

中京区の六角堂は西国三十三箇所の十八番目の札所。境内は市民の憩いの場でもある

著者あとがき

谷沢 明

一九七九年の春から夏にかけて、三ヵ月余り三重県志摩地方を駆け巡った。志摩民俗資料館設立にむけて、民具収集、展示作業をするためであった。このプロジェクトは、宮本常一先生の指導のもと、日本観光文化研究所がおこなったものである。先生がお亡くなりになる二年前のことである。

我われが宿舎にしていたのは、英虞湾に面する、昔、真珠屋を営んだ木造二階建ての家。窓辺の風景は抜群であるが、建物はかなりいたんでいる。民具収集を始めてしばらくたったある日、先生は志摩を訪れた。この宿舎で夕食を召し上がった先生は、食後もまた、熱く語り続ける。

「海に生きる人たちの暮らしの立て方は多様性をもっている。志摩は、女もよく働く。どんなささやかな人生でも、みな一生懸命生きてきた。人それぞれの生き方を、実感をもって受け止めてみることが大切だ。そのためには、歩いてみることじゃ…」

夜が更けても、話は、終わらない。

「今夜、先生がお泊まりになる場所は、志摩観光ホテルですが…」

「わしゃ、ここで、若いモンと話しているのが何よりの楽しみじゃ」

そのまま、先生は、この古びた真珠屋にお泊まりになった。その情景を、昨日のことのように思い出す。

私が『あるくみるきく』の取材で志摩を歩いたのは、このプロジェクトが一段落した夏から翌年の二月にかけてである。朝鮮の海にまで潜りに行った和具の海女、アメリカ移民に出かけた片田の女性、伊勢平野に茶摘みや農作業に出かけた畔名の娘、港町的矢に船で野菜売りに出かけた飯浜の人。話をうかがうと、いずれも、うら若き女たちが逞しく生き抜いてきたのである。また、じつに軽がるとよその土地に出向いていく人間のエネルギーに、驚きを隠せなかった。

リアス式海岸の英虞湾や熊野灘外海の小入江に、人家が肩を寄せ合うようにして形づくられた集落。集落の背後は台地で、ささやかな畑しかない。そのような土地で暮らしていくために、志摩の女たちは、さまざまな可能性を試してみる生き方をしたのであった。

志摩で話を聞き、宮本先生がお亡くなりになって、三十年の歳月が流れた。志摩を歩いていた当時、志摩五か町（現在、志摩市）の海女は、一六三八人（一九七八年）を数えていた。そして、今、四八〇人（二〇〇七年）と三分の一以下に激減してしまった。当時、海女は、若い人でも四十～五十代であった、と記憶する。そして、今、志摩の海女の平均年齢は、七十歳前後と推定されている（志摩市役所による）。この年齢からして、はたして、海女漁は、生業として成り立っているものであろうか。

英虞湾の漁業を特色づけていた真珠養殖業も、一九六〇年代半ば過ぎにいったん下火になったもののその後持ち直して、一九九〇年代初頭まではなんとか後継者はいた。しかし、この真珠養殖業も、「真珠では飯が食えない」と廃業が続き、今は、風前の灯といった感を深くする。さらに、カツオ釣り漁業が栄えた浜島・和具・波切では、今、漁村としての活気は、ほとんどみられなくなってしまった。地域社会の変貌は、それほど激しいのである。

三十年前に志摩を歩いて、お年寄りから聞いた、さまざまな話。ひたむきに物事と向き合って生きてきた人間のもつ輝き、それが溢れ出る話ばかりであった。それらの話は、今は、おそらく、もう誰からも聞くことができないのではないか。当時は、ごくありふれた話にしかすぎなかったかもしれない。しかし、それを、愚直に書きとめておいてよかった、と思う。それを綴った小冊子『あるくみるきく』は、ささやかながらも、一つの時代の断章を物語っていることは確かである。

著者・写真撮影者略歴（掲載順）

宮本常一（みやもと　つねいち）
一九〇七年、山口県周防大島の農家に生まれる。大阪府立天王寺師範学校卒。一九三九年に上京、澁澤敬三の主宰するアチック・ミュージアムに入る。戦前、戦後の日本の農山漁村を訪ね歩き、民衆の歴史や文化を膨大な記録、著書にまとめるだけでなく、地域の未来を拓くため住民たちと膝を交えて語りあい、その振興策を説いた。一九六五年、武蔵野美術大学教授に就任。一九六六年、後進の育成のため近畿日本ツーリスト（株）日本観光文化研究所を創立し、翌年より『あるくみるきく』を発刊。一九八一年、東京都府中市にて死去。著書『忘れられた日本人』（岩波書店）、『日本の離島』『宮本常一著作集』（未来社）など多数ある。

伊藤幸司（いとう　こうじ）
一九四五年、東京生まれ。糸の会・登山コーチングシステム主催。早稲田大学文学部哲学科卒。探検部で第一次ナイル河全域踏査隊に参加したあと日本観光文化研究所に創設された探検・冒険部門「あむかす」に参加。『あるくみるきく』の執筆・編集を通してフリーのライター&エディターとなる。一九七五年、あむかす探検学校主催「東アフリカ探検学校」のリーダーとして、宮本常一をオートバイの後ろに乗せ、ケニア、タンザニアを案内した。近著に『山の風、山の花』『軽登山を楽しむ』（いずれも晩聲社）がある。

森本孝（もりもと　たかし）
一九四五年、大分県生れ。立命館大学法学部卒業後、日本観光文化研究所で伝統漁船・漁具の調査収集及び月刊誌『あるくみるきく』の執筆・編集を行う。平成元年から今日までＪＩＣＡの水産・漁村社会専門家として発展途上国の振興計画調査に従事。この間、水産大学校教官、周防大島文化交流センター参与等を歴任。著書・編著に『舟と港のある風景』（農文協）、『鶴見良行著作集⑪⑫・フィールドノートⅠ・Ⅱ』（みすず書房）、『宮本常一写真図録Ⅰ・Ⅱ』（みずのわ出版）などがある。

谷沢明（たにざわ　あきら）
一九五〇年、静岡県生まれ。法政大学大学院修士課程修了。博士（工学）。日本観光文化研究所所員を経て、現在、愛知淑徳大学現代社会学部教授。著書に『瀬戸内の町並み—港町形成の研究』（未来社）、『楢川村史』（共著）、『瀬戸田町史』（共著）、『東城町史』（共著）などがある。

須藤功（すとう　いさを）
一九三八年　秋田県横手市生まれ。川口市立県陽高校卒。民俗学写真家。一九六六年より日本観光文化研究所所員となり、全国各地歩き庶民の暮らしや祭り、民俗芸能の研究、写真撮影に当たる。著書に『西浦のまつり』『山の標的—猪と山人の生活誌』（未来社）、『花祭りのむら』（福音館書店）、『写真ものがたり　昭和の暮らし』全十巻『大絵馬ものがたり』全五巻（農文協）などがある。

賀曽利隆（かそり　たかし）
一九四七年、東京都生まれ。バイクライダー・ライター。二十歳で初めてアフリカを一周してから六度の日本一周をはじめ、これまでに世界一三三ヵ国、一二〇万キロを走破。「生涯旅人」をモットーに、パリダカ参戦、サハラ砂漠横断、シルクロード横断など、大好きなバイクで移動しながら、世界各地の土地・人・文化に出会う旅をつづけている。著書に『三〇〇日三〇〇〇湯めぐり』上下巻（昭文社）、『バイクで駆ける韓国三〇〇〇キロ』、『世界を駆けるぞ！』全四巻（フィールド出版）などがある。

須藤護（すどう　まもる）
一九四五年、千葉県生まれ。武蔵野美術大学建築学科卒。日本観光文化研究所員、放送大学教員を経て、現在は龍谷大学国際文化学部教授（民俗学）。主な著書に『暮らしの中の木器』（ぎょうせい出版）、『東和町史各論編4—集落と住居』（東和町教育委員会）、『ふるさと山古志に生きる』（農文協）、『木の文化の形成—日本の山野利用と木器の文化』（未来社）などがある。

工藤員功（くどう　かずよし）
一九四五年、北海道生まれ。武蔵野美術短期大学芸能デザイン科専攻科修了。日本観光文化研究所員、武蔵野美術大学民俗資料館設立準備室勤務を経て、現在は武蔵野美術大学非常勤講師（民俗学）。著書に『日本の生活と文化6　暮らしの中の竹とわら』（ぎょうせい出版）、共著に『民族文化双書2　琉球諸島の民具』（未来社）、『JAPANESE BANBOO BASKETS』などがある。

近藤雅樹（こんどう　まさき）
一九五一年、東京都生まれ。武蔵野美術大学造形学部美術学科卒業。一九七七年（財）日本常民文化研究所、一九八〇年兵庫県立歴史博物館を経て、一九九〇年国立民族学博物館に着任、現在民族文化研究部教授。編著書は『日用品の二〇世紀』（ドメス出版）、『図説大正昭和くらしの博物誌』（河出書房新社）など。単著には『霊感少女論』『おんな紋—血縁のフォークロア—』（河出書房新社）がある。

神戸佳文（かんべ　よしふみ）
一九五七年、岐阜県生まれ。関西大学文学部史学科卒。兵庫県立歴史博物館学芸課長。日本彫刻史担当で、兵庫県を中心に仏像調査を行い、兵庫県内の自治体の内、『中町史』『姫路市史』『東浦町史』『三田市史』『御津町史』『揖保川町史』『新宮町史』『八千代町史』『大屋町史』等の仏像篇の執筆を担当し、『加美町の仏像』『黒田庄町の仏像』等の報告書を作成した。

監修者略歴

田村善次郎（たむら　ぜんじろう）

一九三四年、福岡県生まれ。一九五九年東京農業大学大学院農学研究科農業経済学専攻修士課程修了。一九八〇年武蔵野美術大学造形学部教授。武蔵野美術大学名誉教授。文化人類学・民俗学。

大学院時代より宮本常一氏の薫陶を受け、国内、海外のさまざまな民俗調査に従事。『宮本常一著作集』（未来社）の編集に当たり、宮本常一没後、近畿日本ツーリスト（株）・日本観光文化研究所副所長。著書に『ネパール周遊紀行』（武蔵野美術大学出版局）、『棚田の謎』（農文協）ほか。

宮本千晴（みやもと　ちはる）

一九三七年、宮本常一の長男として大阪府堺市鳳に生まれる。小・中・高校は常一の郷里周防大島で育つ。東京都立大学人文学部人文科学科卒。山岳部に在籍し、卒業後ネパールヒマラヤで探検の世界に目を開かれる。一九六六年より近畿日本ツーリスト（株）・日本観光文化研究所（観文研）の事務局長兼『あるくみるきく』編集長として、所員の育成・指導に専念。

一九七九年江本嘉伸らと地平線会議設立。一九八二年観文研を辞して、向後元彦が取り組んでいた「（株）砂漠に緑を」に参加し、サウジアラビア・ＵＡＥ・パキスタンなどをベースにマングローブについて学び、砂漠海岸での植林技術を開発する。一九九二年向後らとＮＧＯ「マングローブ植林行動計画」（ＡＣＴＭＡＮＧ）を設立し、サウジアラビアのマングローブ保護と修復、ベトナムの植林事業等に従事。現在も高齢登山を楽しむ。

あるくみるきく双書
宮本常一とあるいた昭和の日本 8 近畿 2

2010年12月20日第1刷発行

監修者　田村善次郎・宮本千晴
編　者　森本　孝

発行所　社団法人　農山漁村文化協会
郵便番号　107－8668　東京都港区赤坂7丁目6番1号
電話　03（3585）1141（営業）　03（3585）1147（編集）
FAX　03（3585）3668
振替　00120（3）144478
URL　http://www.ruralnet.or.jp/

ISBN978－4－540－10208－0

印刷・製本　（株）東京印書館

郷土の歴史・文化・資源を生かし内発的地域振興策を考える農文協の本
＜近畿＞

日本の食生活全集　全50巻

各巻2762円＋税　揃価138095円＋税

各都道府県の昭和初期の庶民の食生活を、地域ごとに聞き書き調査し、毎日の献立、晴れの日のご馳走、食材の多彩な調理法等、四季ごとにお年寄りに聞き書きし再現。
地域資源を生かし文化を培った食生活の原型がここにある。

●三重の食事　●滋賀の食事　●京都の食事　●奈良の食事　●和歌山の食事　●大阪の食事
●兵庫の食事

江戸時代　人づくり風土記　全50巻（全48冊）

揃価　214286円＋税

地方が中央から独立し、侵略や自然破壊をせずに、地域の風土や資源を生かして充実した地域社会を形成した江戸時代、その実態を都道府県別に、政治、教育、産業、学芸、福祉、民俗などの分野ごとに活躍した先人を、約50編の物語で描く。

●三重　4286円＋税　●滋賀　4286円＋税　●京都　3333円＋税
●奈良　4286円＋税　●和歌山　4286円＋税　●大阪　4286円＋税
●兵庫　4286円＋税

三澤勝衛著作集　風土の発見と創造　全4巻

揃価28000円＋税

世界恐慌が吹き荒れ地方が疲弊し、戦争への足音が聞こえる昭和の初期、野外を凝視し郷土の風土を発見し、「風土産業」の旗を高く掲げた信州の地理学者、三澤勝衛。今こそ、学び地域再生に生かしたい。

1地域の個性と地域力の探求　6500円＋税　2地域からの教育創造　8000円＋税
3風土産業　6500円＋税　4暮らしと景観・三澤「風土学」私はこう読む　7000円＋税

写真ものがたり　昭和の暮らし　全10巻

須藤 功著

各巻5000円＋税　揃価50000円＋税

高度経済成長がどかどかと地方に押し寄せる前に、全国の地方写真家が撮った人々の暮らし写真を集大成。見失ってきたものはなにか、これからの暮らし方や地域再生を考える珠玉の映像記録。

①農村　②山村　③漁村と島　④都市と町　⑤川と湖沼　⑥子どもたち　⑦人生儀礼　⑧年中行事
⑨技と知恵　⑩くつろぎ

シリーズ　地域の再生　全21巻（刊行中）

各巻2600円＋税　揃価54600円＋税

地域の資源や文化を生かした内発的地域再生策を、21のテーマに分け、各地の先駆的実践に学んだ、全巻書き下ろしの提言・実践集。

[1]地元学からの出発　[2]共同体の基礎理論　3自治と自給と地域主権　4食料主権のグランドデザイン　5手づくり自治区の多様な展開　6自治の再生と地域間連携　[7]進化する集落営農　8地域をひらく多様な経営体　9地域農業再生と農地制度　10農協は地域になにができるか　11家族・兼業・女性の力　[12]場の教育　13遊び・祭り・祈りの力　14農村の福祉力　15雇用と地域を創る直売所　16水田活用 新時代　17里山・遊休農地をとらえなおす　18林業―林業を超える生業の創出　19海業―漁業を超える生業の創出　20有機農業の技術論　21むらをつくる百姓仕事

（□巻は二〇一〇年一一月現在既刊）